Reg.-Bez.: **Kassel**

Kreis: **Hersfeld**

№ **263003** *

FLÜCHTLINGS-AUSWEIS

ausgegeben vom
Minister für Arbeit und Wohlfahrt
Großhessen

Staatskommissar für das Flüchtlingswesen

_____ | 23. 1. 47.
Ausgabeort | Ausgabetag

Kreiskommissar für
das Flüchtlingswesen

(Dienstsiegel)Kreis | (Ausstellende Behörde)

(Unterschrift des Ausstellers)

THE LIBRARY
OF
WALTER T. NAU

Frank Grube/Gerhard Richter

Flucht und Vertreibung

Deutschland zwischen 1944 und 1947

Hoffmann und Campe

ergreifung Ostdeutschlands – als Kompensation für den Verlust seiner Ostgebiete an die Sowjetunion – und die Vertreibung der dort lebenden Deutschen und der Sudetendeutschen aus der Tschechoslowakei schufen in Westdeutschland und der späteren Bundesrepublik innenpolitische Bedingungen, die vorerst einen »Wandel durch Annäherung« unmöglich machten. Die im Kalten Krieg eingefrorene Formel von der nur »provisorischen polnischen Verwaltung Ostdeutschlands« war eine stete Quelle polnischer Beunruhigung. Darüber konnte auch die Anerkennung der Oder-Neiße-Linie als polnischer Westgrenze durch die DDR am 6. 6. 1950 nicht hinwegtäuschen.

Potentielle Wählerstimmen verlangten ihren Tribut, selbst wenn einigen Überlegungen ein durchaus realistischer Ansatz zugrunde lag: »Wir vertreten die Meinung, daß die Polen selbstverständlich für die Ostgebiete, die sie an Rußland abgegeben haben, mit deutschen Ostgebieten entschädigt werden. Diese können aber keineswegs bis an die Oder und Neiße gehen« – so äußerte sich Jakob Kaiser bereits 1946. Und ähnlich formulierte Kurt Schumacher ein Jahr später: Es müsse weiterhin das Bestreben der deutschen Politik sein, möglichst viel von dem Land östlich der Oder und Neiße zurückzuerhalten. Allerdings: »Die Grenzen von 1937 (sind) durch das Hitlersche Abenteuer verspielt.«

Wer nun glaubte, durch die zunehmende administrative und wirtschaftliche Verschmelzung der ehemaligen ostdeutschen Gebiete mit Zentralpolen würden Bedingungen geschaffen, die auch in der Bundesrepublik als neue historische Tatsachen anerkannt würden, sah sich getäuscht. Die Grenzfrage wurde »offen« gehalten, und auf Seiten Polens fühlte man sich nur allzu oft an die Revisionspolitik der Weimarer Zeit erinnert. Hinzu kamen teilweise scharfmacherische Äußerungen einiger Vertriebenenpolitiker in ihren berühmt-berüchtigten »Sonntagsreden«.

Das Potsdamer Abkommen galt in diesen Jahren vielen nur als Provisorium – doch wie man eine Änderung des bestehenden Zustandes ohne Gewaltanwendung herbeiführen wollte, darauf wußte niemand eine konkrete Antwort.

Auch der in der »Charta der Heimatvertriebenen« ausgesprochene Gewaltverzicht bildete keine ausreichende Basis für eine wirkliche Verständigung. Die über 200 Jahre während nationalistische Fanatisierung und die furchtbare Entladung der Spannungen zerstörten auf lange Zeit das Vertrauen, das für eine Politik des friedlichen Nebeneinanders nötig war und ist.

Fest steht immerhin, daß mit den Ostverträgen zumindest die Grundlagen für ein besseres Verständnis gelegt wurden, daß ein neuer Anfang gemacht worden ist. Andererseits sind die Erfahrungen der Jahre 1939–1945 noch nicht vergessen, sie bestimmen nach wie vor Einstellung und Verhalten vieler Menschen auf beiden Seiten.

Für viele von uns ist es an der Zeit einzusehen, daß das Land, das »verlorengegangen« ist, bereits verloren war, als sich die Deutschen hinter Hitler stellten und zum Krieg bereit waren. »Dieses Land«, so Siegfried Lenz, »es kam uns abhanden in einer Zeit, als wir mit der Furcht und dem Zittern einverstanden waren, das die unterworfenen Völker vor uns empfanden.«

Diese Erkenntnis, so bitter sie für manche Menschen auch sein mag, sollte uns stets gegenwärtig sein, wenn Probleme der neuen deutschen Geschichte zur Debatte stehen. Denn ein dauerhafter Friede in Europa ist nicht denkbar ohne die Entwicklung guter und tragfähiger Beziehungen zwischen den Völkern auf der Grundlage gegenseitigen Verstehens. Auch die dunklen Kapitel der gemeinsamen Geschichte dürfen dabei nicht verschwiegen werden.

Eines davon ist die Flucht und die Vertreibung der Deutschen.

Es ist genug!

Frank Grube / Gerhard Richter

Nicht einmal fünf Jahre nachdem deutsche Truppen im Morgengrauen des 1. September 1939 Polen überfallen hatten, kurz darauf einen »Blitzsieg« über Frankreich erringen und im Sommer 1941 und 1942 weit nach Rußland bis an die Wolga vordringen konnten, ging am 20. August 1944 ein russischer Spähtrupp östlich von Schillfelde über den Grenzfluß Scheschuppe . . . Der Krieg erreichte Ostpreußen.

Vor allem die Ost- und Westpreußen, Pommern, Schlesier, Ost-Brandenburger und Sudetendeutschen zahlten die Zeche dieses wahnwitzigen Krieges, der den Traum einer rassistisch denkenden, verantwortungslosen Führungsclique nach dem Lebensraum im Osten verwirklichen sollte, unterstützt von der deutschen Großindustrie, die den Griff nach der Weltmacht schon im Ersten Weltkrieg gewagt hatte, und getragen vom Wohlwollen fast der gesamten Bevölkerung.

Das Land, das seit sieben Jahrhunderten ihre Heimat gewesen war, mußten sie nun verlassen, wollten sie nicht der anrückenden Roten Armee in die Hände fallen. Millionen Deutsche waren seit Mitte 1944 auf der Flucht.

Und viele derjenigen, die zurückblieben, wurden nach dem Ende des Krieges vertrieben, so wie es das Abkommen von Potsdam vorsah. Diese von den alliierten Siegermächten legalisierte Vertreibung der Deutschen aus dem Osten und dem Sudetenland beendete 700 Jahre deutscher Kolonialgeschichte.

Begonnen hatte die Ostwanderung deutscher Stämme unter Karl dem Großen um 800, mit der Neuerrichtung des römisch-christlichen Kaisertums und der missionarischen Ausbreitung des christlichen Glaubens. Aber erst im 12. und 13. Jahrhundert setzt die Erschließung der Räume jenseits der Oder ein. Sie ist das Werk der deutschen Mönche, Ritter und Siedler.

Kolonisierung ist immer Aggression, weil sie die Errungenschaften der eigenen Zivilisation den anderen Völkern aufzwingt. Verschärft wurde sie dadurch, daß es sich hier zwischen Oder und Weichsel um kleine und schwache heidnische Stämme handelte. Denn jenseits der Weichsel hatten die slawischen Polanen schon um die Jahrtausendwende ein Königreich errichtet und das Christentum übernommen. In diese Pufferzone zwischen den beiden Flüssen und in dem von den Prußen beherrschten Streifen entlang des Kurischen Haffs und der Kurischen Nehrung stießen nun Polen von der einen und Deutsche und Dänen von der anderen Seite. Unblutig verlief der Besiedlungsprozeß nirgendwo.

Meist wird aber vergessen, daß die Kolonisierung des Ostens nicht nur ein Eroberungsfeldzug war, um fremde, weniger zivilisierte Völker zu unterwerfen und sich ihr Land anzueignen. Die Kolonisierung war zugleich auch ein Kreuzzug. Denn die ursprüngliche Idee, das Heilige Land im Zeichen des Schwertes und des Kreuzes von den Ungläubigen zu befreien, erweiterte sich bald zur generellen Kampfansage gegen alles Heidnische. Die Skandinavier missionierten Finnland, die Dänen Estland, Bremen schickte Missionare nach Riga. Die Kolonisierung und Christianisierung von Pommern, Schlesien, der Mark Brandenburg und Preußen ist daher kein isoliertes Unternehmen, sondern ein Teil abendländischen Sendungsbewußtseins im Ostseeraum. Die Heiden mit dem Schwert zum richtigen Glauben zu bekehren, das war im Mittelalter nicht nur erlaubt, sondern ein Gott wohlgefälliges Tun.

Am mildesten verlief die Christianisierung in Böhmen. Von Regensburg aus zogen die Mönche und Siedler bis hin zur Eger, Moldau und Elbe. In Mähren trafen Tschechen mit Bayern, Obersachsen und Schlesiern zusammen, kämpften die römische und die byzantinische Kirche um den wahren Glauben, stand slawisches Recht gegen deutsches. Politische und soziale Spannungen führten zum Feuertod von Jan Hus (1415) auf dem Konzil zu Konstanz und zum Aufstand der Slawen. Es ging um Gleichheit, Erbzins und Rechtsprechung. Doch der Iglauer Friede von 1436 bestätigte Böhmen als Ständestaat mit slawischer Amtssprache.

Im Dreißigjährigen Krieg wurden ganz Deutschland und auch Böhmen verwüstet, die Bevölkerung erlitt große Verluste. Dann marschierten die Grenadiere Friedrichs des Großen in Böhmen ein, später die Heere Napoleons, dann die Soldaten der maroden k. u. k. Monarchie. Der Friedensvertrag von Versailles schließlich überließ das Sudetenland den Tschechen.

Relativ gesittet verlief die Christianisierung und Kolonisierung auch in Pommern und Schlesien. Die Germanisierung dieser Länder vollzog sich allmählich durch die friedliche Vermischung der Zuwanderer mit den Einheimischen. Nur langsam setzten sich die deutsche Sprache und der christliche Glaube durch. Der friedliche Charakter der Besiedlung dieser Landschaften kommt auch darin zum Ausdruck, daß die Städte, mit Ausnahme der Ordensstädte, ohne einen besonderen Schutz durch Burgen blieben.

Demgegenüber wurde die Mark Brandenburg regelrecht erobert. Heidenland galt zwar als herrenlos, doch auch hier lebten Menschen. In jahrzehntelangen Kämpfen versuchten die Askanier die hier ansässigen Wenden zu vertreiben, zu unterdrücken oder auszurotten. Dies ist nie vollständig gelungen: »Märkische Wenden lebten noch viel später, im 18. und 19. Jahrhundert, oft freiwillig oder unfreiwillig unter sich, in ihren Vorstädten oder ›Kietzen‹ und im damals noch fast unzugänglichen Spreewald hat sich bekanntlich bis zum heutigen Tage eine kleine wendische Volksgruppe mit eigener Sprache und Sitte erhalten« (Sebastian Haffner).

Bereits im 9. Jahrhundert mußten sich die Prußen, die Ureinwohner Ostpreußens, gegen Angriffe der Wikinger, Dänen, Polen und Russen zur Wehr setzen. Nachdem 1116 ein polnischer Kreuzzug gegen die Prußen gescheitert war, folgten zwei weitere Kreuzzüge (1221/22 und 1223), bis schließlich der Deutsche Orden seine Ritter schickte. In einem jahrzehntelangen grauenvollen Gemetzel, an dem sich auch polnische, pommerellische und schlesische Fürsten und ihre Gefolgsleute beteiligten, wurden die Prußen schonungslos bekämpft. Daß dieser Volksstamm allerdings fast ausgerottet wurde, ist eine Legende. Immerhin lebten um 1400 im Ordensstaat rund 140 000 Prußen neben etwa 190 000 Deutschen.

10

Den Greueln, die die Ordensritter in den Jahren 1231 bis 1283 verübt haben, stehen die großen Leistungen gegenüber, die der Orden seit dem 14. Jahrhundert auf dem Gebiet der Verwaltung und der Wirtschaft vollbrachte. In einer steilen Aufwärtsentwicklung führte der Orden dieses Land an die Spitze des europäischen Standards. Nach 100 Jahren Blütezeit kam es dann zu Beginn des 15. Jahrhunderts zur ersten großen Auseinandersetzung mit Polen. In der Schlacht von Tannenberg (1410) wurde der Orden geschlagen, und nach einigen weiteren Scharmützeln verlor der Ordensstaat im Thorner Frieden 1466 seine Selbständigkeit an Polen. Westpreußen wurde ganz und gar polnisch und in den folgenden Jahrhunderten systematisch mit polnischen Siedlern durchsetzt. Ostpreußen blieb dem Orden nur als politisches Lehen. Auf die rund 200 Jahre deutscher Kolonisation und Staatsgestaltung in Pommerellen, Kulmerland und Westpreußen folgte eine dreihundertjährige Verbindung mit Polen.

In einer Zeit, in der Fürstentümer durch Heirat sich ausdehnten oder als Erbe in die Hände eines anderen Hauses übergingen, nahm das niemand besonders tragisch. Erst mit dem Aufkommen konsequent betriebener nationaler und nationalistischer Politik im 18. Jahrhundert und dem Entstehen großer, in sich befriedeter Nationalstaaten wurde die Pufferzone zwischen Oder und Weichsel in das Tauziehen der europäischen Großmächte um mehr Macht und Einfluß miteinbezogen.

Während noch im 13. Jahrhundert Schlesier und Polen gemeinsam die Mongolen aus ihrem Land gedrängt und die schlesisch-polnischen Fürsten die Einwanderung von Deutschen kräftig gefördert hatten, gehörte Schlesien seit 1526 dem österreichischen Staatsverband an, ehe es 1740 von Preußen annektiert wurde. Polen griff in die folgenden drei schlesischen Kriege nicht ein, denn längst war es zum Spielball der Großmachtinteressen von Rußland, Österreich und Preußen geworden. Bereits Friedrich II. machte sich Gedanken über eine mögliche Teilung Polens, das für ihn einerseits strategisch gefährlich war (denn es bedrohte die ostpreußische Flanke), das andererseits aber einen Anreiz für eigene Annexionspläne darstellte: »Es würde vielleicht besser sein, dieses Land durch Unterhandlung stückweise zu gewinnen als durch das Recht der Eroberung. In einem Falle, wo Rußland dringend unseres Beistandes bedürfte, wäre es vielleicht möglich, sich Thorn, Elbing und einen Umkreis abtreten zu lassen, um dadurch die Verbindung von Pommern nach der Weichsel zu erlangen.« So kam es dann auch. Der polnische Staat ist in drei demütigenden Teilungen (1772, 1793, 1795) zwischen Rußland, Preußen und Österreich aufgeteilt und ausgelöscht worden – der 800jährige Staat wurde von der europäischen Landkarte getilgt.

Preußen annektierte dabei nicht nur Gebiete, die durch den Thorner Frieden verlorengegangen waren, sondern auch Teile, die schon immer zu Großpolen gehört hatten. Namentlich in Pommerellen, Westpreußen und dem Kulmerland wurde eine rigorose »Verpreußung« durchgesetzt, die verschiedentlich sogar mit der Ausweisung von Juden und Polen verbunden war. Keinen Gedanken verwendete Preußen jedoch an eine Germanisierung dieser Gebiete. Seine Stärke war es ja, besiegte oder unterdrückte Völker oder Stämme zu assimilieren. Die Polen wurden preußisch verwaltet, erhielten mehr Schulen und Lehrer, wurden preußischer Gerichtsbarkeit und preußischem Landrecht, das milder war als das polnische, unterworfen.

Erst mit dem Aufkommen des Nationalismus im Zuge der Französischen Revolution und mit der Entstehung des Deutschen Reiches sollte sich das alles ändern.

Zwar bildeten die Formulierungen in der Schlußakte des Wiener Kongresses (9. 6. 1815) nach 20 Jahren der Nicht-Existenz endlich die Grundlage für die Wiederherstellung der politischen Unabhängigkeit und Einheit Polens – so hieß es dort u. a.: »Die Polen, Untertanen von Rußland, Österreich bzw. Preußen, werden eine nationale Repräsentation und nationale Institutionen erhalten . . .« Doch die 1850 von Preußen aufgezwungene Verfassung enthielt keinerlei nationalitätenrechtliche Bestimmungen. Die preußische Bürokratie versuchte immerhin, in der Nationalitätenfrage einen gemäßigten Kurs zu steuern, im polnischen Lager hatte sich jedoch längst ein organisierter Widerstand gegen jegliche deutsch-preußische Germanisierungsmaßnahmen gebildet, der über die Provinz Posen nach Pommerellen/Westpreußen und bis nach Oberschlesien drang. Spätestens seit der Reichsgründung 1871 war für die national gesinnten Polen ein Verbleiben im nunmehr Deutschen Reich nicht mehr möglich – im »polnischen Preußen« war dies immerhin denkbar gewesen.

Bismarcks Polenpolitik gab diesem Streben neue Nahrung, als er verkündete, man könne Polen zwar in den Grenzen von 1772 wiederherstellen, doch dann »würden Preußens beste Sehnen durchschnitten und Millionen Deutscher polnischer Willkür überantwortet sein«. In der Folgezeit begann ein neuerlicher Unterdrückungsfeldzug gegen alles Polnische in den deutschen Ostprovinzen: Die Einschränkung und Abschaffung der polnischen Unterrichtssprache (1873) ging einher mit der Einführung des Deutschen als alleiniger Amtssprache (1876) und der massiven Förderung der Ansiedlung von Deutschen. Daneben wiesen die preußischen Behörden allein 1885 rund 26 000 Polen und Juden als »ausländische Unruhestifter« aus – in Wahrheit hatten sie nur die Idee des polnischen Nationalstaates unterstützt. Diese Massenausweisung ließ sogar

konservative Kreise zu der Feststellung gelangen, daß es sich um eine »unkluge und nutzlos grausame Maßregel« handele.

Höhepunkt dieser neuen Germanisierungspolitik waren schließlich der »Beamtenerlaß« von 1898, der alle Staatsbediensteten zur »Förderung des Deutschtums« verpflichtete, und das 1908 erlassene Vereinsgesetz, das sämtliche polnische Vereinigungen zwang, ihre Satzung in Deutsch einzureichen und selbst die Verhandlungen in deutscher Sprache zu führen.

Am Ende des 19. Jahrhunders standen sich Polen und Deutsche unversöhnlicher denn je gegenüber: die einen fordernd, ablehnend die anderen, die durch die preußische Bürokratie und mächtige Interessenverbände wie den »Alldeutschen Verband« und den »Verein zur Förderung des Deutschtums in den Ostmarken« repräsentiert wurden.

Die polnische Frage drängte also am Vorabend des Ersten Weltkrieges geradezu nach einer Lösung. Zunächst jedoch befolgten in den ersten Augusttagen des Jahres 1914 die polnischen Wehrpflichtigen in Preußen, Österreich und Rußland ihre Gestellungsbefehle. Erst nachdem polnische Patrioten aus allen drei Ländern gegeneinander gekämpft und für fremde Nationen ihr Leben gelassen hatten, sollte es zur Wiederherstellung eines unabhängigen Polens kommen.

»Saisonstaat« Polen

Noch während der Kämpfe erwogen der deutsche und österreichische Kaiser die Errichtung eines Königreiches Polen, ohne sich jedoch auf die Person des Königs einigen zu können. Die

Karte rechte Seite:
Deutsche Reichsgebiete östlich der Oder-Neiße-Linie 1945 (in den Grenzen nach dem Versailler Vertrag vom 10. Januar 1920).

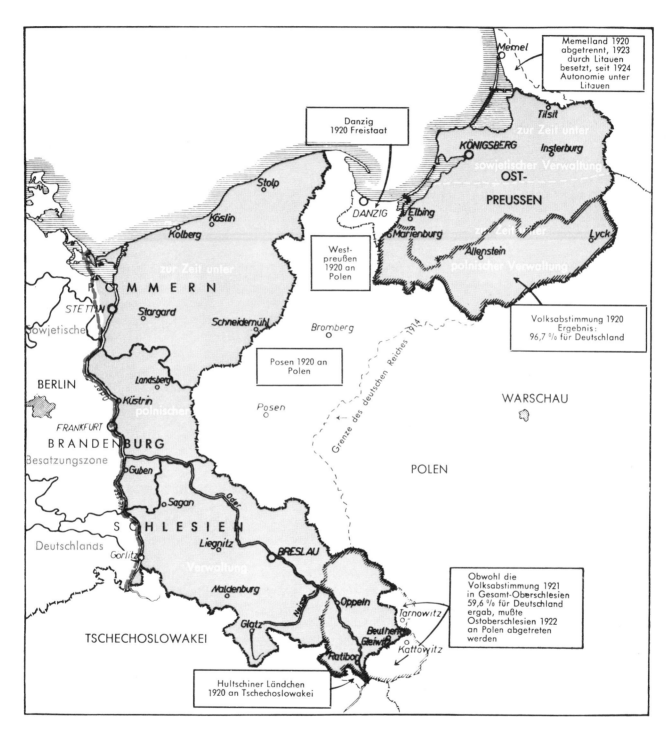

Memelland 1920
abgetrennt, 1923
durch Litauen
besetzt, seit 1924
Autonomie unter
Litauen

Memel

Tilsit

Danzig
1920 Freistaat

zur Zeit unter

KÖNIGSBERG

Insterburg

sowjetischer Verwaltung

OST-

PREUSSEN

Stolp

DANZIG

Elbing

zur Zeit unter

Köslin

Marienburg

Lyck

West-
preußen
1920 an
Polen

Allenstein

polnischer Verwaltung

Kolberg

zur Zeit unter

POMMERN

Stargard

STETTIN

Schneidemühl

Volksabstimmung 1920
Ergebnis:
96,7 % für Deutschland

sowjetische

Bromberg

Posen 1920 an
Polen

WARSCHAU

BERLIN

Landsberg

Küstrin

Posen

polnischer

FRANKFURT

BRANDENBURG

Besatzungszone

Guben

POLEN

Sagan

Oder

SCHLESIEN

Deutschlands

Liegnitz

BRESLAU

Görlitz

Verwaltung

Waldenburg

Neiße

Oppeln

Obwohl die
Volksabstimmung 1921
in Gesamt-Oberschlesien
59,6 % für Deutschland
ergab, mußte
Ostoberschlesien 1922
an Polen abgetreten
werden

Tarnowitz

Glatz

Beuthen

TSCHECHOSLOWAKEI

Gleiwitz

Kattowitz

Ratibor

Hultschiner Ländchen
1920 an Tschechoslowakei

Niederlage Deutschlands und der Friedensvertrag von Versailles von 1919 schufen schließlich vollendete Tatsachen: Deutschland mußte fast die gesamte Provinz Posen und Westpreußen an Polen abtreten, Danzig wurde zur Freien Stadt erklärt, in der die Polen eine Reihe von Sonderrechten genossen, insbesondere die Nutzung des Hafens und die Zollkontrolle.

Für die Regierungsbezirke Allenstein, Oppeln und Marienwerder waren Volksabstimmungen vorgesehen, von denen die ersten beiden vernichtend für die Polen verliefen: In Ostpreußen optierten nur 2,2 Prozent, in Marienwerder 7,6 Prozent der Stimmberechtigten für Polen; das in Oberschlesien im März 1921 durchgeführte Plebiszit erbrachte für Deutschland rund 60 Prozent und für Polen rund 40 Prozent aller Stimmen.

Entsprechend den Richtlinien des Versailler Vertrages nahm der Völkerbund jedoch eine Aufteilung unter Berücksichtigung der lokalen Abstimmungsergebnisse vor. Dieser Kompromiß sah vor, daß Polen rund 30 Prozent des Abstimmungsgebietes erhielt, womit beide Seiten nicht zufriedengestellt wurden. Die deutsche Seite unterstellte gar Komplizenschaft zwischen Alliierten und Polen.

Solche Äußerungen fielen in der deutschen Öffentlichkeit auf nur allzu fruchtbaren Boden, denn mit einem freien unabhängigen Polen, dessen westliche Grenze immerhin nur gut 160 Kilometer von Berlin entfernt verlief, hatte man nicht gerechnet. Schnell entstand die Mär vom Verlust der »Kornkammern des Reiches« und wichtiger industrieller Gebiete, die von gewissen publizistischen Kreisen propagandistisch hochgespielt wurde. Die Erhebung von Danzig in den Status einer Freien Stadt bei weit über 300 000 deutschen und nur etwa 10 000 polnischen Einwohnern war im übrigen eine ständige Quelle von Querelen zwischen Polen und Deutschen. Nichts anderes war auch zu erwarten gewesen,

schließlich hatte man das deutsche Volk über Jahre hinweg mit Nachrichten über einen bevorstehenden »Siegfrieden« im Osten getäuscht – das Problem eines polnischen Nationalstaates war damit totgeschwiegen worden. Polen – das war nur das Synonym für eine gutwillige, arbeitsame Landbevölkerung auf ostelbischen Gütern und das Industrieproletariat in westdeutschen Industrierevieren.

Daß auf der anderen Seite die Grenzziehung im Friedensvertrag von Versailles für Polen nur die Wiederherstellung eines Zustandes war, wie er vor den polnischen Teilungen von 1772 und 1793 bestanden hatte, konnte in Deutschland kaum auf Gegenliebe stoßen: Die Parteien und Regierungen der Weimarer Republik – von den Kommunisten einmal abgesehen – beharrten stets auf einer Revision der Ostgrenze des Reiches, wobei man sich der Unterstützung meinungsbildender Publizisten und Gelehrter sicher sein konnte: »Unvergeßbar, unertragbar, unversöhnbar« – das war der Tenor der Volksstimmung und der politischen Führung gegenüber den Ergebnissen des verlorenen Krieges im Osten. Vernunft konnte und wollte nicht einkehren, wo neben den französischen Erbfeind ein polnischer getreten war, der integrativer wirkte als die vermeintliche Bedrohung im Westen: Er einte das politische Spektrum von der äußersten Rechten bis zu den Sozialdemokraten.

Daneben war Polen für die Führung des deutschen 100 000-Mann-Heeres nur ein »Saisonstaat«, dessen Lebensfähigkeit seit dem polnisch-französischen Bündnisvertrag von 1921 allein von Frankreich garantiert wurde. Blieb Polen der wichtigste Bestandteil im französischen Modell eines »cordon sanitaire«, so war seine Existenz in den Sandkastenspielen des Reichswehr-Chefs von Seeckt ein Jahr später »unerträglich und (es) wird verschwinden durch eigene innere Schwäche und durch Rußland – mit unserer Hilfe«.

14

Vor diesem Hintergrund konnte Polen seiner Aufgabe, zwischen Ostsee und Adria als stabilisierender Faktor zu wirken, nicht gerecht werden. Nicht nur die außenpolitischen Schwierigkeiten mit dem noch jungen Sowjetstaat und dem grundsätzlich revisionistisch gesinnten Deutschen Reich standen dem im Wege, sondern auch die innere politische und wirtschaftliche Schwäche Polens. Das Land mit seinen mehr als 27 Millionen Einwohnern war nach wie vor agrarisch strukturiert, fast drei Viertel der Beschäftigten gingen einer Tätigkeit in der Landwirtschaft nach. Einzig das oberschlesische Industrierevier mit seiner Montan- und Schwerindustrie schuf hier einen gewissen Ausgleich, doch keinen Ausweg aus der permanenten ökonomischen Krise, den einzig das Deutsche Reich mit seiner gewaltigen Wirtschaftsmacht hätte weisen können. Doch der Weg zu wirtschaftlicher Kooperation, die immerhin ein Anfang für politische Annäherung hätte sein können, war verbaut. Im Gegenteil: Der 1925 einsetzende ruinöse Zollkrieg – von der deutschen Reichsregierung vom Zaun gebrochen, um politische Zugeständnisse von den Polen zu erhalten – zwang Polen, sich nach neuen Märkten für seine Produkte umzusehen. Die ökonomische Abhängigkeit vom Deutschen Reich, das bis dahin rund 50 Prozent der polnischen Exporte aufgenommen hatte, ging zurück – ihm folgte der forcierte Ausbau des Hafens Gdingen, jenem »freien und gesicherten Zugang zum Meer«, wie er in dem Januar 1918 verkündeten Wilsonschen Vierzehn-Punkte-Programm vorgesehen war.

Der zu dieser Zeit in der deutschen Öffentlichkeit erhobene Vorwurf, Polen unterdrücke die deutsche Minderheit, war sicherlich nicht aus der Luft gegriffen. Man kann diese Entwicklung in Polen auch als innenpolitische Konsequenz des seit dem Staatsstreich Pilsudskis im Mai 1926 autoritär regierten Landes auf die außenpoliti-

sche Bedrohung durch das Deutsche Reich sehen.

Die polnische Minderheitenpolitik gegenüber den 1,1 Millionen Deutschen war vor allem durch eine rigorose Boden- und Siedlungspolitik geprägt, die den Deutschen ihre wirtschaftliche Basis entzog, sowie durch eine Schulpolitik, die die Existenz bzw. Überlieferung von eigener Sprache und Kultur zumindest langfristig in Frage stellten. Die Zahl der deutschen Schulen etwa verringerte sich in nur zehn Jahren auf ein Siebentel des ursprünglichen Bestandes; nur ein knappes Viertel der schulpflichtigen Kinder konnte auf Schulen mit vorwiegend deutschem Unterricht gehen, der Rest mußte sich mit nur wenigen Wochenstunden Deutsch zufriedengeben oder gar rein polnische Staatsschulen besuchen.

Die polnische Agrargesetzgebung sah seit 1925 die Parzellierung des Grundbesitzes von mehr als 180 Hektar vor. Diese Maßnahme traf vor allem die deutschen Landwirte in den westlichen Wojewodschaften Pommern und Posen, wo der Anteil der deutschen Güter immerhin zwischen 35 und 60 Prozent betrug. Unter diesem Druck wanderten zwischen 1919 und 1926 weit über eine halbe Million Deutsche aus den ehemaligen Provinzen Posen und Westpreußen in das Deutsche Reich ab.

Außenpolitisch rieb sich Polen in dieser Periode an zwei Blöcken: Spätestens seit dem Vertrag von Rapallo vom April 1922 zwischen Sowjetrußland und dem Deutschen Reich war klar, daß die sich daraus entwickelnde wirtschaftliche und militärische Zusammenarbeit potentiell auch die territoriale Integrität Polens bedrohte.

Mit dem Abschluß des Locarno-Paktes (1925) trat Deutschland wieder in den Kreis der europäischen Großmächte ein – Polen erhielt dagegen nicht die von Frankreich gewünschte eindeutige Garantie seiner Westgrenze. Konsequenz war, daß die deutschen Vertreter vor dem Völkerbund – der idealen Propagandabühne des demokratischen Europa – lauthals den Schutz der Minderheiten forderten, auf der anderen Seite aber nicht bereit waren, mit dem geschwächten östlichen Partner konkret über eine Verständigung zu verhandeln.

Das Feuer wurde weiter geschürt, die Chancen einer Annäherung wurden vertan. Selbst ein Zusammentreffen zwischen Pilsudski und Stresemann in Genf im Dezember 1927 brachte keine Annäherung der Standpunkte: Die ständigen Querelen um den freien Zugang nach Danzig und die offiziell nie zurückgenommenen Revisionsforderungen der Deutschen verhinderten jegliche Übereinstimmung.

Paradoxerweise brachte die Machtübernahme Hitlers eine Verbesserung der deutsch-polnischen Beziehungen. Sie ging einher mit der Aufkündigung der militärischen Zusammenarbeit mit der Sowjetunion und schuf damit den natürlichen Anknüpfungspunkt für eine Verständigung – abgesehen von der antikommunistischen Haltung sowohl des Hitler- wie des autoritären Pilsudski-Regimes. Das Nichtangriffsabkommen vom Januar 1934 sah den völligen Gewaltverzicht, eine Verständigung in den wesentlichen Fragen der gegenseitigen Beziehungen, die Nichteinmischung in innere Angelegenheiten des Nachbarn sowie die »Begründung eines gut nachbarlichen Verhältnisses«(!) vor.

Daß dieser Pakt nur vorübergehenden Charakter haben sollte und für die weitreichenden Pläne Hitlers bei der »Neu-Ordnung« Europas eine untergeordnete Rolle spielte, wird aus den von Hermann Rauschning, dem ehemaligen Senatspräsidenten der Freien Stadt Danzig, aufgezeichneten »Gesprächen mit Hitler« deutlich: »Alle Abmachungen mit Polen haben nur vorübergehenden Wert. Ich denke gar nicht daran, mich ernstlich mit Polen zu verständigen . . . Ich kann Polen aufteilen, wann und wie es mir beliebt. Aber ich will das nicht. Es kostet mir zu viel. Wenn ich es vermeiden kann, werde ich es nicht tun. Ich brauche Polen nur so lange, als ich noch vom Westen bedroht werden kann.«

Tatsächlich diente Polen Hitler als Aufmarschplatz gegen die Sowjetunion – doch 1934 schien es nicht opportun, dies offen auszusprechen. Noch brauchte das nationalsozialistische Regime außenpolitische Erfolge zur innenpolitischen Stabilisierung. Das Herausbrechen Polens aus dem französischen Bündnissystem paßte genau in das Konzept, auch wenn die Vertretung der Interessen der deutschen Minderheiten dabei aufgegeben wurde.

Spätestens seit dem Münchner Abkommen vom September 1938 waren die Voraussetzungen für die Verwirklichung der von Hitler seit langem gehegten ostpolitischen Vorstellungen gegeben. Die nur einen Monat später von Außenminister Ribbentrop gegenüber dem polnischen Botschafter Lipski unterbreiteten Vorschläge zur »Lösung« der deutsch-polnischen Probleme waren wohl kaum ernst gemeint. Selbst ein Eingehen Polens auf Hitlers Forderungen – u. a. die Rückkehr Danzigs zum Deutschen Reich, der Bau einer exterritorialen Auto- und Eisenbahnverbindung durch den Korridor – hätte Polen kaum vor dem deutschen Überfall bewahrt. Das Memorandum der polnischen Regierung vom 26. März 1939 wies alle diese Vorschläge zurück, betonte jedoch gleichzeitig, daß man weiterhin zu Verhandlungen bereit sei. Hitlers Antwort darauf war der Befehl, daß die Wehrmacht sich bis Ende August auf den »Fall Weiß«, den Überfall auf Polen, vorzubereiten habe (3. April 1939).

Immerhin bleibt anzumerken, daß auch Polen zeitweilig Verbündeter Hitlers wurde: Nach dem Einmarsch der deutschen Truppen in die sudetendeutschen Gebiete entriß Polen der CSR in einem weltweit verurteilten Akt des »Hyänismus« nach einem 12-Stunden-Ultimatum das Teschener Land. Hitlers Forderung, wer mittafeln wolle, müsse allerdings auch mitkochen, war in Erfüllung gegangen.

Der »Blumenkrieg« um Böhmen und Mähren

Der Zusammenbruch der Donaumonarchie am Ende des Ersten Weltkrieges besiegelte auch das Schicksal der Sudetendeutschen. Die Gründung der unabhängigen tschechoslowakischen Republik durch den Vertrag von St.-Germain-en-Laye schweißte einen Vielvölkerstaat zusammen, in dem neben Tschechen und Slowaken, Polen, Madjaren, Ukrainern auch 3,5 Millionen Deutsche und Österreicher – eben die »Sudetendeutschen« – eine Nation bilden sollten.
Diese neue Republik war von der Hoffnung getragen, daß sich die ethnischen Gruppen miteinander verschmelzen würden und damit eine lebensfähige Grundlage für den 10. Punkt aus Wilsons Vierzehn-Punkte-Programm geschaffen würde: »Den Völkern Österreich-Ungarns, dessen Platz unter den Völkern wir gesichert und garantiert sehen möchten, sollte die freieste Möglichkeit zu autonomer Entwicklung gegeben werden.« Diese »autonome Entwicklung« war für die Tschechen und Slowaken in der Tat das erlösende Signal für den Kampf um ihre Unabhängigkeit – doch wer gehofft hatte, die Prinzipien der Autonomie und Selbstbestimmung würden auch den Deutsch-Österreichern im neuen Staatsverband zuerkannt, sah sich getäuscht.
Thomas Masaryk und Eduard Benesch, die überragenden politischen Persönlichkeiten der CSR, widersetzten sich beharrlich der Nagelprobe einer Volksabstimmung für die zweitstärkste Volksgruppe ihres Landes – das Ergebnis einer solchen Abstimmung hätte mit Sicherheit gegen die in St.-Germain-en-Laye vorgenommene Zu-

sammenlegung der alten habsburgischen Provinzen Böhmen, Mähren, dem österreichischen Schlesien mit den Gebieten der Slowaken und Karpato-Ukrainer im ehemaligen Ungarn gesprochen.
Selbst ein Protest der Provisorischen Nationalversammlung vom Oktober 1918 fruchtete da wenig: »Der deutsch-österreichische Staat beansprucht die Gebietsgewalt über das ganze deutsche Siedlungsgebiet, insbesondere aber auch in den Sudetenländern. Jeder Annektion von Gebieten, die von deutschen Bauern, Arbeitern oder Bürgern bewohnt werden, durch andere Nationen wird sich der deutsch-österreichische Staat widersetzen . . .«
Doch die alliierten Sieger blieben ihren Maximen treu – die Auflösung des Habsburger Reiches verlangte auch die Gründung neuer Staaten über ethnische Grenzen hinweg. Noch vor einer endgültigen Zustimmung durch die Entente schufen Tschechen und Slowaken mit der Besetzung des Sudetenlandes vollendete Tatsachen, die nicht einmal der amerikanische Präsident Wilson außer Kraft zu setzen vermochte.
Die umstrittenen Gebiete gingen ohne Volksabstimmung an die CSR. Österreich erkannte im Vertrag von St. Germain in den Artikeln LIV und XCI die neuen territorialen Grenzen an – Deutschland folgte ihm, gezwungen durch die Artikel LXXXI und LXXXII des Versailler Vertrages.
Die Umstände, unter denen die CSR ihre nationalstaatliche Identität durch die siegreiche Entente erhielt, trugen bereits den Kern des späteren Zerfalls in sich. Die Nichtgewährung von Autonomie- und Selbstbestimmungsrechten, geschweige denn von entsprechenden Mitspracherechten gegenüber mehr als drei Millionen Deutschen schufen die Grundlagen, auf denen sich über 15 Jahre hinweg zunächst Empörung und Verbitterung entwickelten, die später eine nicht

17

zu überbrückende Kluft zwischen Deutschen und Tschechen auftun sollten.

Bereits die Erklärung der sudetendeutschen Vertretung bei der Eröffnung des tschechoslowakischen Parlaments in Prag 1920 enthält einen drohenden Unterton, der die spätere tragische Beziehungslosigkeit ahnen läßt: »Wir werden niemals die Tschechen als Herren anerkennen, niemals uns als Knechte in diesem Staat fügen ... und wir verkünden feierlich, daß wir niemals aufhören werden, die Selbstbestimmung unseres Volkes zu fordern ...«

Die Klagen der deutschen »Minderheit« waren auch nach Beobachtungen neutraler Beobachter berechtigt. Ihr Anteil am Staatsdienst, an öffentlichen Ämtern war verschwindend gering. Staatsaufträge wurden in deutschsprachigen Gebieten eher mit Tschechen abgeschlossen als mit Deutschen. Als sogar die Verwaltungen in den überwiegend deutschsprachigen Landesteilen fast ausschließlich mit Tschechen besetzt wurden, war dies für viele Sudetendeutsche ein Grund, nach Deutschland oder Österreich abzuwandern. Über 300 000 kehrten ihrem Land den Rücken, doch es verblieben immerhin noch über drei Millionen in ihrer angestammten Heimat.

Die Wirtschaftskrise 1929 traf die ökonomisch benachteiligten Sudetendeutschen besonders hart und trieb sie in die Arme der radikalen Nationalisten unter der Führung von Konrad Henlein. Dessen Sudetendeutsche Partei (SdP) vereinnahmte 1935 76 Prozent der deutschen Wählerstimmen, bei den Gemeindewahlen von 1938 sogar knapp 92 Prozent.

Die SdP bildete mittlerweile die stärkste Einzelpartei im tschechischen Parlament und drängte durch eine geschickte Politik ihre Konkurrenten um die Gunst der Sudetendeutschen, die Sozialdemokraten unter Wenzel Jaksch und Ernst Paul, ins politische Abseits.

Ging es Henlein zunächst um die innerstaatliche Autonomie, so trieben ihn die allmählich eskalierenden Auseinandersetzungen und der Druck der SdP-Extremen unter seinem Stellvertreter Frank immer stärker in die Arme Hitlers, der zusagte, die Sache der Sudetendeutschen zu seiner eigenen zu machen und ihnen zu ihrem Recht zu verhelfen.

Henlein bot die SdP als »Faktor der nationalsozialistischen Reichspolitik« an. Hitler, dem es weniger um die berechtigten Forderungen der Sudetendeutschen ging als um die Anheizung des innenpolitischen Klimas in der CSR, nahm dieses Angebot nur zu gern an und brachte Henlein auf Konfliktkurs: Von Seiten der SdP sollten Forderungen gestellt werden, die »für die tschechische Regierung unannehmbar« seien. Henlein hatte seine Lektion gelernt: »Wir müssen also immer so viel fordern, daß wir nicht zufriedengestellt werden können.«

Am 24. April 1938 verkündete er folgerichtig sein »Karlsbader Programm«, das u. a. forderte:
– Anerkennung der deutschen Volksgruppe als Rechtspersönlichkeit;
– Herstellung der vollen Gleichberechtigung der deutschen mit der tschechischen Volksgruppe;
– Festlegung des sudetendeutschen Siedlungsgebietes;
– Aufbau einer deutschen Selbstverwaltung in diesen Gebieten;
– Beseitigung und Wiedergutmachung von früherem Unrecht;
– im deutschen Gebiet deutsche öffentliche Angestellte;
– volle Freiheit des Bekenntnisses zum deutschen Volkstum und zur »deutschen Weltanschauung«.

Wie vorauszusehen, mußte der tschechische Präsident diese Forderungen als unannehmbar ablehnen – zwar wollte er weiterhin mit Henlein und den Sozialdemokraten verhandeln, doch hätte ein Eingehen auf das Karlsbader Programm die Bildung eines Miniatur-NS-Staates bedeutet und damit die Zerstörung der tschechischen Republik.

Immerhin war es Hitler gelungen, in der Weltöffentlichkeit den Eindruck zu erwecken, daß die Zustände in der CSR nach einer Lösung von außen verlangten, daß deutsche Maßnahmen geboten seien.

Die Beschwichtigungspolitik des französischen Ministerpräsidenten Daladier und des britischen Premiers Chamberlain drängte die Prager Regierung zu einer entgegenkommenden Haltung. Doch Henleins SdP verwarf nunmehr alle Kompromißversuche und heizte die Stimmung mit »Heim-ins-Reich«-Parolen immer weiter an. Am 7. September 1938 schließlich nahm die Prager Regierung die wesentlichen Teile des Karlsbader Programms an.

Doch Henlein und Hitler gingen nun über die eigentlichen Autonomieforderungen hinaus – Ziel war jetzt die Abtretung des Sudetenlandes an das Deutsche Reich, notfalls unter Anwendung offener Gewalt, wie Hitler drohte: »Die Deutschen in der Tschechoslowakei sind weder wehrlos, noch sind sie verlassen. Das möge man zur Kenntnis nehmen.«

Für die meisten europäischen Staatsmänner war die sudetendeutsche Frage denn auch nicht wichtig genug, um einen Krieg zu riskieren – die öffentliche Meinung war zudem gegen jede Form kriegerischer Auseinandersetzung. Die fieberhaften diplomatischen Aktivitäten führten zum Münchner Abkommen, zur völligen Befriedigung der deutschen Ansprüche, zur Zerschlagung der CSR. Durch die geschickt inszenierte Erpressung war Hitler all das »friedlich« in die Hände gefallen, was er unter anderen politischen Umständen wohl mit weniger friedlichen Mitteln durchgesetzt hätte. Die Weisung »Grün« vom 30. Mai 1938 spricht eine klare Sprache: »Es ist mein unabänderlicher Entschluß, die Tschechoslowakei in absehbarer Zeit durch eine militärische Aktion zu zerschlagen. Den politisch und militärisch geeigneten Zeitpunkt abzuwarten oder herbeizuführen ist Sache der politischen Führung . . . Ausführung muß spätestens ab 1. 10. 38 sichergestellt sein.«

Die »Ausführung« folgte termingerecht – am 1. Oktober marschierte die Wehrmacht unter dem Jubel der Bewohner in das Sudetenland ein (»Blumenkrieg«). Die Besetzung Böhmens und Mährens nur ein halbes Jahr später, mit einem bloßen Federstrich des greisen Präsidenten Hacha sanktioniert, war das Todesurteil für den noch bestehenden Rumpfstaat CSR und läßt die Worte des späteren Exil-Präsidenten Benesch in einem anderen Licht erscheinen: »Wir müssen uns all der Deutschen entledigen, die 1938 dem tschechoslowakischen Staat den Dolch in den Rücken gestoßen haben.«

Es ist müßig, darüber zu spekulieren, ob die Sudetendeutschen ihre Forderungen mit anderen Mitteln gegenüber der tschechoslowakischen Regierung hätten durchsetzen können, ob sie sich gegebenenfalls zu einer »kleinen« Autonomie-Lösung bereitgefunden hätten. Tatsache ist, daß sie sich als »Fünfte Kolonne« im Hitlerschen Kalkül um die Vormachtstellung in Europa mißbrauchen ließen. Hitler selbst nutzte ihre von aller Welt anerkannten Forderungen zur künstlichen Anheizung des politischen Klimas aus. Sie waren nur eine kleine Figur im beginnenden Spiel mit dem Feuer, das schließlich in einen Weltbrand ausartete.

Subjektiv mag das Gros der Sudetendeutschen an der verbrecherischen Politik Hitlers unschuldig gewesen sein – objektiv waren und sind sie für die Tschechen Auslöser einer Krise, die ihren Staatsverband schließlich zerfallen ließ, die die Zerschlagung ihrer Nation und die Besetzung ihres Landes herbeiführte.

Beneschs Entscheidung, die 1945 wiedererstehende Tschechoslowakei von den drei Millionen

Deutschen zu »befreien«, war nicht der einsame Entschluß eines verbitterten alten Mannes, sondern Folge der verbrecherischen Politik der Nazis. Unter Hitlers Demütigungen und Erpressungen mußten jetzt jene leiden, die sieben Jahre zuvor ihre »Rechte« erhalten hatten – um den Preis der Zerstörung einer anderen Nation.

»Lebensraum« im Osten

»Mit Mann und Roß und Wagen hat sie der Herr geschlagen« – jubelte Hitler im Rausch des Sieges über Polen und ließ nun das durchführen, was von jeher das eigentliche Ziel seiner Kriegspolitik gewesen war: Gewinnung von »Lebensraum« für die »germanische Rasse«. Was hier praktiziert wurde und schließlich im organisierten Terror und in einem Völkermord ohne Beispiel endete, war die konsequente Folge dessen, was Hitler bereits in »Mein Kampf« geschrieben und später öffentlich ausführlich dargelegt hatte. Die Schlagworte lauteten: Abschüttelung der »Fesseln des Versailler Diktats«, Revision der durch den »Dolchstoß« gegen die »im Felde Unbesiegten« geschaffenen Verhältnisse, Wiedergewinnung der Weltmacht Deutschlands. In Hitlers Worten: »Unsere Aufgabe ist es, den 1918 abgebrochenen Krieg unter günstigeren Bedingungen zum siegreichen Ende zu führen.« Also Fortsetzung des Raub- und Ausrottungskrieges gegen die Völker des Ostens, denn gegen diese hatte man durch die Niederlage im Westen den Marsch stoppen müssen.

Hitlers Begründungen hierfür sind mannigfaltig, doch wesentlich für die späteren Untaten in den besetzten Ländern Osteuropas: Er versuche, dem »deutschen Volk den ihm gebührenden Grund und Boden auf dieser Erde zu sichern«. Dies könne »im großen und ganzen nur auf Kosten Rußlands« geschehen. Dieser »Lebensraum« sollte als Nährquelle »die volle Sicherung unserer Versorgung mit Lebensmitteln und Rohstoffen« verbürgen und der Industrie »ein inneres Absatzgebiet erschließen«; als »machtpolitischer Stützpunkt und natürlicher Schutz« dem Reich jene Größe verleihen, die es als Weltmacht brauche; als Siedlungsland dienen, auf dem »dereinst deutsche Bauerngeschlechter kraftvolle Söhne zeugen können«; als »Randkolonie« nur Bewohner beherbergen, die »Träger höchster Rasseeinheit« sind.

Außenpolitik war für Hitler Ostpolitik »im Sinne der Erwerbung der notwendigen Scholle für unser deutsches Volk«. Um die Durchsetzung einer solchen Politik nicht zu gefährden und die »dauernd freche Bedrohung« durch Rußland auszuschalten, war er bereit, im eroberten »Ostland« die »rassisch fremden Elemente abzukapseln ... oder sie überhaupt kurzerhand (zu) entfernen«. Konkret: »Ob ich ganze Volksstämme beseitigen wolle? Jawohl, so ungefähr, darauf wird es hinauslaufen ... Es wird eine der wichtigsten Aufgaben einer deutschen Politik für alle Zeiten sein, das weitere Wachstum der slawischen Völker mit allen Mitteln zu verhindern«.

Das ist eine klare Sprache, die keinen Zweifel über die eigentlichen Absichten Hitlers zuläßt. Mit diesen Gedanken sprach er auch jenen vielen Kleinbürgern aus dem Herzen, die vom »Reich« träumten, das eben mehr als einen Nationalstaat Weimarer Prägung darstellen sollte, das Herr Europas und Weltmacht sein konnte und die Schmach des Versailler »Diktats« hinwegfegen würde. Die Berauschung an solchen wahnwitzigen Vorstellungen gelang um so mehr dort, wo unpolitische, von sozialem Wandel in ihrem Rang bedrohte Kleinbürger sich abkehrten von einer Welt, in der ihnen nicht der gerechte Anteil vom »großen Kuchen« geboten wurde.

Die kommende Perspektive war damit auch klar: »Die Mission des deutschen Volkes« bestand in der »Erhaltung und Förderung der unverletzt gebliebenen edelsten Bestandteile unseres Volkstums, ja der ganzen Menschheit«. Bei einer richtig betriebenen Rassenpolitik würde »das Deutsche Reich heute wohl Herrin des Erdballs sein«, eines Reiches, einzig begründet »durch das siegreiche Schwert eines die Welt in den Dienst einer höheren Kultur nehmenden Herrenvolkes«.

Der kommende Krieg sollte in seiner Wirkung einzigartig sein: Es gehe »auf Leben und Tod ... Sein oder Nichtsein von 80 Millionen Menschen«. Damit stand jedoch auch die Idee des Nationalstaats auf dem Spiel, selbst dieser sollte nicht mehr unangetastet bleiben: »Ich habe zu wählen zwischen Sieg oder Vernichtung. Ich wähle den Sieg ... Es handelt sich nicht um eine Einzelfrage, sondern um Sein oder Nichtsein der Nation«. Zumindest in diesem Punkt bewahrheiteten sich Hitlers angeblich seherische Fähigkeiten.

Im Namen der »völkischen Flurbereinigung«

Der am 1. September 1939 um 11.35 Uhr veröffentlichte erste Bericht des Oberkommandos der Wehrmacht setzte eine neue Geschichtslüge in Umlauf: »Auf Befehl des Führers und Obersten Befehlshabers hat die Wehrmacht den aktiven Schutz des Reiches übernommen. In Erfüllung ihres Auftrages, der polnischen Gewalt Einhalt zu gebieten, sind Truppen des deutschen Heeres heute früh über alle deutsch-polnischen Grenzen zum Gegenangriff angetreten ...«

Als um 5.45 Uhr deutsche Truppen die polnische Grenze überschritten, war die vierte Teilung Polens schon beschlossene Sache. Die militärische Niederwerfung der sich tapfer wehrenden, aber technologisch hoffnungslos unterlegenen Polen war danach nur noch eine Frage der Zeit.

Bereits am 23. August hatten sich die Regierungen von Sowjet-Rußland und Deutschland in einem Geheimprotokoll über ihre Interessengebiete verständigt. Am 17. September marschierten Stalins Soldaten in den östlichen Teil Polens ein, am 6. Oktober war Polen besetzt und besiegt. Die Sieger teilten sich die Beute.

Auf Grund des deutsch-sowjetischen Grenz- und Freundschaftsvertrages vom 28. September 1939 war Deutschland nun Herr über nahezu das gesamte polnische Kernland sowie über die 1919 verlorenen Gebiete von Westpreußen, Pomerellen, Danzig und das Kulmerland. Das von den Deutschen besetzte Gebiet zählte rund 20 Millionen Einwohner, davon waren 85 Prozent Polen.

Da die territorialen Grenzen zwischen Rußland und Deutschland durch den »Blitzsieg« und den Freundschaftsvertrag zwischen Hitler und Stalin zunächst festgeschrieben schienen, sah das Regime seine Lebensraumpolitik im Osten in weite Ferne gerückt. Die Ostkolonisationspolitik wurde somit auf das dichtbesiedelte Polen angewandt.

Daß es Hitler um mehr ging als um die bloße Unterwerfung der polnischen Armee, hatte er bereits am 23. Mai 1939 enthüllt. In einer geheimen Besprechung führte er aus: »Danzig ist nicht das Objekt, um das es geht. Es handelt sich für uns um die Erweiterung des Lebensraumes im Osten und Sicherstellung der Ernährung sowie die Lösung des Baltikum-Problems ...« Und am 22. August: »Ziel: Vernichtung Polens. Beseitigung seiner lebendigen Kraft ... Mittel gleichgültig ... Es handelt sich nicht darum, das Recht auf seiner Seite zu haben, sondern ausschließlich um den Sieg ...«

Bereits in den ersten Tagen der Niederwerfung Polens hatte Heinrich Himmler, der Reichsführer der SS und Chef der Polizei, den Auftrag erhalten, für die »Ausschaltung des schädigenden Einflusses von solchen volksfremden Bevölkerungsteilen« zu sorgen, die »eine Gefahr für das Reich und die deutsche Volksgemeinschaft bedeuten«. Und noch während die Kämpfe um Warschau tobten, teilte Heydrich, der Leiter der Sicherheitspolizei, seinen Unterführern mit, wie die Nutzung Polens geplant war. Nach seinen Anweisungen sollten die Angehörigen der polnischen Führungsschicht »unschädlich gemacht werden . . . Die Einsatzgruppen haben Listen aufzustellen, in welchen die markanten Führer erfaßt werden . . . Die primitiven Polen sind als Wanderarbeiter in den Arbeitsprozeß einzugliedern und werden aus den deutschen Gauen allmählich in den fremdsprachigen Gau umgesiedelt«. Hitler meinte im Kreise seiner engsten Vertrauten, daß es vor allem darauf ankomme, die polnische Intelligenz physisch zu liquidieren: »Unbedingt sei zu beachten, daß es keine polnischen Herren geben dürfe«, wo diese vorhanden seien, »sollten sie, so hart das klingen möge, umgebracht werden«.

Die befohlenen Aktionen zur Vernichtung der polnischen Intelligenz konzentrierten sich vor allem auf jene Gebiete, die bereits am 8. Oktober dem »Reich« einverleibt worden waren. Bald zeigte es sich, daß Haß und Terror sich verselbständigten, sobald Denunziationen von oben honoriert wurden. Zur Exekution der Beschuldigten genügte oft bereits eine Bescheinigung von Volksdeutschen, daß dieser oder jener Pole »deutschfeindlich« eingestellt sei. In fast allen größeren Orten fanden öffentliche Erschießungen statt. Die blühendste Phantasie, so ein deutscher Offizier in einem Brief, »ist arm gegen die Dinge, die eine organisierte Mörder-, Räuber- und Plünderbande unter angeblich höchster Duldung dort verbricht. Da kann man nicht mehr von ›berechtigter Empörung über die an Volksdeutschen begangenen Verbrechen‹ sprechen. Diese Ausrottung ganzer Geschlechter mit Frauen und Kindern ist nur von einem Untermenschentum möglich, das den Namen Deutsch nicht mehr verdient. ICH SCHÄME MICH, EIN DEUTSCHER ZU SEIN! Diese Minderheit, die durch Morden, Plündern und Sengen den deutschen Namen besudelt, wird das Unglück des ganzen deutschen Volkes werden, wenn wir ihnen nicht bald das Handwerk legen . . .«

Das unmenschliche Vorgehen gegen die Polen war zunächst in aller Öffentlichkeit durch die »Septembermorde« gerechtfertigt worden. Kurz nach dem deutschen Überfall hatte sich in vielen Orten die Verbitterung der polnischen Bevölkerung gegen die dort lebenden Deutschen gewandt. Das Gerücht, diese seien eine Art »fünfte Kolonne«, die mit den deutschen Truppen in Verbindung stünden, hatte besonders in Bromberg zu einem blutigen Pogrom geführt (3. September). Angeblich waren hier polnische Soldaten von deutschen Heckenschützen beschossen worden. Die den Deutschen in Polen bereits vor dem Überfall im Rahmen der Verschärfung der deutsch-polnischen Kontroverse unterstellte Spionage- und Agentätigkeit entlud sich nun in einer allgemeinen Haßwelle, in Brutalität und Exzessen. Es erfolgten Verhaftungen nach bereits vorbereiteten Listen. Deportationen, Mißhandlungen und teilweise verfahrenslose Erschießungen waren an der Tagesordnung. In Bromberg sollen an diesem Tag allein etwa 1 000 Menschen ermordet worden sein. Tausende von verdächtigen Deutschen wurden ergriffen und in das Innere Polens verschleppt. Nicht wenige kamen dabei im Chaos des polnischen Rückzuges um.

Für die nationalsozialistische Propaganda waren diese »Polengreuel« ein willkommenes Alibi für das rücksichtslose Vorgehen in den besetzten Gebieten. Die nationalsozialistische Presse meldete 58 000 ermordete Deutsche, während in einem Weißbuch des Auswärtigen Amtes vom November 1939 »nur« noch von 5 400 Opfern die Rede ist.

Wie diese Erschießungen eine berechtigte Em-

Polen während des Zweiten Weltkrieges

ter müßten aber alle Aufstiegsmöglichkeiten gewährt werden, für den Polen komme dies keinesfalls in Frage. Das Lebensniveau in Polen müsse sogar niedrig sein bzw. gehalten werden. In Polen dürfe es nur einen Herren geben, und das sei der Deutsche; zwei Herren nebeneinander dürfe es nicht geben, daher seien alle Vertreter der polnischen Intelligenz umzubringen. Diese klinge hart, aber es sei nun einmal das Lebensgesetz.

Hermann Rauschning, der ehemalige Senatspräsident von Danzig, berichtet in seinen Memoiren über ein Gespräch, das er mit Hitler im Frühjahr 1934 führte. Bereits damals habe Hitler von einer »Pflicht« gesprochen, jene Gebiete, die einmal erobert würden und die zu stark mit slawischen Elementen durchsetzt seien »zu entvölkern«. Entvölkern bedeute für ihn, ganze Volksstämme zu beseitigen. Die Natur sei grausam, und darum »dürfen wir es auch sein«. »Wenn ich die Blüte der Deutschen in die Stahlgewitter des kommenden Krieges schicke, ohne auch nur um das kostbare deutsche Blut, das vergossen wird, das leiseste Bedauern zu verspüren, sollte ich dann nicht das Recht haben, Millionen einer minderwertigen, sich wie das Ungeziefer vermehrenden Rasse zu beseitigen, nicht indem ich sie ausrotten lasse, sondern nur indem ich systematisch verhindere, daß sich ihre große natürliche Fruchtbarkeit auswirkt.«

Unter unmenschlichen Bedingungen begann man seit Oktober 1939, die Polen aus den einverleibten Gebieten in das Generalgouvernement abzuschieben. Die Verbliebenen erhielten den diskriminierenden Status sogenannter Schutzangehöriger. Neben der rein deutschen »Elite«, die über alle Privilegien verfügte, wurden die Polen als lästiges Übel angesehen. Sie hatten deutsche Uniformträger zu grüßen, wurden vom Besuch deutscher Gaststätten ausgeschlossen und durften nur an bestimmten Tages-

zeiten in Geschäften einkaufen. Die polnische Sprache wurde verboten und sämtliches landwirtschaftliche und gewerbliche Vermögen beschlagnahmt. Zudem war ihnen fast jeder Rechtsschutz genommen. Auf Freiheits- oder Todesstrafe konnte bereits erkannt werden, wenn »gehässige oder hetzerische Betätigung« oder »deutschfeindliche Äußerungen« nachzuweisen waren. Der Willkür wurde damit Tür und Tor geöffnet. Allein im Jahre 1942 sind 930 Polen zum Tode verurteilt, über 45 000 in Straflager eingewiesen und 63 000 wegen verschiedener »Vergehen« abgeurteilt worden. Himmler war mit diesem Ergebnis aber keineswegs zufrieden. Er monierte die »falsche Grundeinstellung« der im Osten tätigen Richter und Staatsanwälte. Er halte es für notwendig, »einen klaren Trennungsstrich« zwischen der Strafrechtspflege gegenüber Angehörigen der Ostvölker zu ziehen. Die Strafverfolgung von Polen habe nur in den Händen der Polizei zu liegen.

Die bis zum Beginn des Rußlandfeldzuges durchgeführten Deportationen von Polen in das Gebiet des Generalgouvernements waren sogar innerhalb der nationalsozialistischen Partei umstritten. Doch Himmler setzte sich durch und wurde erst durch den Aufmarsch der Wehrmachtstruppen gegen die Sowjetunion gestoppt, denn nun benötigte man allen zur Verfügung stehenden Transportraum und die Unterkünfte für rein militärische Zwecke. Zudem machte sich im Reich durch Einziehung neuer Jahrgänge ein großer Arbeitskräftemangel bemerkbar, der durch die Zuführung von »Fremdarbeitern« behoben werden sollte: »Alle Evakuierungsmaßnahmen sind darauf abzustellen, daß brauchbare Arbeitskräfte nicht verschwinden. Darüber hinaus müssen die gesamten Ostgebiete die vorgesehene Zahl von Arbeitskräften an das Reich abgeben . . .« In Folge dieser Maßnahmen wurden von September 1939 bis August 1943 rund 1 125 000 Polen in das Gebiet des Deutschen Reiches deportiert (1939 : 40 000; 1940 : 310 000; 1941 : 200 000; 1942 : 400 000).

Es würde hier zu weit führen, alle Greueltaten, die von Deutschen an Polen oder später von Polen an Deutschen begangen wurden, aufzuzählen oder gar gegeneinander aufzurechnen. Es muß nur ein für allemal mit der Legende Schluß gemacht werden, die auch heute noch an Stammtischen die Runde macht, daß nur in den Konzentrationslagern Massenvernichtungsaktionen vorgenommen worden sind. Die deutsche Wehrmacht und alles, was in ihrem Gefolge Krieg führte, vor allem aber die SS, haben seit den ersten Tagen des Polenfeldzuges willkürlich Erschießungen vorgenommen, nicht nur von Juden, sondern auch von Polen. Von 1939 bis 1945 kamen etwa 4,5 Millionen Polen um, davon 4,2 Millionen aus der Zivilbevölkerung.

Erschreckende Parallelen zwischen der Zwangsumsiedlung von Polen aus den besetzten Gebieten und der Vertreibung der Deutschen wenige Jahre danach zeigt ein Bericht auf, den ein Kreishauptmann 1940 verfaßt hat. So oder so ähnlich ist es nach dem Krieg auch vielen Deutschen ergangen: »Der hier eintreffende Umsiedlertransport war darüber hinaus ein reiner Elendszug. Von den 1 000 Personen waren nach Äußerung des Arbeitsamtes im Höchstfall 40 voll arbeitsfähig. Nicht weniger als 215 Personen mußten ärztlich untersucht und behandelt werden ... Unter den Lungenkranken befand sich eine Frau mit offener Lungentuberkulose, die 5 Kinder bei sich hatte. Außerdem waren etwa 51 Personen zu behandeln, die an den üblichen Erscheinungen der Altersschwäche litten (Herzschwäche, Lungenblähung usw.), 9 Personen wurden als völlig transportunfähig anerkannt, 6 Kranke mußten sofort ins Krankenhaus eingewiesen und 42 Personen, darunter 33 Altersschwache, mußten in einem hierzu be-

schlagnahmten Hause untergebracht werden, acht von ihnen waren bis Weihnachten gestorben ...«

Während dieser Bericht sozusagen den Alltag des Leidens dieser Jahre schildert, riefen die sogenannten »Kindertransporte« (Anfang 1943), von denen zunächst nur Gerüchte an die Öffentlichkeit drangen, tiefe Verbitterung hervor. Bald wurde von ganzen Eisenbahnzügen gesprochen, die, mit Kindern überfüllt und unbeheizt, auf Nebengleise geschoben worden sein sollten und bald in Warschau einträfen. Diese Gerüchte versetzten die polnische Bevölkerung in größte Erregung. Man vermutete, daß man nach der Vernichtung der Juden nun an die konsequente Ausrottung des polnischen Volkes gehe. In dem Polizeibericht heißt es: »Inzwischen waren weitere Transporte von Ausgesiedelten aus Zamosc im Distrikt Warschau eingetroffen und zwar: 1. in Garwolin 3 Transporte mit insgesamt 2 158 Personen; 2. in Siedlce ca. 2 100 Personen. Der Transport nach Garwolin bestand zum größten Teil aus Kindern bis zu 10 Jahren. Die Kinder kamen in Personenwagen an und waren nur mit kleinen Kleiderbündeln versehen. Kurz nach Ankunft verstarben 13 Kinder. Weitere mußten sofort in ein Krankenhaus überführt werden. Von diesen Kindern starben in den nächsten Tagen wiederum einige. Die Ausgesiedelten wurden im ehemaligen jüdischen Wohnbezirk untergebracht. Von dem Transport nach Siedlce waren infolge mangelnder Verpflegung und Kälte bei der Ankunft bereits 20 Kinder tot. 80 weitere Personen mußten sofort in ein Krankenhaus überführt werden. Auch von diesen starb eine Anzahl während der ersten Tage.«

Diese Maßnahmen und die erste große Niederlage der deutschen Truppen Anfang 1943 in Stalingrad stärkten den Widerstandswillen der Polen. Im Generalgouvernement war man seit dem Frühjahr 1943 schon zufrieden, wenn überhaupt Ruhe herrschte. In einer sehr offen gehaltenen Denkschrift an Hitler analysierte Frank die Gründe der wachsenden Unzufriedenheit der Polen und berichtet von den rigorosen Methoden der Arbeitererfassung und der diskriminierenden Behandlung der polnischen Arbeiter im Reich. Dieses alles habe unter den Polen eine »ungeheure Haßstimmung« erzeugt.

Obwohl die kurz zuvor bei Katyn gefundenen Massengräber von polnischen Offizieren, die im Mai 1941 von den Sowjets umgebracht worden waren, eine Chance zur Änderung der deutschen Polenpolitik boten, auf die auch Frank hinwies, reagierte Hitler nicht. Ein Jahr danach kam es zum polnischen Aufstand in Warschau, der von den deutschen Truppen blutig niedergeschlagen wurde. Zwar wurden die Überlebenden der aufständischen Armee von der deutschen Wehrmacht verschont, doch die Zivilbevölkerung mußte für den Widerstandswillen der Polen büßen. Rund 50 000 arbeitsfähige Polen wurden noch im Herbst 1944 in die Konzentrationslager des Reiches überführt. Da stand aber schon die Rote Armee an den Grenzen Ostpreußens und des ehemaligen Polens.

»Im Osten ist Härte mild für die Zukunft«

Am 22. Juni 1941 meldete der Wehrmachtsbericht: »An der sowjetrussischen Grenze ist es seit den frühen Morgenstunden des heutigen Tages zu Kampfhandlungen gekommen.« Und Hitler tönte: Was den Goten, den Warägern und allen anderen »Wanderern aus germanischem Blut« nicht gelang – »das schaffen jetzt wir«. Ein neuer Germanenzug sollte den »Ansturm der Steppe« zurückschlagen, die Ostgrenze Europas endgültig gesichert werden. Der Traum, den germanische Kämpfer in den Wäldern und Weiten des Ostens einst träumten, müsse nun in Erfüllung gehen: »Ein dreitausendjähriges Geschichtska-

pitel bekommt heute seinen glorreichen Schluß.« Als »Kreuzzug gegen das bolschewistische Rußland« sei das »Unternehmen Barbarossa« gedacht. Ein schneller Sieg sollte zwei Fliegen mit einem Streich erledigen: dem Deutschland drohenden Zweifrontenkrieg zuvorkommen und die deutsche Vorherrschaft über Europa sichern. Unumwunden hatte Hitler sein Kriegsziel formuliert: Der Bolschewismus sei einem sozialen Verbrechertum gleichzusetzen, er bedeute eine ungeheure Gefahr für die Zukunft: »Der Kommunist ist vorher kein Kamerad und nachher kein Kamerad. Es handelt sich um einen Vernichtungskampf«.

Hitler handelte dabei nicht ganz ohne Vorbild. Bereits zu Beginn des Rußlandkrieges hatte Stalin viele Esten, Letten, Litauer, Wolgadeutsche, Ukrainer und Krimtartaren deportieren lassen. Ebenso unmißverständliche Weisungen erteilte nun Hitler. Durch einen am 13. Mai 1942 ergangenen Führererlaß wurde jede ordentliche Gerichtsbarkeit kurzerhand verboten. Jeder Offizier war berechtigt, »tatverdächtige Elemente« erschießen zu lassen und jeder Kommandeur durfte »kollektive Gewaltmaßnahmen« verhängen. Ähnlich wie in Polen wurde damit die Grundlage zur Massenliquidierung von rassisch und politisch »unerwünschten« Menschen auch für die neu eroberten Ostgebiete geschaffen. Dem vordringenden deutschen Heer folgten die Einsatzgruppen des Sicherheitsdienstes, die, nicht an Recht und Gesetz gebunden, tun und lassen konnten, was sie wollten. Hunderttausende von Juden wurden entweder sofort liquidiert oder in die Konzentrationslager verladen. Politische Kommissare, also Parteibeauftragte in Truppe und Verwaltung, sollten nach einem »Führererlaß« sofort erschossen werden. Sie waren unter den Kriegsgefangenen auszusuchen und nach »durchgeführter Absonderung zu erledigen«. Der Mord war damit legalisiert. Es

28

muß allerdings gesagt werden, daß einige Befehlshaber des Heeres diesen Befehl sabotierten oder in der Truppe erst gar nicht bekannt gaben. Aber es gab immer noch viele, die, in »Treu und Glauben« und an den Eid auf den Führer gebunden, auch die wahnwitzigsten und brutalsten Befehle ausführten. In einer Meldung des Chefs der Sicherheitspolizei vom 7. Oktober 1941 heißt es lapidar: »Gleichzeitig konnte eine Reihe NKWD-Beamter, politischer Kommissare und Partisanenführer erfaßt und erledigt werden«.

Die neuen Staaten, so die nationalsozialistischen Ziele, müßten ohne eigene Intelligenzschicht sein. Dazu müßten alle notwendigen Maßnahmen – »Erschießen, Aussiedeln usw.« – ergriffen werden. Der Kampf werde sich von dem im Westen sehr unterscheiden: »Im Osten ist Härte mild für die Zukunft«. Es gelte, den riesenhaften Kuchen handgerecht zu zerlegen, »damit wir ihn erstens beherrschen, zweitens verwalten und drittens ausbeuten können«. Der Osten sollte Lebensraum sein und Europa mit Rohstoffen versorgen. Göring dazu vor Reichskommissaren und Militärbefehlshabern: »Früher nannte man das Plündern. Nun, die Formen sind humaner geworden. Ich gedenke trotzdem zu plündern, und zwar ausgiebig . . . Sie sind weiß Gott nicht hingeschickt, um für das Wohl und Wehe der Ihnen anvertrauten Völker zu arbeiten, sondern um das Äußerste herauszuholen, damit das deutsche Volk leben kann«. Und Goebbels wußte den alten Traum der deutschen Großindustrie und der konservativen Kräfte geschickt auf die Wünsche des kleinen Mannes abzustellen: Der Krieg würde geführt und gewonnen, damit sich »dann unser ganzes Volk einmal so richtig an den Fettnapf der Welt setzen kann. Wir wollen ja heran an die Fettnäpfe der Welt. Wir wollen jetzt mal so richtig uns in die Wiesen der Welt hineinsetzen und grasen«.

Mit der Niederlage von Stalingrad und dem Partisanenkrieg im Rücken der dehtschen Front, kam im Osten die Wende. Bereits am 18. Juli 1941 hatte das Zentralkomitee der KPdSU den Kämpfenden hinter der deutschen Front klare Direktiven gegeben. Die Nachrichtenverbindungen und Nachschublinien sollten nachhaltig gestört werden. Dies ist den Partisanen auch hinlänglich gelungen. So unterstützten die Partisanen die große sowjetische Offensive von Kursk 1943 äußerst wirksam durch einen »Schienenkrieg«. Sie zerstörten nach genauen Orts- und Zeitplänen Schienenwege im Hinterland der deutschen Stellungen an mehr als 12 000 Stellen. Und auch die große Sommeroffensive von 1944 begann mit einer Partisanenaktion. Durch mehr als 10 000 Sprengungen wurde das Versorgungsnetz der Heeresgruppe Mitte vorübergehend völlig lahmgelegt. Begünstigt wurden ihre Aktionen durch die unendlich langen Nachschublinien, die harten russischen Winter, die langen Regen- und Schlammperioden im Frühjahr und im Herbst sowie durch ihre Kenntnis des Geländes. Die von deutscher Seite durchgeführten Vergeltungsmaßnahmen verfehlten meist ihre Wirkung. Sie schufen statt Abschreckung Haß und neue Partisanen. Himmlers wahnwitziger Traum, noch 1944 auf einer Gauleitertagung öffentlich vorgetragen, »einen Pflanzgarten germanischen Blutes« im Osten zu errichten, die Volkstumsgrenze um 500 Kilometer hinauszuschieben und ein germanisches Reich zu gründen, dessen »Blutbasis auf 120 Millionen Germanen« vermehrt wäre, zerrann im Granathagel der Stalinorgeln.

Nach den deutschen Niederlagen von Stalingrad und Kursk wurde für die Rote Armee der Weg nach Westen frei. Das Kräfteverhältnis beider Gegner hatte sich inzwischen grundlegend verschoben, denn seit Herbst 1942 war die sowjetische Rüstungsproduktion gewaltig angestiegen. Die monatliche Panzerproduktion erreichte

1943 bereits 2 000 Stück. Hinzu kamen die Unterstützung durch die USA im Rahmen des Leih- und Pachtvertrages vom 22. Juni 1941. In den darauffolgenden Jahren erhielt die UdSSR u. a. 13 300 Panzer, 425 000 Lastkraftwagen, 4,4 Millionen Tonnen Lebensmittel, 2,8 Millionen Tonnen Stahl. Darüber hinaus standen den 177 ausgelaugten deutschen Divisionen im Herbst 1943 860 vergleichbare sowjetische Verbände gegenüber. Angesichts dieses ungleichen Kräfteverhältnisses konnte es nur noch eine Frage der Zeit sein, bis die ersten sowjetischen Soldaten Deutschland erreichen würden.

Nun war es die Rote Armee, die den Gegner vor sich hertrieb. Starrsinnig verbot Hitler die Räumung zahlreicher taktisch wertloser Stellungen. Jeder Rückzug mußte von ihm genehmigt sein. Und wenn die Wehrmacht einmal wirklich zum Zurückgehen gezwungen sein würde, dann sollte »kein Mensch, kein Vieh, kein Zentner Getreide, keine Eisenbahnschiene zurückbleiben«. Und Himmler forderte, beim Gegner dürfe kein Haus stehenbleiben, kein Bergwerk mehr vorhanden sein, das nicht auf Jahre hinaus gestört wäre, und kein Brunnen mehr existieren, dessen Wasser nicht vergiftet sei. Der Gegner müsse »ein total verbranntes und zerstörtes Land vorfinden«.

Das Pendel der Gewalt, das einst Hitler in Polen und in den besetzten Ostgebieten zur Schwingung gebracht hatte, schlug nun zurück. Angesichts der Brutalität, mit der deutsche Truppen und vor allem die nachfolgenden Einsatzkommandos vorgegangen waren, nimmt es nicht Wunder, daß die Rotarmisten auch nicht gerade zimperlich waren. Viele von ihnen hatten Haus und Hof, hatten ihre Familie oder Angehörige verloren. Nach sowjetischen Quellen gab es allein im 252. Gardeschützenregiment der 83. Gardeschützendivision der 11. Gardearmee »158 Soldaten und Offiziere, deren Familienangehörige von den Faschisten gequält oder ermordet worden waren, 56 Soldaten, deren Familien nach Deutschland verschleppt, 162 Soldaten, deren Angehörige obdachlos gemacht waren, und 293 Soldaten, deren Familien der häuslichen Habe und des Viehs beraubt worden waren«. Geschickt nutzte die russische Führung die Verbitterung ihrer Landsleute aus. Als eine der wichtigsten Aufgaben der politischen Arbeit wurde »die Erziehung zum glühenden Haß gegen die faschistischen Okkupanten« angesehen. Man könne keinen Feind besiegen, den man nicht aus vollem Herzen hasse. »Zorn und Haß«, so das sowjetische Werk »Die Geschichte des großen vaterländischen Krieges«, »glühten in den Herzen der Soldaten, als sie die ehemaligen faschistischen Todeslager in Litauen, Ostpreußen und Polen betraten oder Berichte von Sowjetmenschen hörten, die der faschistischen Sklaverei entronnen waren.«

Die Propagierung des Vaterländischen Krieges und des Hasses gegen die faschistischen Okkupanten, die seit Beginn des Krieges auf vollen Touren lief, ließ viele Rotarmisten bei der Besetzung Deutschlands in jedem Deutschen, ob Mann, Frau, Greis oder Kind, einen Faschisten sehen. Darüber hinaus sahen die Sowjets jeden zurückgebliebenen Deutschen als Partisanen mit geheimem Auftrag an. Die Errichtung des Volkssturms und die von der deutschen Propaganda angekündigte Schaffung des »Werwolfes« haben das Handeln der Sowjets sicherlich nachhaltig beeinflußt. Mit welchen Gefühlen der gemeine Rotarmist deutschen Boden betrat, mag der Auszug aus einem Buch beleuchten, das 1943 erschienen ist und Ilja Ehrenburg zugeschrieben wird: »Wir wissen alles. Wir erinnern uns an alles. Wir haben begriffen: Die Deutschen sind keine Menschen. Von nun ab ist das Wort ›Deutscher‹ für uns der allerschrecklichste Fluch. Von nun ab entlädt das Wort ›Deutscher‹ das Gewehr. Wir werden nicht reden. Wir werden uns nicht empören. Wir werden töten. Wenn Du im Laufe eines Tages einen Deutschen nicht getötet hast, ist Dein Tag verloren. Wenn Du denkst, daß Dein Nachbar für Dich einen Deutschen tötet, dann hast Du die Bedrohung nicht erkannt. Wenn Du den Deutschen nicht tötest, wird der Deutsche Dich töten. Er holt Deine Nächsten und wird sie in seinem verfluchten Deutschland quälen. Wenn Du den Deutschen mit der Kugel nicht töten kannst, töte den Deutschen mit dem Seitengewehr. Wenn es in Deinem Frontabschnitt ruhig ist, wenn Du auf den Kampf wartest, töte den Deutschen vor dem Kampf. Wenn Du den Deutschen leben läßt, wird der Deutsche einen russischen Menschen erhängen und eine russische Frau schänden. Wenn Du einen Deutschen getötet hast, töte noch einen – es gibt für uns nichts Lustigeres als deutsche Leichen. Zähle nicht die Tage. Zähle nicht die Wersten. Zähle nur eins: die von Dir getöteten Deutschen. Töte den Deutschen! – das bittet die alte Mutter. Töte den Deutschen! – das fleht das Kind. Töte den Deutschen! – das ruft die Heimaterde. Verfehle nicht das Ziel. Laß ihn nicht entgehen. Töte!«

Die Stunde der Vergeltung

Als die siegreichen sowjetischen Truppen und die sie begleitenden polnischen Verbände auf die ostdeutsche Zivilbevölkerung trafen, kam es zu Racheakten, die für die davon betroffenen Menschen alles bis dahin Erlebte in den Schatten stellten. Raub, Plünderung, Brandstiftungen, Mißhandlungen, massenhafte Vergewaltigung von Frauen und die willkürliche Tötung völlig Unschuldiger sind in einem solchen Ausmaß begangen worden, daß in der Erinnerung vieler Flüchtlinge und Vertriebener diese Ereignisse das einzig Prägende der Schicksalsjahre 1944/45 geblieben sind.

Es wäre ein vergebliches Unterfangen, die Vorgänge in Ostpreußen, Pommern, Ost-Brandenburg, Schlesien, in Böhmen und Mähren rational erklären zu wollen, dennoch sei der Versuch gewagt, Beweggründe für die oft unvorstellbaren Grausamkeiten zu finden.

Goebbels' berühmte Hetz-Parole aus seiner Sportpalast-Rede vom Februar 1943: »Nun, Volk, steh auf, und Sturm, brich los!« verkehrte sich gegen das eigene Volk, das, zumeist ohne Kenntnis vom massenhaft und planmäßig betriebenen Völkermord im Osten, oft genug ahnungslos das Hereinbrechen der sowjetischen Streitkräfte erlebte.

Die über Weichsel und Oder setzende Masse der Soldaten hatte auf ihren 500 bis 700 Kilometer langen Anmarschwegen all das gesehen, was SS-Verbände und Einsatzgruppen im letzten Moment nicht mehr hatten verbergen können: neben der Taktik der »Verbrannten Erde« – also dem sinnlosen Zerstören der für die zurückbleibende Bevölkerung notwendigen Versorgungseinrichtungen – die Opfer des Terrors und des legalisierten Mordes.

Die Vernichtungsstätten des blindwütigen Ausrottungswahns wurden den nachrückenden sowjetischen Truppen während des überhasteten deutschen Rückzugs zumeist im »Urzustand« überlassen – Zeit zur Verwischung der Spuren war kaum geblieben. Die Befreiung der Lager Sobibor, Treblinka, Majdanek, Belzec, Chelmno, Stutthof und Auschwitz rief bei den meisten der Befreier – weniger bei den Befreiten – das Verlangen nach Vergeltung hervor.

Fast jeder sowjetische Soldat, der die deutsche Ostgrenze überschritt, hatte Familienopfer zu beklagen – oftmals war die gesamte Familie den Ausrottungsmaßnahmen der deutschen Besatzer zum Opfer gefallen. Viele der an Frauen, Kindern und Greisen begangenen Grausamkeiten der sowjetischen Soldaten waren sicherlich auch auf die durch jeden Krieg verursachte Verrohung und Zügellosigkeit, auf den Verfall von Sitte und Moral zurückzuführen. Dennoch gab den letzten Anstoß nur allzu oft die in Soldatenzeitungen, Flugblättern und Rundfunksendungen verbreiteten Aufforderungen, Rache und Vergeltung an den Deutschen zu üben. Hinzu kommt, daß den teilweise frisch aus dem asiatischen Raum herbeigeführten Regimentern jene Haltung nicht fremd war, daß Frauen im gleichen Maße Beutestücke des Siegers sind wie Edelmetalle und Sachgüter. Hier wirkten sicherlich überkommene asiatische Verhaltensweisen und Vorstellungen nach.

Zudem trafen diese Soldaten nach Jahren des Leids und der Entbehrungen auf teilweise unzerstörte Dörfer und Städte, in denen das »normale« Leben weiterlief und die gerade deshalb zugleich Rache und Neidgefühle provozierten und zum Beutemachen unter dem Vorwand von Vergeltungsmaßnahmen verführten. Das Pendel der Gewalt schlug zurück und traf unerbittlich jene, die Symbol für Unterdrückung, Ausbeutung, Mord, ja Völkermord waren. Auch wenn meist zwischen NS-Funktionären und unschuldigen Zivilisten nicht unterschieden wurde, so muß doch das Motiv hervorgehoben werden: Hier öffnete sich ein Ventil für all das, was sich in den Jahren der Unterdrückung angestaut hatte. Die Rache traf dann alle Zurückgebliebenen.

Dies galt insbesondere für jene Gebiete, in denen Himmlers Einsatzgruppen die Bevölkerung terrorisiert hatten: Die bevorrechtigten Volksdeutschen ehemals polnischer Staatszugehörigkeit aus dem Wartheland, aus Westpreußen, Oberschlesien und dem Generalgouvernement bekamen das ebenso zu spüren wie ihre Leidensgenossen in Böhmen und Mähren.

Die aus dem Hochmut des Rassenwahns geborenen Untaten der Deutschen fanden ihre Entsprechung in der Diskriminierung und allzu oft auch in der Liquidierung all dessen, was sich mit dem Synonym »Deutsch« verband. Richter und Gerichtete von ehedem standen sich auf engstem Raum unversöhnlich gegenüber – nur, die Rollen waren vertauscht und in der Hast des Augenblicks war keine Zeit für kühles Blut.

In den »befreiten« Gebieten rächte sich nun, was die nationalsozialistische Unterdrückungspolitik, die Vernichtung der polnischen Intelligenz und Herabdrückung des polnischen Volkes zum Sklavendasein ausgelöst hatte: Haß und leidenschaftlicher Vergeltungsdrang für erlittenes Unrecht und Erniedrigung.

Dennoch gibt es genügend Zeugnisse für den Mut einzelner sowjetischer und polnischer Soldaten und Zivilisten, die sich öffentlichen Rache- und Lynchfeldzügen gegen Deutsche erbittert entgegen stellten, die das unselige Treiben der teilweise zügellosen »Sieger« beenden wollten. Viele, die heute anklagen, verdanken der Besonnenheit jener Soldaten ihr Leben – es scheint immer noch notwendig, hieran zu erinnern.

Was blieb? Demütigung von Unschuldigen, Anhäufung von neuem Leid, wo altes noch nicht vergessen war. So viel Verbitterung und Schmerz, daß jegliche Verständigung über Jahrzehnte hinweg nicht möglich war und ist. Unschuldige Opfer einer verbrecherischen Politik, die im Namen Deutschlands millionenfaches Unrecht beging.

Die Flucht und die Vertreibung der Deutschen war eines der letzten düsteren Kapitel eines an Greuel überreichen Krieges – doch eines dürfen wir nicht vergessen, daß Deutschland unter Hitler mit all dem begonnen hatte.

»Was tun mit den Greuel, wie wird man mit ihnen fertig?« fragt Sebastian Haffner. Seine Antwort: »Aufrechnung hilft nicht weiter; Gedanken an Rache machen alles noch schlimmer. Irgendeiner muß die Seelengröße aufbringen, zu sagen: ›Es ist genug.‹«

In den Jahren nach der Machtübernahme Hitlers fanden die Heim-ins-
Reich-Parolen der Sudetendeutschen Partei immer dann besondere
Resonanz, wenn es bei den Terror-
aktionen, die von beiden Seiten begangen wurden, Tote gab.
Auf dem Marktplatz von Eger sind
die Särge von zwei Sudetendeutschen aufgebahrt, die in den bürger-
kriegsähnlichen Auseinandersetzungen ums Leben gekommen waren (1). Die Sudetendeutsche Partei
nutzte die Empörung der Bevölkerung zur Anstachelung nationaler
Leidenschaften aus.

Unter dem Jubel der deutschen Be-
völkerung marschiert die Wehr-
macht am 1. Oktober 1938 in das
Sudetenland ein (2).
Zuvor hatte sich Hitler mit den
Regierungschefs von England,
Frankreich und Italien über seine
Gebietsansprüche verständigt. Die
Tschechen wurden nicht befragt –
ihnen blieb nur die Wahl zwischen
Nachgeben und selbstmörderischem
Widerstand. Durch diese geschickt
inszenierte Erpressung war Hitler all
das »friedlich« in die Hände gefal-
len, was er sonst nur mit Gewalt
hätte erreichen können.

3

Nicht einmal ein halbes Jahr später erzwang Hitler von dem nach Berlin geeilten greisen CSR-Präsidenten Hacha die Auslieferung seines Rest-Staates. Nachdem Göring offen mit einem Luftangriff auf Prag gedroht hatte, unterschrieb Hacha, daß er »das Schicksal des tschechischen Volkes und Landes vertrauensvoll in die Hände des Führers des Deutschen Reiches« lege.
In Prag werden die deutschen Besatzer von der tschechoslowakischen Bevölkerung mit geballten Fäusten empfangen. Die entsetzten Gesichter sind voll Bitternis und Haß (3).

5

6

Am 1. September 1939 überschreiten ab 5.45 Uhr deutsche Truppen
die polnische Grenze. Damit hatte
der Zweite Weltkrieg begonnen. Die
militärische Niederwerfung der sich
tapfer wehrenden, aber technologisch hoffnungslos unterlegenen Polen war nur eine Frage der Zeit.
Bilder aus den ersten Kriegstagen:
Das zu dieser Zeit in Gdingen wei-
lende Schulschiff SCHLESWIG-HOL-
STEIN eröffnet das Feuer auf ein
polnisches Munitionslager auf der
Westerplatte (4). In Danzig geht die

deutsche »Heimwehr« im Schutz
von Panzerwagen (5) gegen das polnische Postamt vor.
In der Freien Stadt Danzig lebten
neben 300 000 Deutschen nur knapp
10 000 Polen. Viele verschanzten
sich in den polnisch verwalteten Ein-
richtungen und leisteten über Tage
hinweg erbitterten Widerstand.
Bereits am 19. September kann Hitler unter dem Jubel der Bevölkerung
in die »befreite« Stadt einziehen (6).
Zu diesem Zeitpunkt ist Polen bereits verloren.

7

Die in Polen lebenden Deutschen (insgesamt über eine Million) begrüßen die einrückenden Truppen als Befreier (7, 8, 9). In den zwanziger Jahren war die deutsche Minderheit vielen Repressalien ausgesetzt. Vor allem die rigorose Boden- und Siedlungspolitik entzog den deutschen Großbauern ihre wirtschaftliche Basis. Darüber hinaus ließ die polnische Verwaltung kaum die Pflege deutscher Sprache und Kultur zu. An dieser Diskriminierung waren die Deutschen aber nicht ganz schuldlos. Bis zum Ende des Ersten Weltkrieges hatten sie die polnischen Siedler auch nicht gerade wie gleichberechtigte Partner behandelt. Und der Anspruch auf die nach dem Versailler Vertrag verlorenen Ostgebiete (Pommern, Westpreußen) war während der Weimarer Republik nie aufgegeben worden.

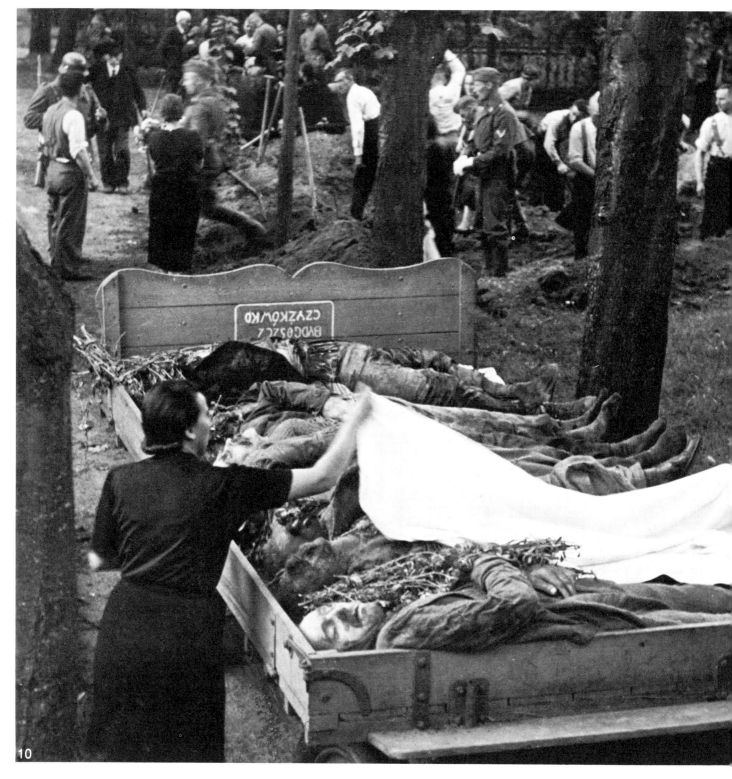

10

Kurz nach dem deutschen Überfall
auf Polen hatte sich in vielen Orten
die Verbitterung der polnischen Bevölkerung gegen die dort lebenden
Deutschen gewandt. Das Gerücht,
diese seien eine Art »Fünfte Kolonne«, die mit den deutschen Truppen
in Verbindung stehe, hatte besonders in Bromberg zu blutigen Ausschreitungen geführt (10, 11, 12).

Am 3. September, dem berüchtigten
»Blutsonntag«, sollen dort
allein 1 000 Menschen ermordet
worden sein. Tausende von verdächtigen Deutschen wurden ergriffen
und in das Innere Polens verschleppt. Etwa 5 400 kamen im
Chaos des polnischen Rückzuges
um.

11

12

Die zurückbleibenden Deutschen nahmen nun ihrerseits Rache. Zur Exekution genügte oft schon die bloße Anschuldigung, daß dieser oder jener Pole »deutschfeindlich« eingestellt sei. Hier erkennt ein »Volksdeutscher« einen Polen als den mutmaßlichen Mörder seiner Brüder wieder, was einem Todesurteil gleichkam (14).

»Die blühendste Phantasie ist arm gegen die Dinge, die eine organisierte Mörder-, Räuber- und Plünderbande unter angeblich höchster Duldung dort verbricht« – so der erschütternde Bericht eines deutschen Offiziers aus Polen. Mit Erschießungen und Terror gegenüber den »Untermenschen« und »rassisch minderwertigen« Polen begannen die SS und die deutsche Wehrmacht schon während ihres Vormarsches. Das Photo zeigt erschossene polnische Kriegsgefangene im Straßengraben (13).

Besonders grausam gingen die Einsatzgruppen der SS gegen die polnische Zivilbevölkerung und Juden vor. Willkürliche Erschießungen waren an der Tagesordnung (15). Ein erschütterndes Dokument: In Rozki-Radom posieren deutsche Soldaten vor den von ihnen gerade erhängten zwölf Polen (16).

15

16

18

19

Am 22. Juni 1941 meldet der Wehrmachtsbericht: »An der sowjetischen Grenze ist es seit den frühen
Morgenstunden des heutigen Tages
zu Kampfhandlungen gekommen.«
Die vor den deutschen Truppen
flüchtende russische Bevölkerung
(17) wird überrollt – ein Schicksal,
das wenige Jahre später auch viele
Deutsche treffen sollte.

Ebenso wie in Polen folgen den
regulären Truppen die Einsatzgruppen von SS und Sicherheitsdienst.
Ihre Vergeltungsmaßnahmen gegen
Partisanen verfehlten allerdings
meistens ihre Wirkung: Sie schufen
statt Abschreckung Haß und neue
Partisanen. Ein Teufelskreis von Rache und Vergeltung schloß sich. So
wie die spätere »Heldin der Sowjetunion« Soja Kosmodemjanskaja,
die wegen Brandstiftung hinge-
richtet wurde (20), exekutierte man
Tausende von Partisanen (18, 19).

20

Eine Woche vor Ausbruch des Zweiten Weltkrieges hatten sich die Regierungen der Sowjetunion und Deutschlands in einem Geheimprotokoll zum deutsch-sowjetischen Nichtangriffspakt über die Aufteilung Polens während eines möglichen Konfliktfalls verständigt.

Am 17. September 1939 marschierten Stalins Soldaten in den östlichen Teil Polens ein. Am 6. Oktober war Polen vollständig besetzt und besiegt.

Die Zerschlagung Polens war das erklärte Ziel beider Parteien. Folgerichtig ließ Hitler die polnische Intelligenz systematisch ausrotten. Stalin war in seinen Mitteln nicht weniger brutal. Im April 1943 fanden deutsche Truppen bei Katyn die Massengräber mit den Leichen von über 4000 polnischen Offizieren, die im Mai 1941, also vor dem deutschen Angriff auf die UdSSR, von den Sowjets erschossen worden waren (21, 22, 23).

22

23

27

»Kein Mensch, kein Vieh, kein
Zentner Getreide, keine Eisenbahnschiene« – so der Befehl Hitlers –
sollte zurückbleiben und dem vor-
rückenden Feind in die Hände fallen. Durch die Taktik der »Verbrannten Erde« verlor die in ihre
Dörfer und Städte zurückkehrende
polnische und russische Zivilbevölkerung jede Existenzgrundlage. Die
Folge waren blinder Haß und der
Ruf nach Vergeltung.
Deutsche Sprengkommandos zerstören Bahnanlagen an der Ostfront
(24, 25) und legen während des
Rückzuges Häuser in Schutt und
Asche (26, 27).

28

Bereits im Sommer 1944 bereiten
die Deutschen sich auf die sowjetische Offensive vor. In Ostpreußen
(29) und im Sudetenland (28) wird
die zurückgebliebene Zivilbevölkerung zu Schanzarbeiten herangezogen. Der ungeheure Aufwand
Tausender von Frauen und älteren
Männern ist freilich vergebens.
Schon wenige Monate später brechen die sowjetischen Panzerspitzen
im ersten Ansturm nach Ostpreußen
durch.
Das letzte Aufgebot: Die seit Mitte
1944 aufgestellten Volkssturmein-
heiten bestehen im wesentlichen aus
Militäruntauglichen, Greisen und
Jugendlichen. Ihr Kampfwert ist äußerst gering, da sie über keine
schweren Waffen verfügen. Hier
rückt eine Volkssturmeinheit zur
Ausbildung aus. Das Bild erinnert
eher an einen Schützenumzug in
Friedenszeiten (30).

29

32

33

Trotz der über Jahre andauernden unerbittlichen Verfolgung von Juden und polnischen Intellektuellen hatten sich Widerstandszellen gegen die deutschen Besatzer gebildet. Am 1. August 1944 erhob sich in Warschau die sogenannte polnische Heimatarmee. Vor dem Eintreffen der Rotarmisten wollten die nichtkommunistischen Aufständischen ihre Hauptstadt befreien, um damit ein Signal für die Wiedererrichtung eines nichtkommunistischen polnischen Staates zu setzen. Während die Polen mit unterlegenen Mitteln zäh um jeden Meter Boden kämpften, griffen die vor der Stadt stehenden russischen Verbände nicht ein. Obwohl die Deutschen mit härtesten Mitteln vorgingen (32), dauerte es mehr als zwei Monate, bis auch die letzten polnischen Widerstandsnester aufgaben (33).

Warschau war dem Erdboden gleichgemacht. Die deutschen Truppen zogen sich zurück. Damit war zumindest in Polen die Zeit der Verfolgung Unschuldiger vorüber – die Pogrome hatten ein Ende (31).

34

Noch Anfang Mai 1945 hält sich eine starke deutsche Heeresgruppe im Raum Sachsen und Österreich. Erst in den Morgenstunden des 9. Mai, also einen Tag nach der offiziellen Kapitulation, erreichen sowjetische Panzerverbände, über Dresden vorstoßend, Prag (36). Die tschechische Bevölkerung begrüßt die sowjetischen Truppen als Befreier (34). Viele Deutsche bekommen nun den über Jahre aufgestauten Haß der Tschechen gegen die Nazis zu spüren. Unter teilweise menschenunwürdigen Bedingungen werden sie als Gefangene mißhandelt und in Lager verbracht (35), so auch in das ehemalige Konzentrationslager Theresienstadt.

Einzelne deutsche Verbände halten sich in Böhmen und Mähren noch bis zum 13. Mai gegen die vordringenden Sowjets und die tschechischen Widerstandskämpfer.

35

39

Zehn Tage lang tobt die Schlacht in den Straßen Berlins. Am 1. Mai weht über der Hauptstadt Deutschlands das rote Siegesbanner (38). Ein sinnloser Krieg geht zu Ende. Zurück bleiben Trümmer und über 50 Millionen Tote – hier einer der Überlebenden vor dem zerstörten Reichstag in Berlin (37).

In der Nacht vom 8. auf den 9. Mai 1945 endete der Zweite Weltkrieg in Europa. Mit allen Ordens- und Ehrenzeichen, Marschallstab und Handschuh, unterzeichnet Generalfeldmarschall Wilhelm Keitel, preußisch korrekt bis in den Untergang, die Kapitulationsurkunde im sowjetischen Hauptquartier in Berlin-Karlshorst (39).

Die erschütternde Bilanz des Krieges auf deutscher Seite: Etwa 12 Millionen Soldaten wanderten in Gefangenschaft, über 11 Millionen Deutsche verloren ihre Heimat, 8,5 Millionen Deutsche, Österreicher und Volksdeutsche kamen um.

40

Während der Potsdamer Konferenz vom 17. Juli bis 2. August 1945 wurden weitreichende Beschlüsse gefaßt, die vor allem die deutschen Ostgrenzen betrafen und die »ordnungsgemäße und humane« Ausweisung der Deutschen aus Polen, der Tschechoslowakei und Ungarn regeln sollten. Die »Großen Drei« und ihre Außenminister berieten über das Schicksal Deutschlands in der Idylle des Cäcilienhofes vor den Toren Berlins (40). Mit dem Rücken zur Kamera der amerikanische Präsident Harry S. Truman; rechts mit Zigarette Marschall Stalin; links der britische Premierminister Churchill.

Deutschland liegt in Agonie. Nur wenige glauben an einen neuen Anfang. Die Hoffnungen ruhen auf jenen, die ihre Jugend in Schützengräben verbracht haben (41).

Der Schrecken hatte viele Namen

Arno Surminski

Anfang Februar 1945 überholt eine Brigade der Roten Armee einen Flüchtlingstreck in Ostpreußen. Die Wagen halten im Schnee. Soldaten in weißen Tarnanzügen nähern sich und befehlen abzusteigen. Ein jüngerer Soldat entdeckt am Rockaufschlag eines älteren Mannes das Abzeichen der NSDAP. Er tritt näher, betrachtet belustigt das Hakenkreuz, lacht laut, sagt schließlich »Chitler kapuut« und reißt das Abzeichen aus dem Stoff. Er läßt es in seiner Tasche verschwinden, nimmt es mit als Souvenir für sein russisches Dorf. Danach fragt er den Mann, ob er Waffen besitze. Der bejaht und zieht einen kleinen Revolver aus der Jackentasche. Der Soldat greift nach der Waffe, wirft sie weit von sich in den Schnee, geht seiner Wege. Nichts geschieht ...

... Eine Stunde später in einem Haus hinter der Frontlinie. Die Flüchtlinge haben sich in einem Raum versammelt. Russische Soldaten gehen ein und aus, um die Deutschen zu sehen. Ein älterer Soldat hat einen deutschen Jungen auf den Knien, füttert ihn mit erbeuteten Sahnebonbons und summt dazu russische Kinderlieder. Er spielt mit ihm, wie Väter mit ihren Kindern Hoppereiter spielen ...

... Drei Tage später. 50 Kilometer hinter der russischen Front. Etwa 30 Männer in Zivilkleidung marschieren auf der Chaussee nach Osten. Vorn ein Posten mit Maschinenpistole, hinten ein Posten mit Maschinenpistole. Einer der Männer humpelt, kann der Kolonne kaum noch folgen. An einer Wegbiegung tippt ihm der russische Posten auf die Schulter, befiehlt ihm, in den Graben zu gehen. Dort muß er sich in den Schnee setzen, darf sitzenbleiben, während die anderen weiterziehen. Er ist frei ...

Ich halte es für richtig, mit diesen angenehmen Erlebnissen zu beginnen. Nein, es wurde nicht nur gemordet, vergewaltigt und gebrandschatzt. Es gab Fälle, in denen sich Offiziere schützend vor deutsche Frauen stellten und russische Soldaten Lebensmittel an deutsche Kinder verteilten, natürlich keine Schokolade oder Corned beef-Dosen wie die Sieger im Westen, sondern oft nur trocken Brot, weil sie selbst nicht mehr besaßen. Kein Zweifel, in jenen Tagen, als die Welt aus den Fugen zu geraten drohte, hat es rührende Beispiele von Menschlichkeit gegeben. Nur kamen sie so schrecklich selten vor. Während der alte Mann mit dem NS-Abzeichen und dem Revolver in der Jackentasche unbehelligt blieb, wurden andere für nichts und wieder nichts erschossen, weil sie im Wege standen, weil sie

Deutsche waren. Während ein Soldat Kinderlieder vorsang und Sahnebonbons verteilte, vergewaltigten andere im Raum nebenan deutsche Frauen. Und wie ist es jenem Wachtposten ergangen, der aus Mitleid einen humpelnden Gefangenen im Schnee sitzen ließ? Nach einem Kilometer kamen ihm Bedenken. Ihm wurde klar, daß die Gefangenen gezählt waren, daß er sein Soll abliefern mußte. Deshalb griff er sich in der nächsten Ortschaft mit vorgehaltener Maschinenpistole einen anderen Deutschen und stellte ihn als Ersatz in die Kolonne.

In der Rückschau nach 35 Jahren drängt sich vor allem ein Eindruck in den Vordergrund: die Selbstverständlichkeit, mit der herzliche Menschlichkeit und fassungsloses Grauen nebeneinander hergingen, als wären es Zwillingsschwestern. Es war alles möglich. Das Schicksal des einzelnen hing von Zufällen ab, nicht von Schuld oder Verdienst. Altkommunisten mußten ebenso sterben wie NS-Mitglieder. Landarbeiter hatten wenig bessere Überlebenschancen als Gutsbesitzer. Französische Kriegsgefangene, die auf ihre Befreiung warteten, gingen an dieser Befreiung zugrunde. Aus Versehen? Aus Übereifer? Mit Absicht? Es ist kaum noch zu ergründen. Jedenfalls war es keine Zeit, in der viel gefragt, geprüft oder erwogen wurde. Was über den deutschen Osten hereinbrach, vollzog sich mit der Gewalt eines Naturereignisses . . . Stürme fragen auch nicht, welchen Baum sie entwurzeln dürfen.

Mit den Sammelbegriffen Flucht oder Vertreibung werden wir den Ereignissen des Kriegsendes nicht völlig gerecht. Jene Zeit war differenzierter, der Schrecken hatte viele Namen. Es gab die Flucht und später die Vertreibung. Ein Kapitel für sich war das Zusammentreffen der Zivilbevölkerung mit der Front und schließlich ein heute fast verdrängter Komplex: die Verschleppung.

Die Flucht

Von ihr ist zu sagen, daß es eine rein deutsche Angelegenheit war. Zwar wurde sie durch das Näherrücken der Roten Armee ausgelöst, aber die Deutschen waren unter sich. Was auf der Flucht geschah, ist von den Deutschen zu verantworten. Das begann schon mit dem Zeitpunkt der Flucht. Hätte die deutsche Führung die Flucht früher zugelassen, Frauen mit Kleinkindern und alte Leute schon Weihnachten 1944 in den Westen geschickt, wäre das Unglück in Grenzen geblieben. Die Hinhaltetaktik der deutschen Führung hat die Leiden der Zivilbevölkerung erheblich vergrößert. Oft blieb die Flucht bis zum letzten Augenblick verboten; nicht wenige Trecks zogen entgegen dem ausdrücklichen Verbot der Behörden los. Es war keine Seltenheit, daß Flüchtlingstrecks in das Niemandsland zwischen die Fronten gerieten, weil sie zu spät aufgebrochen waren. Offensichtlich sollte die Zivilbevölkerung in Frontnähe gehalten werden, um zur Stabilisierung der Front beizutragen. Man erwartete eine größere Kampfbereitschaft der Soldaten, wenn es nicht um menschenleere Höfe ging, sondern um Frauen und Kinder. Die Verzögerungstaktik führte dazu, daß die Flucht in den tiefsten Winter fiel. An den Straßen standen Kinderwagen mit steifgefrorenen Säuglingen. Die verschneiten Felder gaben für Mensch und Tier keine Nahrung her. Endlose Rinderherden zogen brüllend über den Schnee – hinter ihnen die schwarzen Punkte der verendeten Tiere. Da die Nebenstraßen unpassierbar waren, mußte der Flüchtlingsstrom auf die Hauptstraßen, traf dort mit Militärkolonnen zusammen, geriet unter Bomben und Tieffliegerbeschuß. In den Chausseebäumen hing Bettzeug und Wäsche, im Straßengraben lagen die Reste zerrissener Pferde. Angesichts des Durcheinanders von Militärkolonnen und Flüchtlingstrecks war es fast unvermeidlich, daß die Zivilbevölkerung bei den Luftangriffen in Mitleidenschaft gezogen wurde.

Ohne es zu wissen, haben die Fliehenden selbst zur Verschlimmerung ihrer Lage beigetragen. Viele glaubten bis zuletzt, als der Kanonendonner schon hörbar war, an den Endsieg. Den Krieg in der Nähe ihres Heimatdorfes hielten sie für einen vorübergehenden Einbruch. Der rührende Glaube, es werde wieder zurückgehen, das Heimatdorf werde freigekämpft, war so verbreitet, daß es vielfach zu einer Flucht auf Raten kam. Die Flüchtlinge von der Grenze zogen 100 Kilometer ins Binnenland und warteten ab. Kam die Front näher, zogen sie weiter, nun begleitet von denen, die ihnen Unterkunft gewährt hatten. So schwoll der Strom an, eine Riesenwelle wälzte sich vor der Front her.

Viele Flüchtlinge, die schließlich doch in die Mühlen des Krieges gerieten, wären unbehelligt durchgekommen, wenn sie die einmal begonnene Flucht nicht immer wieder unterbrochen hätten, weil sie auf die Rückkehr hofften. Die rührende Anhänglichkeit der Bevölkerung im Osten an die vertraute Umgebung, an die zurückgelassenen Tiere, die Gebäude und Felder, ja sogar an die Friedhöfe, hat viel zu diesem Zögern beigetragen. Wir können uns heute kaum noch vorstellen, was es für die seßhafte Bevölkerung des Ostens bedeutet hat, auf die Flucht zu gehen. Viele dieser Menschen kannten nur den eigenen Ort und die Kreisstadt; sie brachten es nicht über sich, einfach in die Eisenbahn zu steigen und davonzufahren. Für die Bewohner der Provinz Ostpreußen wirkte sich zusätzlich die Erfahrung des Jahres 1914 verhängnisvoll aus. Damals waren die Zarenarmeen von deutschen Truppen aus Ostpreußen hinausgedrängt worden. An die Erinnerung an die nur »vorübergehende Russenzeit« von 1914 klammerten sich viele auch im eisigen Winter 1945.

Die Front

Überrolltwerden von der Front war der zweite Akt des Dramas. Die einen traf es unterwegs, weil die russischen Panzer schneller waren als die Flüchtlingswagen. Andere wurden zu Hause von der Front erreicht, weil sie nicht auf die Flucht gegangen waren. Die meisten flüchteten zwar, aber gelegentlich ist es auch vorgekommen, daß einzelne Familien oder die Bewohner ganzer Dörfer zu Hause blieben. Das hatte verschiedene Gründe. Einige wollten wohl flüchten, wurden aber überrascht, kamen nicht mehr rechtzeitig davon. Andere blieben aus freiem Entschluß. Ältere Menschen fühlten sich den Strapazen einer Winterflucht nicht gewachsen. Einige blieben aus Gottvertrauen, weil sie meinten, Beten helfe mehr als Fliehen. Oder man hatte ein gutes Gewissen: Ich habe nicht Böses getan, was kann mir schon passieren? Das war die Denkweise einfacher Menschen, die in ihren Häusern den Krieg abwarteten. Oft ließen sich gerade diejenigen, die schon immer Gegner des Nazi-Regimes gewesen waren, von dieser Denkweise verführen. Ihre Skepsis gegenüber den Parolen der NS-Propaganda führte dazu, daß sie auch die Furcht der deutschen Zivilbevölkerung vor der Roten Armee für maßlos übertrieben hielten. Auch war man sich keiner Schuld bewußt. Gerade im Osten hatte die einfache Bevölkerung von den Verbrechen der Deutschen kaum eine Ahnung. Bis zum bitteren Ende glaubten diese Menschen, auf der guten Seite zu stehen.

Je weiter östlich die Dörfer lagen, desto furchtbarer waren die Folgen für die zurückgebliebenen Bewohner. Es ist keine Übertreibung, wenn behauptet wird, daß es in einigen dieser Dörfer nach dem Durchzug der Roten Armee mehr Tote als Lebende gab. Erst mit dem weiteren Vordringen der Front nach Westen änderte sich das allmählich.

Welches Schicksal die von der Front überrollte Zivilbevölkerung erwartete, hing nicht zuletzt von der Menge des Alkohols ab, die an die sowjetischen Soldaten ausgegeben worden war oder die sie in deutschen Depots erbeutet hatten. Die Rolle, die der Alkohol in diesem Drama gespielt hat, ist nicht hoch genug einzuschätzen. Alkohol war offenbar Stimulanz und Betäubungsmittel zugleich. Die häufigen Brandstiftungen und die brutalsten Formen der Vergewaltigung gehen zu einem guten Teil auf dieses Konto. Vergewaltigung. Das Wort hat nicht nur die Frauen traumatisch geprägt, auch die Kinder, die es mitansehen mußten. Dieses unaufhörliche Suchen nach Frauen. Das Abklappern aller Verstecke in Scheunen und Ställen. Das nächtliche Poltern an Türen und Fenstern. »Frau komm« wurde zum geflügelten Wort, später spielten es sogar die Kinder. Noch nie machten sich so viele Frauen alt und häßlich wie damals.

Das Vergewaltigungstrauma wog um so schwerer, als die Moral- und Sexualauffassungen andere waren als heute. Eine verheiratete Frau, die von einem fremden Mann, dazu noch von einem feindlichen Soldaten, vergewaltigt wurde, fühlte sich entehrt im wahrsten Sinne des Wortes. Obwohl schuldlos, war es für sie eine Schande. Nur so sind die zahlreichen Selbstmorde vor oder nach Vergewaltigungen zu erklären. Auch die Fälle, in denen sich Männer vor ihre Frauen stellten, um die Vergewaltigung zu verhindern und die in aller Regel mit dem Tod des Mannes endeten, haben hier ihren Ursprung. Nach damaliger Erziehung und Moralauffassung galt es als ehrenhaft, sich in dieser Weise vor seine Frau zu stellen. Uns steht es heute nicht zu, über das Verhalten jener Menschen abfällig zu urteilen.

Vergleichsweise harmlos war dagegen die Bekanntschaft mit den Uhren- und Schmucksammlern. Mit fast kindlichem Eifer durchsuchten die sowjetischen Soldaten deutsche Westentaschen, überprüften Mantelfutter, Unterwäsche und Stiefelinhalt. Begehrt waren vor allem Uhren, die die Soldaten in möglichst großer Zahl am Arm trugen: die Trophäen der kleinen Sieger. Das Wohlstandsgefälle zwischen Ost und West mag den Hang zum »Sammeln« verstärkt haben. Uhren waren für die einfachen Soldaten aus dem Innern der Sowjetunion und dem fernen Asien kostbare Raritäten, die zweifellos einen anderen Stellenwert besaßen als für die Besatzungssoldaten aus England oder Amerika.

Viele russische Soldaten kannten nur ein Leben unter einfachsten Verhältnissen. Nur trocken Brot zu essen war aus russischer Sicht sicher keine Zumutung. In Ställen oder Scheunen zu schlafen, darin erblickten die fremden Soldaten noch keine Herabsetzung. Meilenweit zu Fuß durch den Winter zu marschieren, empfanden sie nicht als Schikane. Zur Zwangsarbeit abgeholt zu werden war nichts Ungewöhnliches. Die verwöhnteren Deutschen litten unter Dingen, die für die Soldaten der Roten Armee »normal« waren. In diesem Zusammenhang darf nicht vergessen werden, daß Ostdeutschland bis 1945 nur wenig vom Krieg gespürt hatte. Die Luftangriffe betrafen hauptsächlich das mittlere und westliche Deutschland. Die Ernährungslage unterschied sich in den landwirtschaftlichen Regionen des Ostens kaum von der Vorkriegszeit. In diese fast heile Welt brach ohne Übergang der Krieg ein. Der Kontrast war ungeheuerlich.

Fassungslos standen wir damals vor den sinnlosen Zerstörungen, die in jedem Haus anzutreffen waren. Zertrümmerte Türen, eingeschlagene Fenster, umgeworfene Möbel, aufgeschlitzte Betten, Fotografien mit ausgeschossenen Augen, tote Katzen im Küchenschrank, verblutete Schweine im Schlafzimmer. Die Rote Armee könnte längst in Berlin sein, wenn sie sich nicht so sehr mit dem Mobiliar aufhalten würde, lautete eine bittere Redensart jener Tage. Unermeßliche

Werte gingen zu Bruch, Dinge übrigens, die in dem vom Krieg heimgesuchten Rußland dringend gebraucht wurden. Bis heute kann ich es nicht begreifen, daß niemand dieser Zerstörungswut Einhalt gebot. Wenn schon nicht, um den Deutschen ihr schönes Mobiliar zu erhalten, dann wenigstens aus purem Eigennutz, um diese Werte nach Rußland zu schaffen. Erst später sind aus den weniger zerstörten westlichen Gebieten Güterzüge und Lastwagenkonvois mit Stühlen, Schränken und Badewannen nach Osten gefahren.

Die Verschleppung

Sie war das eigentliche Drama hinter der Front. Sie vollzog sich in einer unterkühlten, unblutigen Weise, was die Grausamkeit keineswegs milderte. Es gibt zwei Formen des Schreckens. Die eine ist die Folge von Affekthandlungen, sie kommt gewissermaßen aus dem Rausch der Beteiligten, die andere ist das Ergebnis kühl berechnender Schreibtischarbeit. Zur letzteren Kategorie gehört die Verschleppung. Sondereinheiten hinter der russischen Front fingen die Zivilbevölkerung auf, sammelten und verhörten sie. Die meisten Männer, die Flucht und Front überlebt hatten, aber auch zahlreiche arbeitsfähige Frauen wurden davon erfaßt. Sie marschierten unter Bewachung ins nächste Sammellager, in dem Transporte nach Rußland vorbereitet wurden. Sinn dieser Aktion war es offenbar, deutsche Arbeitskräfte zum Aufbau des zerstörten eigenen Landes heranzuziehen. Außerdem sollte die Entfernung der Männer wohl sicherstellen, daß keine Partisanentätigkeit hinter der Front aufflackerte. Die Verschleppung erfolgte zu einer Zeit, als die Menschen glaubten, das Schlimmste sei vorüber. Es herrschte schon wieder Ruhe, man lebte zurückgezogen auf den Höfen, vom direkten Krieg war kaum noch etwas zu spüren. Plötzlich tauchten kleine Trupps Soldaten auf. In Begleitung einer Dolmetscherin gingen sie von Haus zu Haus. Es folgten Verhöre, Fragen nach dem Beruf und nach Parteizugehörigkeit. Gutsbesitzer, Bauern und Parteimitglieder waren am stärksten gefährdet, was nicht bedeutet, daß die übrigen verschont blieben. Nur Krankheit oder sehr hohes Alter konnten einen Mann davor bewahren, verschleppt zu werden. Erschütternde Szenen haben sich weit hinter der Front abgespielt, von niemandem bemerkt, in keiner Zeitung, in keiner Chronik erwähnt.

Zahlreichen Soldaten der russischen Sondereinheiten sah man es an, daß es ihnen weiß Gott keinen Spaß machte, Monate nach dem eigentlichen Kriegsgeschehen in Häuser einzudringen und Familien auseinanderzureißen: Es tut uns leid, daß wir deinen Vater holen müssen, aber Befehl ist Befehl. Es gehört zu den schrecklichsten Erfahrungen, die nicht nur wir Deutschen, sondern alle Teilnehmer des Zweiten Weltkrieges gemacht haben, gemacht haben sollten, daß übergeordnete Befehle die Menschen zu Handlungen bringen können, die sie aus eigenem Antrieb nie getan hätten.

Die Verschleppungen vollzogen sich in einer beängstigenden Lautlosigkeit. Es gibt über sie kaum Fotomaterial und keine dokumentarischen Berichte. Tausende sind spurlos vom Erdboden verschwunden. Verschleppte hatten geringere Überlebenschancen als die regulären deutschen Kriegsgefangenen, denn die meisten von ihnen waren alt und kränklich, überlebten nicht einmal den Transport nach Rußland. Erschütternd zu sehen, wie viele dieser Menschen im festen Glauben an ihre Unschuld ins Verderben gerieten. Sie dachten noch in den hergebrachten Maßstäben. Wer niemand geschlagen, getötet, betrogen oder bestohlen hat, ist nicht schuldig. Daß es ein Verbrechen sein kann, eine bestimmte Meinung gehabt und einer bestimmten Partei angehört zu haben, war für die einfachen Menschen des Ostens unvorstellbar.

Die Vertreibung

Zu den Kapiteln, die in der warmen Stube beschlossen, aber von den Menschen draußen in Eis und Schnee ausgebadet werden mußten, gehört die Aussiedlung der verbliebenen Deutschen aus den Ostgebieten. Hauptsächlich in der zweiten Jahreshälfte 1945 und 1946 fand sie statt, also schon nach dem Krieg. Unmittelbar verantwortlich für die Aktionen waren die Länder, denen die deutschen Ostgebiete zugeteilt worden waren. Verantwortlich im höheren Sinne waren alle Sieger, die diesen Beschluß gefaßt hatten.

Im Winter 1945/46 bin ich mit einem Transportzug von Ostpreußen nach Berlin gefahren. Der Zug brauchte für 600 Kilometer zehn Tage. Er bestand aus geschlossenen Güterwagen, von denen jeder mit etwa 80 Personen besetzt war. Ich erinnere mich nicht, in den zehn Tagen einen Arzt oder eine Krankenschwester gesehen zu haben, geschweige denn eine Gulaschkanone. Die Notdurft wurde in den Wagen verrichtet, die Toten wurden an den Bahndamm gelegt. An mehreren Stellen hielt der Zug auf freier Strecke, um Banditen das Ausplündern zu erlauben.

Not macht hart

Der Glaube an das sogenannte Gute im Menschen wurde in jener Elendszeit einer schweren Prüfung ausgesetzt. Es ist leider nicht so, wie gutmeinende Theoretiker es sich vorstellen, daß die Menschen in Notzeiten zusammenrücken, um sich zu helfen und zu stützen. Vielmehr gewinnt in Endzeiten der Wolfsinstinkt die Oberhand; es zeigt sich, wie dünn die Oberflächentusche der Zivilisation ist. Der Respekt vor dem Eigentum

anderer ging verloren, nicht nur im Verhältnis Sieger/Besiegter, sondern auch unter den Besiegten. Jeder nahm sich, was greifbar war. Denunzianten gingen um. Wer will, mag noch ein gewisses Verständnis aufbringen für Menschen, die denunzieren, um die eigene Haut zu retten. Völlig unbegreiflich ist mir bis auf den heutigen Tag, warum Mitmenschen »uneigennützig« verraten wurden, nur um ihnen Schaden zuzufügen. Vergewaltigte Frauen haben den Soldaten gesagt, daß im Nachbarhaus auch Frauen versteckt sind. Warum soll es anderen besser gehen als mir? Wenn ich leide, sollen die anderen auch leiden, selbst wenn es mein Leiden nicht mindert.

Das leere Land

Das Fehlen jeder verläßlichen Ordnung war einer der nachhaltigsten Eindrücke. Fast ein Jahr lang bestand in weiten Gebieten des Ostens so etwas wie Vogelfreiheit. Die Rote Armee war hindurchgezogen, hatte ein weitgehend entvölkertes Gebiet hinterlassen und nur in den Städten Kommandanturen errichtet. Das flache Land war kaum bewohnt. Je weiter man nach Osten kam, desto weniger Menschen gab es. Weder Gesetze noch Befehle erreichten die Überlebenden. Es gab keine Zeitungen, kein Geld, keine Lebensmittelzuteilungen, keinen Arzt, kein Krankenhaus. Jeder war auf sich allein gestellt. Hin und wieder tauchten bewaffnete Banditen auf, um zu stehlen, was die Menschen zusammengetragen hatten. Vermutlich wird man bis in die Zeit des Dreißigjährigen Krieges zurückgehen müssen, um auf Verhältnisse zu stoßen, die denen vergleichbar waren, die 1945 im Osten herrschten. Daß die verbliebenen Ostdeutschen das Jahr 1945 überhaupt überlebt haben, verdanken sie den in den Kellern der verlassenen Häuser zurückgelassenen Einkellerungskartoffeln des Herbstes 1944. Auch war das Wintergetreide noch vor der Flucht gesät worden und konnte im Sommer 1945 ungerührt von allem Elend wachsen und reifen. Vieh war dagegen so gut wie keines vorhanden; die letzten Herden wurden im Mai 1945 nach Osten getrieben. Nicht einmal Kaninchen oder Hühner gab es.

Im Rückblick auf jene Zeit will es mir scheinen, als seien unsere humanen Tugenden nur die Früchte geordneter Verhältnisse. Das sogenannte Gute verfällt in dem Maße, in dem jede verläßliche Ordnung aufhört.

Die Wind-Sturm-Theorie

Wie ist es zu dieser Katastrophe im deutschen Osten gekommen? Der Anstoß zu den Ereignissen des Winters 1945 wurde im Sommer 1941 gegeben, als Deutschland die Sowjetunion überfiel. Der Kanonendonner, der im Juni 1941 an der deutschen Ostgrenze deutlich vernehmbar war, kehrte im Januar 1945 an die Grenze zurück. In der Zwischenzeit war der Haß eskaliert. Die NS-Propaganda hatte die Bewohner Osteuropas zu barbarischen Untermenschen erklärt, 1945 wurde dieser Überheblichkeitswahn auf grausame Weise bestraft.

Die häufigste Erklärung für das Drama gipfelt in der Feststellung: Wer Wind sät, wird Sturm ernten. Der Satz soll besagen, daß die Schrecken, mit denen die Rote Armee in Ostdeutschland Einzug hielt, nur eine Antwort auf jene Schrecken waren, die die Deutschen nach Rußland getragen hatten. Allein mit dieser Formel dürfen wir uns nicht zufrieden geben, sie wäre zu bequem. Schließlich gab es im Zweiten Weltkrieg auch andere Sieger, bei denen die Deutschen ebenfalls Wind gesät hatten, ohne gleich Sturm zu ernten. Außerdem ist da noch der Anspruch der Sieger des Zweiten Weltkrieges, die bessere, die menschlichere Seite vertreten zu haben. Wer mit solchen Ansprüchen in die Geschichte eingehen will, muß es sich gefallen lassen, daß seine Taten gewogen und geprüft werden.

Die Rote Armee des Zweiten Weltkrieges war eine fast geschlagene Armee, die plötzlich das Blatt wenden und als Sieger in feindliches Land einrücken konnte. Wie wir heute aus Tagesbefehlen und Flugblättern wissen, ist die Kampfmoral der Soldaten mit dem Versprechen auf Beute, Frauen und Alkohol angefacht worden. So wie der deutschen Führung jedes Mittel recht war, um ein paar halbwüchsige Hitlerjungen zum Durchhalten zu bewegen, sind auch drüben bösartige Mittel eingesetzt worden. Wer Frauen als Beute verspricht, kann den einrückenden Soldaten später, wenn es um die Beute geht, nicht Disziplin und Ordnung vorschreiben. Versagt hat die politische Führung der Sowjetunion, die so auf den Sieg fixiert war, daß sie keinen Gedanken daran verschwendete, auf welche Weise dieser Sieg errungen wurde.

Viele Soldaten der Roten Armee waren sich nicht der Tatsache bewußt, etwas von der Norm Abweichendes, Unrechtes gegenüber der deutschen Zivilbevölkerung zu tun. Um das zu verstehen, ist ein Blick in die Geschichte der Sowjetunion erforderlich. In den Wirren von Revolution und Bürgerkrieg sind Millionen russischer Menschen umgekommen. Danach folgten entsetzliche Hungersnöte und politische Säuberungen. Zwangsarbeit, also das, was die Deutschen nach dem Kriege als Verschleppung erfahren mußten, war für die russischen Menschen nichts Ungewöhnliches. Der Archipel Gulag wurde schon in Friedenszeiten zu einer furchtbaren Realität. Das Leben der Sowjetmenschen war in der Stalinzeit wohlfeil, was übrigens auch die russischen Kriegsgefangenen erfahren mußten, die von der Roten Armee aus deutscher Hand befreit wurden. Ihr Schicksal war nicht viel angenehmer als das der Deutschen. Wenn schon dem eigenen Volk ein solcher Blutzoll abverlangt wird, wie sollte da Anlaß bestehen, Direktiven über die angemessene Behandlung der deutschen Zivilbevölkerung herauszugeben? Warum den Feind mehr schonen als die eigenen Leute?

Die Weltrevolution verloren

Die Sowjetunion hat in der Zeit ihres größten militärischen Triumphes ihre schwerste moralische Niederlage erlitten. Wie eine unsichtbare Wand des Mißtrauens liegen die Ereignisse von 1945 zwischen der Sowjetunion und den europäischen Ländern. Es sind übrigens nicht die Deutschen allein, die mit Schaudern an die Befreiung im Jahre 1945 zurückdenken. Nichts hat der weltrevolutionären Bewegung des Kommunismus so geschadet wie diese Erinnerung, die als Cordon sanitaire an der russischen Grenze liegt und den Ideen, die aus dem Osten kommen, bis heute jede Glaubwürdigkeit nimmt. Millionen Menschen stellen folgende simple Überlegung an: Wenn ein System, das die Menschheit befreien und beglücken will, mit einer solchen Brutalität über andere Menschen herfällt, kann an ihm etwas nicht stimmen.

Unverständlich bleibt, warum die Sowjetunion im Jahre 1956, als sie mit Stalin abrechnete, nicht bereit war, die düsteren Seiten des Sieges von 1945 aufzuarbeiten. Es hätte einen glaubwürdigen Neubeginn gegeben, wenn die neue Führung die Übergriffe des Jahres 1945 eingeräumt und bedauert hätte, statt an dem Propagandabild des als Befreier umjubelten Sowjetsoldaten festzuhalten, ein Bild, das Karikatur bleiben muß, solange es Augenzeugen gibt. Müßig zu fragen, wie die Weltgeschichte verlaufen wäre, wenn es in der sowjetischen Führung des Jahres 1945 einen Kopf gegeben hätte mit der Fähigkeit, über den Tellerrand des voraussehbaren Sieges gegen Hitlerdeutschland hinauszuschauen. Was wäre geschehen, wenn die Rote Armee die Nazi-Pro-

paganda eindrucksvoll widerlegt hätte, wenn sie als eine Armee des humanen Kommunismus in Europa eingezogen wäre? Die Landkarte Europas hätte heute ein anderes Gesicht.

Warum nicht schweigen?

Warum setzen wir uns 35 Jahre danach mit Dingen auseinander, die irreparabel sind, die keinen Toten zum Leben erwecken können? Vielleicht sollte zunächst gesagt werden, worum es dabei nicht gehen kann: Es hat nichts mit dem Wachhalten eines Revanchegedankens zu tun, auch geht es nicht um die Wahrung irgendwelcher deutschen Rechtspositionen. Nicht einmal zur Aufrechnung mit deutschen Untaten während des Zweiten Weltkrieges ist die Erinnerung an das Kriegsende 1945 im Osten geeignet. Letztlich geht es um ein persönliches und ein allgemeingültiges Anliegen. Um mit dem Persönlichen zu beginnen: Ich habe ein schlechtes Gewissen bei dem Gedanken, daß Hunderttausende, die spurlos verschwunden sind, ohne Postskriptum aus den Listen der Lebenden gestrichen sein sollen. Die zahllosen Menschen, die unbeachtet im Straßengraben verwesten, die irgendwo aus dem Zug geworfen oder in Massengräber gelegt wurden und bis zum Schluß nicht begreifen konnten, was sie verbrochen hatten, sie verdienen es, wenigstens erwähnt und nicht um des lieben Friedens willen vergessen zu werden. Der zweite Grund ist allgemeiner Natur. Was damals geschah, spielte sich außerhalb der geläufigen Denkkategorien ab. Noch heute stehen die Überlebenden fassungslos davor. Wir dürfen deshalb nicht aufhören zu fragen: Was ist da schiefgegangen? Welche Sicherungen sind damals durchgebrannt? Nur so können wir Dämme errichten, damit dergleichen nicht wieder vorkommt. Über diese Dinge zu sprechen, gehört auch zur Friedensforschung.

Einmarsch in Allenstein

Lew Kopelew

Am Abend kamen wir nach Allenstein. Die Stadt war fast kampflos in unsere Hand gefallen. Für alle so überraschend, daß, als die Kosaken des Generals Oslikowskij schon den Bahnhof besetzt hatten, noch etwa anderthalb bis zwei Stunden die fahrplanmäßigen Züge aus Königsberg, Johannisburg und Lyck einliefen: Militärzüge, Güterzüge, Personenzüge voller Flüchtlinge. Ein sowjetischer Offizier saß im Dienstraum, die MP auf dem Tisch, rauchte und kämpfte völlig übermüdet gegen den Schlaf. Der deutsche Fahrdienstleiter, halbtot vor Schreck und Scham, gab mechanisch seine gewohnten, dem Fahrplan entsprechenden Anweisungen.

Jenseits der hohen, schmalen Fenster mit den akkuraten Verdunkelungsvorhängen aus festem schwarzem Packpapier erklang bald aufgeschreckt-nervöses, bald hartnäckig-forderndes Pfeifen der Lokomotiven; Räder quietschten, aus den Ventilen entweichender Dampf zischte, Bremsen kreischten. Vereinzelte Schüsse klatschten, kurze MG-Salven. Schreie, eiliges Füßetrappeln. Aufgeregtes Lärmen der gehetzt hin und her wogenden Menge, dazwischen jäh hochstrebendes, hysterisches, rasch unterdrücktes Frauenweinen, Kindergeschrei und wieder Getrappel, Schüsse, Kommandorufe, vielstimmiges Durcheinander deutscher Stimmen. Die Ankömmlinge wurden zusammengetrieben, Schreie, Schüsse, Heulen, Schimpfen und von neuem: Lokomotivenpfiffe, Dampfzischen. Die Stadt hatte durch Bomben und Artilleriebeschuß kaum gelitten. Aber schon in der ersten Nacht begannen die Brände. Auf einem der Hauptplätze stand ein vierstöckiges Kaufhaus lichterloh in Flammen. Man hatte es weder rechtzeitig evakuieren noch wenigstens rasch plündern können. Hinter den großen, von der Hitze gesprungenen Schaufenstern sah man brennende Sofas und Schränke. Das Feuer toste bunt und lärmend, hie und da barst etwas, krachte, zerknallte. Über das Trottoir flossen violette Flammenbäche in die schmale Abflußrinne am Straßenrand. Es roch beklemmend nach brennendem Zucker.

»Was hier bloß alles vergeudet wird«, sagte düster der ältere Soldat. Ein anderer fluchte: »Sauerei, verdammte, die haben's nicht mehr, und wir kriegen's nicht mehr!«

Beim Anblick des brennenden Kaufhauses ging Beljajew geradezu in die Luft, wutschnaubend quasselte er von sinnloser Zerstörung und den Gefahren für die Disziplin der Truppe. In einer Straße, die auf den Platz zuführte, sah ich drei Zivilisten: eine Frau und zwei Männer zogen ein

73

überdimensionales Bündel mit sich. Sie gingen vorsichtig, drückten sich an den Häuserwänden entlang.

»Stoj! Halt! Stehenbleiben!«

Die Frau antwortete russisch. Der Aussprache nach konnte sie aus Bjelorußland sein, vielleicht auch aus der Gegend von Smolensk.

»Wir sind eigene Leute – eigene –, wir mußten hier beim Bauern arbeiten. Der Deutsche ist abgehauen. Wir sind eigene – russische – sowjetische Leute. Ihr da, Ihr Soldaten, kommt her, geht in diese Straße da, da ist ein großes Haus, sehr reich. Da gibt es Fräuleins, Pani, Uhren, jede Menge Sachen. Da war noch niemand, keiner hat was angerührt.«

Wir suchten ein ruhiges, abgelegenes Haus zum Übernachten. Unser LKW wendete in der engen Straße, die der Feuerschein vom Platz herüber kärglich beleuchtete. An der einen Seite hohe, düstere Mauern – vermutlich ein Fabrik- oder Speichergebäude –, an der anderen ein langgestrecktes fünfstöckiges Haus. Am Bürgersteig waren ein paar deutsche LKWs und PKWs geparkt, zugeschneit, dann noch zwei oder drei sowjetische Laster, Studebakers und Fords. Wir zwängten uns dazwischen, stiegen aus, gingen in den Hof. Die der Straße zugewandten Baulichkeiten lagen verödet da, schienen menschenleer zu sein. Aber über den Hof führte ein durch den frischen Schnee getretener Pfad.

Offene Türen, dunkles Treppenhaus. Beljajew, wie immer, kam als letzter. Wir schickten unsere Passagiere, von denen uns nur noch drei geblieben waren, vor. Ihr Anführer war ein hochgewachsener, dunkler, zigeunerähnlicher Sergeant mit großen, feurigen Augen. Höflich, dienstfertig, schweigsam. Es gab bei ihm ein paar kaum merkliche, aber untrügliche Zeichen: das gekonnt treuherzige Lächeln, eine Halsbewegung und die leichte Kopfneigung im Gespräch mit dem Genossen Major, der Gang, weich, katzen-

haft leicht, tänzelnd, dabei die Knie scharf abgewinkelt, fast, als mache er eine Kniebeuge – das war ein Gauner, ein Gauner ersten Ranges. Von irgendwoher aus dem zweiten Stock kamen gedämpft Geräusche eines Handgemenges, eine atemlose, entsetzte Frauenstimme: »Pan . . . Nein . . . Mein Gott . . . Pan . . . Pan . . .!« Jemand von uns rief: »Wer da? Stehenbleiben!« Gewehrschloßknacken. Oben ein erschrockener Aufschrei, Füßetrappeln, wir hetzten die Treppe hinauf, am Treppenabsatz eine offene Wohnungstür, wir treten ein, der Korridor ist leer. Stimmen, denen wir nachgehen: ein großer Raum, Eheschlafzimmer, drinnen eine Menge Leute: Frauen, Kinder, zwei alte Männer. Sie hocken an den Wänden auf den breiten Ehebetten, auf Stühlen und Koffern. Hindenburglichter blaken. Dicht bei der Tür steht ein Panzerhauptmann, so ein Dreikäsehoch mit runden roten Backen und verlegen schielenden Augen. Vor sich auf einen Tisch hat er ein kleines Mädchen gesetzt, füttert es mit Schokolade.

»Was machen Sie hier, Hauptmann?«

»Habe Bescheid gesagt: das Haus brennt! Hier sind doch Kinder – ich liebe Kinder.«

»Waren Sie das? Da eben auf der Treppe?«

»Wo? Ich? Wieso? Wie kommen Sie darauf? Ich bin doch schon eine halbe Stunde hier, wollte nur Bescheid sagen, daß das Haus brennt.«

Während wir mit dem Hauptmann sprechen, herrscht um uns angstvoll gespannte Stille. Ein paar Frauen, die beiden alten Männer, sogar einige Kinder haben die Hände erhoben.

Erst als ich auf deutsch sage: »Haben Sie keine Angst, Ihnen geschieht nichts«, höre ich, daß sie wieder zu atmen beginnen, jemand schluchzt.

Einer der alten Männer, er sitzt etwas abseits in einer dunklen Ecke, sagt laut, rasch, eingelernt: »Pan Kommissar, wir sind Polen, bitte Pan, wir sind keine Deutschen, wir sind Polen.«

Ich frage ihn auf polnisch. Er wiederholt seine

Worte, versteht mich offenbar überhaupt nicht. Ängstlich tut er so, als sei er schwerhörig. Eine Frau kreischt hysterisch: »Polen sind wir, Polen . . .!«

»Regen Sie sich nicht auf! Sie brauchen nicht zu tun, als seien Sie Polen. Wozu? Wozu die Unwahrheit sagen? Sie brauchen sich auch nicht zu fürchten. Wir kämpfen nicht gegen das deutsche Volk, sondern gegen die Nazis, gegen die Wehrmacht, aber nicht gegen Zivilisten. Haben Sie keine Angst: Marodeure und Frauenschänder bestrafen wir. Ist dieser Mann hier einer von Ihnen zu nahe getreten?«

»Nein – nn-nein – gewiß nicht . . .«

»Stimmt es, daß das Haus brennt?«

Dazwischen eine Kinderstimme:

»Mama, ich will aber nicht aufbrennen!«

Der Hauptmann versteht offenbar etwas Deutsch und sagt: »Jajaja, brännt, brännt!«

Beljajew: »Sofort nachsehen! Los, los – feststellen!«

Der schwarzäugige Sergeant und unser Fahrer, der mit heraufgekommen war, gehen hinaus.

Wir hassen Hitler . . .

Ich werde nun umringt, plötzlich sprechen alle. Eine Frau drängt sich dicht an mich heran, nicht alt, mit einem komischen Turban auf dem Kopf, geschminkt, mit einschmeichelndem Blick. Sie ergreift meine Hand, drückt sie an ihren ziemlich fetten Busen: »Retten Sie uns, Sie sind ein kultivierter Mensch. Wir hassen Hitler, wir haben Kinder . . .«

Ein fünfzehn- bis sechzehnjähriges Mädchen, so eine flachsblonde, langbeinige Klassenbeste, vielleicht BDM-Führerin, radebrecht in der Art, wie in deutschen Kinderbüchern Neger und Ausländer sprechen: »Sie gut sprechen deutsch. Sie uns retten vor Feuer. Wir Sie werden sagen danke.«

Einige Frauen schieben eine junge Frau vor, hübsch, rundlich, auch so einen Turban auf dem Kopf, mit einem Säugling im Arm.

»Hier, sehen Sie, die ist erst dreißig und hat schon zehn Kinder, hat das Mutterkreuz . . .«

Ich gratuliere formell. Die Kleine, mit der der Hauptmann sich abgibt, ein weißblondes, helläugiges freundliches Kind, gehört zu den Töchtern dieser kinderreichen Mutter. Sie heißt Urschel und ist vier. Zutraulich fragt sie mich:

»Onkel, hast du auch Kinder?«

»Ja, das hab' ich, auch Töchter, fünf und acht.«

Ich zeige ihr die Fotos. Die Frauen drängen näher, wollen die Bilder sehen. Entzückte Ausrufe. Riesiges Interesse. Viel falsches Getue natürlich, aber auch echte Erleichterung, Entspannung nach den ausgestandenen Ängsten.

Der Sergeant kommt zurück.

»Es brennt am anderen Ende. Das Feuer kommt über das Dach. Kann ungefähr in einer Stunde hier sein.«

Der Panzerhauptmann weiß, wo die Sammelstelle für Obdachlose und Flüchtlinge ist. Ich erkläre es den Leuten. Wieder der Ausruf: »Mama, ich will doch aber nicht aufbrennen!«

Wir beschließen, alle zur Sammelstelle zu bringen, sie dürfen nur das Nötigste mitnehmen. Großes Durcheinander, Klagen und Jammern. Jemand sagt: »Oben sind auch noch Leute, Schulzes. Das sind Kommunisten . . .«

Die Klassenbeste kommandiert mit heller, befehlsgewohnter, überzeugender Stimme herum, natürlich war sie BDM-Führerin. Übrigens waren es ihre Eltern, die sich vorhin als Polen ausgegeben hatten, sie stellten sich mir unterwürfig vor, als sie merkten, daß ihre Tochter allgemeines Vertrauen genoß. Sie nimmt mich am Arm: »Kommen Sie mit zu Schulzes, Herr Major.« Sie hat schon begriffen, daß ich kein Kommissar bin, und redet nun auch kein Negerkauderwelsch mehr.

Wir gehen die dunkle Treppe hinauf in die vierte Etage. Zutraulich hält sie meine Hand, für einen Augenblick scheint es mir plötzlich, als drücke sie sie etwas stärker. Aber es ist stockdunkel. Das Treppenhaus hat keinerlei Beleuchtung mehr. Meine Taschenlampe schimmert nur noch ganz schwach. Wir klopfen. Ein magerer, hochgewachsener alter Mann mit hoher Stirn und großer Nase öffnet.

»Herr Schulze, unser Haus brennt. Dies ist ein sowjetischer Major. Unten sind noch andere rote Soldaten. Sie sind alle sehr nett und freundlich und wollen uns an einen sicheren Platz bringen.«

»Willkommen, Genosse!« Den Alten zieht es zu mir, ich drücke ihm die Hand. Er möchte mich offenbar umarmen, traut sich aber nicht. Wir gehen ins Zimmer. Am brikettbeheizten Ofen sitzen eine dicke Frau, in einen Schal gewickelt, und ein alter Mann. »Das ist meine Frau, Genosse, ist auch Genossin. Sie ist sehr krank. Das Herz macht's nicht mehr. Ich war drei Jahre im Gefängnis, dann drei Jahre KZ. Danach unter ständiger Beobachtung. Unser Sohn ist umgekommen.«

Die Frau versucht aufzustehen.

»Endlich, Genosse, endlich!« Sie weint.

»Und das ist mein Freund, auch Genosse, aber ihn haben sie nicht erwischt. Er verschwand beizeiten aus seinem Heimatort, kam hierher, half uns. Er ist alter Gewerkschaftler, ausgezeichneter Tischler. Ein Meister, wie es kaum noch welche gibt.«

Er ist breitschultrig, gedrungen, hat kurzgeschnittenes graues Haar, Hängebacken, einen buschigen Schnurrbart unter der klumpigen Nase. Wir drücken uns fest die Hand. Ich dränge zur Eile. Herr Schulze aber möchte mir seine Heiligtümer zeigen.

»So lange habe ich das Abzeichen Rot-Front verstecken müssen und die Bilder von Lenin, Liebknecht, Marx.«

»Genosse, das Haus brennt. Sie müssen schnell machen, die Leute müssen gerettet werden. Und wir müssen außerdem noch kämpfen.«

Chaotisch mischen sich in mir Gedanken und Gefühle: bittere, zornige, beschämende. Wieder eine Begegnung mit deutschen Kommunisten. Ringsum Feuer, Raub, Vergewaltigung. Womöglich sind diese drei hier gar keine Kommunisten? Man müßte es überprüfen. Dazu ist jetzt keine Zeit. Vielleicht waren es auch Kleinmütige, die sich angepaßt, Mimikry gemacht hatten. Aber soll man sie deswegen totschlagen? Ist das eine Rechtfertigung für uns? Im Augenblick werden sie jedenfalls nicht umkommen. Aber was geschieht in der unteren Wohnung und auf dem Weg? Unten sind unsere Passagiere und der verwegene Hauptmann. Was, wenn sie sie insgeheim ausrauben, die verängstigten Frauen in die Dunkelheit wegschleppen? Beljajew wird es bestimmt nicht verhindern. Ich treibe Schulze an, bemühe mich dabei, nicht grob zu werden. Und er möchte doch so gerne noch weitererzählen.

Endlich ist es soweit. Wir können mit dem Aufladen beginnen. Zuerst setzen wir die alten Frauen in den Wagen. Irgend jemand fragt schluchzend fortwährend nach seinem Koffer. Meine Helferin kommandiert herum.

»Hören Sie doch endlich auf! Es geht ums Überleben, um die Kinder, und Sie heulen einem Koffer nach!«

Die kinderreiche Mutter der kleinen Urschel hat ihren Kinderwagen im Bunker gelassen und möchte ihn holen. Beljajew begleitet sie. Der Fahrer keift böse: »Wie lange sollen wir hier noch warten?« Er hat schon wieder getrunken und schimpft mit den Soldaten, die den Leuten mit ihrem Gepäck behilflich sind.

Die kleine Urschel hat ihre Handschuhe verloren. Ich gebe ihr meine, sie ist selig, zeigt sie allen: »Der russische Onkel hat mir Handschuhe geschenkt.«

76

Ich nehme sie auf den Arm, klammere mich an dieses kleine Lebewesen. Es brennt mir hinter den Lidern.

Beljajew kommt mit Urschels Mutter zurück. Sie haben den Kinderwagen nicht gefunden. Die Frau hat blutige Handflächen. Beljajew sieht verlegen aus, vermeidet meinen Blick. Ich frage die Frau, was geschehen ist. Aus Zorn, Verwirrung und Scham frage ich laut, scharf. Sie, schnell, übertrieben munter: »Nichts, gar nichts. Ich bin bloß hingefallen, es ist so dunkel, werd's gleich verbinden.« Ich beuge mich zu ihr, frage leiser: »Hat man Ihnen was getan?«

Aus den Augenwinkeln sehe ich den erschrockenen, beobachtenden Blick Beljajews.

»Nein, nein. Mir hat keiner was getan. Der Herr Offizier ist so liebenswürdig, hat mir geholfen. Nein, wirklich, Sie brauchen nichts Schlimmes zu denken.«

Sie lächelt. In den Augen Angst und Schmerz, die Hände mit den blutigen Innenflächen gehoben, auch in den Händen Angst und Schmerz.

Schließlich sind alle verladen. Achtundzwanzig Menschen, mehr als die Hälfte davon Kinder. Auf der Ladefläche regiert die Klassenbeste. Ich hatte sie scherzend Vize-Kommandant genannt. Sie nimmt das ganz ernst, schreit herum, verteilt Plätze, besetzt um. Und schon hört man: irgend jemand scharwenzelt vor ihr, fragt oder bittet flüsternd etwas. Sie erwidert laut, damit alle es hören: »Geben Sie endlich Ruhe – Sie sehen doch: die russischen Offiziere sind gut ...«

Beljajew steht neben mir, flüstert stockend: »Weißt du, meiner Meinung nach, jetzt – das fühle ich, haben wir die beste Tat all dieser letzten Tage getan – die Kinder – die sind ja genauso wie bei uns.«

Ich hebe Urschel auf den Wagen. Sie küßt mich zum Abschied schmatzend auf die Backe. Beljajew murmelt immer weiter irgendwas von Humanität, Edelmut, Hochherzigkeit.

Laß sie doch verbrennen

Der Sergeant und seine Leute klettern hinten auf den Wagen. Der Fahrer ist schon in der Kabine. Der Motor heult auf. Der Wagen stößt zurück und drückt Beljajew und mich mit seinem Heck gegen den hinter uns stehenden deutschen LKW. Zum Glück waren bei dem die Bremsen nicht angezogen. Er gibt nach. Wir fluchen beide mörderisch.

Endlich gelangen auch wir in die Kabine. Der Fahrer ist völlig betrunken: »Was fahren wir hier die Fritzen spazieren – sollen lieber alle verrekken. Laß sie doch, verdammt noch mal, verbrennen – die Teufelsbrut ...«

Der Panzerhauptmann hat einen Jeep und zwei Mann bei sich. Er fährt voraus, um uns den Weg zur Sammelstelle zu zeigen. Es schneit spärlich. Einige Straßenzüge liegen in hellem Feuerschein. Sammelstelle ist das Packhaus am Bahnhof. Ich gehe erst mal allein hinein, um den Kommandanten zu suchen und zu fragen, wo wir die Leute ausladen können.

Ein Oberleutnant, in zerknautschtem Mantel, unrasiert, mit geröteten Augen – vor Übermüdung oder vom Saufen:

»Können meinetwegen da drüben hingehen, dort hinten, in die Ecke da. Da sind noch mehr Kinder, das macht sich schon.«

Im Packhaus – einer riesigen Baracke mit hölzernen Stützpfeilern – herrscht Halbdunkel. Auf dem Fußboden, auf Bänken, Tischen, Koffern und Bündeln hocken die Leute dichtgedrängt. An den Eingängen stehen ein paar Soldaten. Von der Straße her hört man Grölen, Harmonikaspiel, betrunkenes Singen. Unser Wagen hält fünfzig Schritt vorm Eingang. Näher kann er nicht heranfahren, Munitionswagen, LKWs, zwei Panzer versperren die Zufahrt. Der Oberleutnant fragt: »Haben Sie Soldaten bei sich? Die sollen die Leute herbegleiten. Hier lungern besoffene Panzergrenadiere herum, treiben der Teufel was – plündern, vergewaltigen, sind zu allem fähig.«

Ich rufe Beljajew und den Sergeanten. Meine Assistentin regiert immer noch tatkräftig. Aus der Dunkelheit tauchen hin und wieder torkelnde Soldaten auf: »He, Frau, komm – dawaj Uri!« Wir jagen sie schimpfend davon. Auch Beljajew gibt sich Mühe. Schulze und sein Freund führen die stöhnende kranke Frau. Eine weibliche Stimme kreischt, ihr Koffer sei gestohlen. In diesem Augenblick ertönt hinter uns ein gellender Schrei. Ins Packhaus, auf das wir zugehen, stürzt ein Mädchen: groß, schön, hellblonder zerraufter Zopf, das Kleid über der Brust zerrissen. Durchdringend schreit sie: »Ich bin Polin, ich bin Polin, Jesus Maria – ich bin doch Polin!« Zwei Panzergrenadiere sind hinter ihr her, beide in den schwarzen, gerippten Helmen. Der eine – großnasig, muskulös, dicklippig – ist schlimm besoffen, krächzt wüste Flüche. An der Uniformjacke klirren Medaillen, der Stern des Ruhm-Ordens. Der andere ist phlegmatischer, schlendert hinter dem Kameraden her.

Ich pflanze mich vor ihnen auf: »Schluß jetzt, beherrscht euch gefälligst, Genossen Panzergrenadiere!«

Neben mir steht der Oberleutnant, hebt träge seine Pistole, in schon zur Gewohnheit gewordener Geste:

»Haut ab! Befehl des Oberkommandos: auf Schändung steht Erschießen auf der Stelle.«

Hinter ihm sichern zwei oder drei Soldaten den Weg zur Eingangstür. Nahebei lachen andere Soldaten. Natürlich über uns. Noch ein paar Panzerleute kommen auf uns zu. Ich ziehe meine Pistole und fühle mich vor Entsetzen starr und hohl werden; wenn ich tatsächlich auf die eigenen Kameraden schießen muß, auf diese prachtvollen, tapferen Kerle, die doch nur der Wodka um den Verstand gebracht hat . . .

Schon torkelt einer direkt auf mich zu, schreit heiser, speichelnd: »Ihr da – Offiziere, Arschlöcher – auf unsern Buckeln führt ihr Krieg. Wo bist denn du gewesen, verflucht noch mal, als ich brannte? Und wo warst du, Schweinehund, als ich den ›Tiger‹ knackte?«

Ich versuchte noch lauter zu brüllen: »Besudle dich nicht, besudle deinen Ruhm nicht. Wag es nicht, das Mädchen anzurühen! Sie ist Polin! Du hast doch selber eine Mutter, hast Schwestern, eine Braut oder eine Frau. Denk an die!«

»Hach, und die Deutschen, was haben die gedacht? Laß mich, zum Teufel mit dir! Ich will die Frau. Ich hab' mein Blut vergossen!«

Andere Panzerleute ziehen ihn mit sich fort, feindselig stiert er zu mir und dem Oberleutnant herüber. Aus der Dunkelheit Stimmen: »Das sind so die Richtigen! Offiziere, die wegen einer Deutschen die eigenen Leute abknallen wollen!« Der Oberleutnant wiederholt monoton: »Abhauen! Befehl des Oberkommandos.«

Wir bringen die Polin zur Nachbarbaracke, aus der sie geflohen war. Dort sind »nichtdeutsche Zivilisten« untergebracht. Dasselbe Dunkel, dieselbe Enge, nur mehr Männer und weniger Koffer. Man hört russisch, polnisch, ukrainisch, tschechisch, französisch. Eine fröhliche Mundharmonika spielt. Ein Italiener singt mit hohem, leicht gequetschtem Tenor ein getragenes Lied, süß wie ein bunter Sahnebonbon.

Ich kehre in die deutsche Baracke zurück. Unsere Abgebrannten haben sich schon irgendwo im Innern eingerichtet. Beljajew drängt: »Los, komm, los. Wir müssen uns noch ein Nachtquartier suchen.« Aber ich will noch nicht, muß doch mit der deutschen Bevölkerung sprechen.

Im trüben, ungleichmäßig schmutzig-orangefarbenen Laternenlicht, im fahlen Schein der Hindenburglichter und dem scharlachroten Widerschein der eisernen Öfchen sitzen, liegen, drängen sich in Grüppchen vor allem Frauen und Kinder. Wenig Männer. Einer im Pelzmantel ist Eisenbahner, ein anderer Arzt. Ein dritter, ein hagerer Beinamputierter, sieht wie ein Offizier aus. Um sie herum Frauen: alte, junge, barhäuptige, in Hüten, in Turbanen, in einfachen Tüchern, wie unsere Frauen sie tragen, in eleganten Mänteln mit Pelzkragen, in abgewetzten, formlosen Sachen, in Decken gewickelt. Und überall Kinder jeder Altersstufe – vom Halbwüchsigen bis zum Säugling. Einige ganz bunt angezogen, gut gepflegt. Aber die übrigen sehen nicht anders aus als Kinder auf Moskauer Bahnhöfen. Überall müde, verschreckte, auch einfach neugierige, verwunderte Blicke. Manche schlafen, auf Bündeln zusammengekrümmt oder auf den Knien ihrer Mütter. Der entsetzte Schrei der Polin hat sie nicht geweckt, auch nicht das rauhe Schimpfen an der Tür. Helle, dunkle, schlafende Kindergesichter. Über ihnen die Augen der Mütter: entzündete, im Schreck versteinerte, schmeichlerische, mühsam lächelnde, von Angst, von Verzweiflung, von bitterem Nichtbegreifen gläsern starre Augen.

Ich sage ein paar Worte auf deutsch, und plötzlich kommen von allen Seiten Stimmen: laute und hartnäckige Fragen, leise, schüchterne, fassungslose, höfliche und gereizte.

»Was geschieht mit uns?«

»Womit sollen wir morgen unsere Kinder füttern?«

»Kommen wir nach Sibirien?«

»Soldaten haben uns aus unserem Haus gejagt. Da sind noch Lebensmittel. Dürfen wir die holen?«

»Wohin bringt man uns von hier? Wann?«

»Was wird aus uns? Wir haben den Krieg doch nicht gewollt. Wir sind doch bloß kleine Leute.«

»Müssen wir wirklich nach Sibirien?«

Beljajew drängt. Sein Edelmut freut ihn schon nicht mehr, er will endlich von hier fort.

Geduld und Hoffnung

Ich antworte auf all die Fragen mit einer kurzen Rede, versuche dabei ruhig, kühl, in knappen Sätzen zu sprechen und ertappe mich plötzlich dabei, daß ich in diesen bellenden preußischen Kasernenhofton verfallen bin. Sie hören sehr aufmerksam zu, stumm, fast andächtig. Manche stimmen zu, teils aufrichtig, teils servil.

»Zur Zeit wird im Stadtgebiet noch gekämpft. An den Bränden und Zerstörungen sind SS und Werwolf schuld. Haben Sie davon gehört?« (Frauenstimmen: Diese Teufel, haben die immer noch nicht genug? Zustimmende Rufe.) »Einige unserer Soldaten haben sich schlecht benommen. In unserer Armee kämpfen 20 Millionen Mann.« (Ogottogott – die sind stark!) »Klar, daß in dieser Riesenarmee auch Schweinehunde dabei sind. Viele unserer Leute sind sehr verbittert, wir kamen hierher aus Moskau, aus Leningrad, aus Stalingrad, von der verbrannten Erde, aus Ruinen, Trümmer- und Brandstätten. In jeder Familie gibt es Tote. Wir haben diesen Krieg nicht gewollt.« (Stimmen: Wir auch nicht. Das waren die Hitlerleute und die Generäle – wir haben selbst zu leiden.) »Sicher, viele von Ihnen wollten ihn nicht. Aber Hitler und seine Räuberarmee haben uns überfallen. Ich bedaure Sie, mir tun Ihre Kinder sehr leid, die trifft ja keine Schuld.« (Viele Stimmen: Ja, ja, die Kinder. O Gott, wofür sollen die Kinder büßen? Herr Kommissar, schonen Sie die Kinder! – Hört auf! Stört doch den Herrn Offizier nicht beim Sprechen!) »Aber für alle ihre jetzigen Nöte und Leiden haben Sie Ihrem Führer und den übrigen großen Herren zu danken.« (Stimmen: Ja, ja, dieser Führer, verflucht soll er sein, samt seinen Goldfasanen. Eine Greisenstimme aus der Dunkelheit: Der Herr hat uns gerichtet, sein Wille geschehe, laßt uns des Herrn Gnade erflehen! Viele Frauenstimmen: Ja! Ja! Herr Gott im Himmel, laßt uns beten, uns ist nichts als das Gebet geblieben!) »Zur Zeit befinden sich unsere Stoßtruppen in Ihrer Stadt, sie führen die Offensive an, ihre Aufgabe ist Kampf. Bald, ich weiß nicht genau wann, aber vielleicht schon in einigen Stunden, wird die Verwaltung ihre Arbeit aufnehmen – die sowjetische Militärverwaltung und die polnische Zivilverwaltung.« (Stimmen: Die Polen, wie schrecklich, die werden sich furchtbar rächen!) »Reden Sie keinen Unsinn, Polen sind auch Menschen, euch haben doch bloß die Nazis gegeneinander aufgehetzt. Von Ihnen wird nichts weiter verlangt als Ruhe und Disziplin. Sorgen Sie für Ordnung in Ihrem Umkreis, helfen Sie den Schwächeren: den Kindern, den Kranken, den körperlich Behinderten. Haben Sie Geduld und Hoffnung! Auf Wiedersehen!«

Stimmengewirr: »Auf Wiedersehen, auf Wiedersehen... Danke... Was für ein freundlicher Herr – ich hab euch gesagt, das Schlimme ist bloß die kämpfende Truppe. Wenn die weg ist, wird bald Ordnung sein.« Beljajew zieht mich zum Ausgang: »Jetzt komm aber endlich, der Fahrer ist stockbesoffen, kippt um, schläft ein – wir kommen nicht fort.«

Wir übernachteten in einem großen Einfamilienhaus, in dem sich die Korrespondenten einquartiert hatten – Journalisten, Fotoreporter, Kameramänner. Wir aßen und tranken allerlei Erbeutetes. Ein ziemlich junger Hauptmann, Korrespondent einer unserer großen Zeitungen, sagte neidisch: »Sie haben es gut, sie beherrschen die Sprache, können alles verlangen, worauf Sie Lust haben, oder fragen, wo man es kriegen kann. Die Deutschen freuen sich, daß Sie ihre Sprache sprechen und geben von selbst. Ich kann bloß ›Uhr‹ sagen und ›Frau komm‹, aber was heißt zum Beispiel Radioapparat, Gold, Silber, Seide?«

»So, Sie meinen also, Sprachkenntnisse sind zum Plündern da?« Verständnisloser Blick, konfuses Grinsen. Er weiß nicht, ob ich es ernst meine.

»Schämen Sie sich denn nicht, zu plündern? Und Sie überlegen auch noch, wie es am leichtesten geht?«

Er errötet, ist verwirrt, murmelt: »Nun, nein, wieso, ich habe doch bloß geulkt.«

Ein anderer Korrespondent mischt sich ein. Wir kennen uns seit Kriegsbeginn: er ist ein arroganter Opportunist und Alleswisser; jetzt im Suff noch zynischer als gewöhnlich: »Was fällt dir ein, hier Moral zu predigen? Hast es noch immer nicht satt, die Fritzen zu bedauern? Es ist Krieg, verstehst du, du Intelligenzler mit Schulterstücken. Krieg nämlich, und keine Vorlesung an der Universität. Wozu quakst du hier herum? Wir saufen ihren Cognac, fressen ihren Schinken. Nehmen ihre Uhren, ihre Weiber, ihren ganzen Kram. Das ist Krieg, verstehst du, du bärtiger Säugling!«

»Aha, und du merkst wohl gar nicht, daß du wie ein Faschist redest?«

»Leck mich doch am Arsch mit deiner Philosophie, deinem liberalen Gesäusel...«

»Stinktier! Marodeur!«

Wir waren drauf und dran, uns zu verdreschen. Man mußte uns gewaltsam trennen. Später versöhnten wir uns, tranken auf den Sieg, sangen sentimentale Soldatenlieder.

Der Soldat muß den Feind hassen

Am anderen Morgen brummte mir der Schädel. Wir hatten auf Betten, Sofas, Haufen von Federbetten und Teppichen geschlafen. Es stank nach Erbrochenem, nach ungewaschenen, verschwitzten Körpern, kaltem Tabakmief und vor allem nach Zigarettenasche. Beljajew war munter und vergnügt: »Gestern hab ich in allem dir gehorcht, und ich bedaure das nicht, denn wir haben eine wirklich gute Tat vollbracht. Aber heute geht es andersherum, heute werde ich kommandieren.

Plündern gestatte ich nicht. Keinem werde ich erlauben, irgend jemanden zu bestehlen. Aber sieh doch selbst, soviel Wertvolles liegt noch in den Geschäften und Lagerhäusern, das geht doch einfach kaputt. Soviel leerstehende Wohnungen gibt es. Das verbrennt doch alles oder wird von den Polen geholt. Sind denn unsere Familien schlechter? Wozu sonst wohl, glaubst du, wurde uns erlaubt, Pakete nach Hause zu schicken? Die Führung weiß schon, was sie tut.«

Ich mochte nicht streiten.

Tatsächlich war kurz vor Beginn der Winteroffensive erlaubt worden, Pakete nach Hause zu schicken. Jeder Soldat durfte monatlich ein oder zwei Pakete bis zu acht Kilo Gewicht schicken. Jeder Offizier doppelt so schwere. Das war direkte, unzweideutige Ermunterung, zu rauben und zu plündern. Was hätte der Soldat sonst nach Hause schicken sollen? Alte Fußlappen? Reste seiner Ration?

Als dieser Erlaß gekommen war, sprach ich mit Sabaschtanskij darüber. Er war gerade gut gelaunt. Wir waren ja unter uns, verständige, erfahrene Genossen, hatten voreinander nichts zu verbergen.

»Du weißt ja, uns allen steht der Krieg bis hier! Dieser verfluchte Krieg hat uns alle verbittert und verdreckt, uns alle, die Soldaten im Kugelhagel mehr als die übrigen. Solange wir im eigenen Lande kämpften, war alles einfach: wir kämpften um unsere Häuser, um den Feind zu verjagen, zu vernichten, um das Land zu befreien. Weißt du ja alles selbst. Aber jetzt – du und ich, wir wissen, daß man Hitler und dieses ganze giftige Nazigezücht endgültig und mit den Wurzeln ausrotten muß. Aber der Soldat, der schon das vierte Jahr an der Front steht, mehr als einmal verwundet war, der weiß nur, daß er irgendwo sein Zuhause hat, daß seine Frau und seine Kinder hungern. Und immer noch muß er weiterkämpfen, nun aber nicht mehr, um sein Heim, sein Dorf, sein Land zu verteidigen, sondern um im Feindesland anzugreifen – vorwärts! Wir sind Materialisten, wir müssen uns klar darüber sein. Das heißt: was ist zu tun, damit der Soldat Lust zum Kämpfen behält? Erstens: er muß den Feind hassen wie die Pest, muß ihn mit Stumpf und Stiel vernichten wollen. Und damit er seinen Kampfwillen nicht verliert, damit er weiß, wofür er aus dem Graben springt, dem Feuer entgegen in die Minenfelder kriecht, muß er zweitens wissen: er kommt nach Deutschland und alles gehört ihm – die Klamotten, die Weiber, alles! Mach, was du willst! Schlag drein, daß noch ihre Enkel und Urenkel zittern!«

»Heißt das also, er darf Frauen und Kinder umbringen?«

»Was kommst du mit Kindern, Idiot. So was gibt's doch nur in Ausnahmefällen. Lange nicht jeder wird Kinder töten. Wir beide jedenfalls nicht. Aber wenn du schon davon anfängst: laß die, die es in blinder, leidenschaftlicher Aufwallung tun, auch kleine Fritzen töten, bis es ihnen selbst über ist! Du hast doch ›Die Haidamaken‹ gelesen? Wie Gonta – erinnerst du dich – seinen eigenen kleinen Söhnen, weil sie katholisch waren, die Kehlen aufschlitzte? Das ist Krieg, Bruder, keine Theorie und keine Literatur. In Büchern, natürlich, da muß es das alles geben: Moral, Humanität, Internationalismus. Das ist alles schön und gut und theoretisch richtig. Aber jetzt laß erst mal Deutschland in Rauch und Flammen aufgehen, danach kann man dann wieder richtige und schöne Bücher schreiben über die Humanität und den Internationalismus. Jetzt kommt es darauf an, im Soldaten den Kampfwillen zu stärken. Das ist der Kern der Sache!«

Ich widersprach ihm, aber nicht allzu heftig, hielt im Grunde diesen ganzen Disput für spekulativ. Primitive, vulgärmarxistische Ansichten gab es zweifellos bei einigen ungebildeten Politoffizieren der Armee, bei Leuten, die nicht nur ungebildet waren, sondern auch keine Achtung vor den Soldaten hatten, denn sie maßen die gesamte Armee mit ihren eigenen rohen und unzulänglichen Maßstäben.

Über Sabaschtanskijs moralische Grundsätze hegte ich damals schon keinerlei Zweifel mehr. Aber ich wollte nicht wieder streiten, wollte es ganz bewußt und entschieden nicht. Es hätte keinen Sinn gehabt. Auch im Bürgerkrieg hatte es solche Kerle gegeben. Ohne Leute wie ihn gewinnt man keinen Krieg und keine Revolution. So viele passende und überzeugende Klischees drängten sich mir auf: »Geburtswehen der Geschichte«, »für den Kommunismus kämpfen nicht nur edle Helden, sondern Millionen Menschen, auch die Lasterhaften, auch die nicht Klassenbewußten«, »das Ziel rechtfertigt die Mittel«. Sabaschtanskijs Argumente waren gemein, aber er stand mit seiner Meinung keineswegs allein. Derartige verlogene Spekulationen sollten künftige Plünderungen rechtfertigen. Doch ich konnte mich nicht entschließen, dieser Art unseres eigenen Faschismus offen entgegenzutreten, ich versuchte es nicht einmal. Davon jetzt, Jahrzehnte später, zu schreiben, ist peinigend und beschämend, aber unvermeidlich.

So war das. Und am anderen Tag in Allenstein akzeptierte ich die Gerechtigkeit von Beljajews Forderung: gestern kommandierte ich, heute er, und ich wehrte mich kaum, ihm zu folgen. Zuerst fuhren wir zum Bahnhof, Beute einsammeln, dann zum Postamt, wo der Packraum zur Hälfte mit Feldpost-Paketen vollgestopft war, dann zu einigen leerstehenden Einfamilienhäusern, in denen noch wertvolle Möbel zurückgeblieben waren. Ich half Koffer schleppen, Behälter voller Pakete tragen und besprach mit ihm in vollem Ernst, was wir unserem General – dem Chef der Politischen Frontverwaltung – als Souvenir aus Ostpreußen mitbringen sollten. Wir entschlossen uns für eine dreiläufige Jagdflinte, ein großes Album mit Dürer-Stichen in geschnitzter hölzerner Kassette – Auflage 300 Exemplare.

Meine Feldflasche war immer gefüllt mit Cognac Frères Ogiers, meine Taschen voller Zigarren. Ich war an starkes Kraut gewöhnt. Unsere Antifa-Männer und die deutschen Gefangenen wunderten sich immer, daß wir den Rauch tief inhalierten und nicht nur den Mund damit ausspülten, wie es sich gehörte. Wir rauchten die langen starken Zigarren wie gewöhnliche, selbstgedrehte Machorka. Anfangs wird einem zwar schwindelig und etwas übel davon, aber man gewöhnt sich rasch daran. Alle die Cognacs, Schnäpse, Liköre – wir tranken die ganze Zeit ziemlich viel – und der herbe, ätzende Tabakqualm schufen ein etwas verschwommenes, vages Gleichgewicht der Gefühle und des Bewußtseins. Es war gräßlich und ekelhaft, was rings um uns geschah und gesprochen wurde. Und gerade jetzt, da das Ende des Krieges so unmittelbar bevorstand, überfielen einen öfter und böser die Gedanken an den Tod, die bisher durch Vernunft und Gewohnheit unterdrückt und gebändigt gewesen waren.

Hin und wieder ein Toter

Auf dem Bahnhof häuften sich auf einem der Bahnsteige Schweinehälften und Speckseiten, über die man wegklettern mußte. Auf offenen Güterwagen standen LKWs und PKWs, Kanonen, Panzer. In den Packwagen lagen Zivilistenbesitz und Heeresgut. Zwei Wagen waren bis obenhin vollgepackt mit Radioapparaten, an der Bahnsteigkante hatte man Volksempfänger aufgestapelt. Hin und wieder ein Toter. Vor einem Personenwagen sah ich die Leiche einer kleinen Frau. Das Gesicht vom hochgerutschten Mantel bedeckt, die Beine, in den Knien abgewinkelt, auseinandergerissen. Eine dünne Schneeschicht und ein schamhaft darüber geworfener Stoffetzen verhüllten kaum den verkrümmten, geschändeten Körper. Offenbar hatten mehrere sie vergewaltigt und dann getötet, vielleicht war sie aber auch so gestorben, im schrecklichen Krampf erstarrt.

Offene Güterwagen, mit Kisten beladen. Beljajew, der schon wieder angetrunkene Fahrer, der Sergeant und seine Kameraden hantierten mit Äxten und Stemmeisen, brachen die Kisten auf: hauptsächlich Federbetten, Matratzen, Kopfkissen, Decken, Mäntel.

Vom Nachbarwagen herüber plötzlich eine leise Altfrauenstimme: »Soldat, Soldat!«

Ich gehe hin, klettere auf den Wagen. Zwischen Kisten verschiedener Größe ein Nest aus Matratzen und Kissen. Darin eine in Schals und Tücher gewickelte Person, eine dunkle, schneegepuderte Kapuze, halb verborgen darin ein dreieckiges, verhutzeltes Gesichtchen. Große, helle Augen. Sie blicken ganz ruhig, verständig, sogar freundlich.

»Wie sind denn Sie hierhergeraten, Großmutter?«

Sie wundert sich nicht einmal, daß ich deutsch spreche. »Bitte, Soldat, erschieß mich. Bitte, sei so gut.«

»Wo denken Sie hin, Großmutter! Haben Sie keine Angst, es geschieht Ihnen nichts Böses.« Zum wievielten Mal wiederhole ich nun schon diese Standardlüge! Nichts Gutes wird ihr geschehen.

»Wohin wollten Sie fahren? Haben Sie Verwandte hier?«

»Niemanden habe ich. Tochter und Enkel wurden gestern von euren Soldaten erschlagen. Der Sohn kam schon früher im Krieg um. Und der Schwiegersohn ist wahrscheinlich auch tot. Alle sind tot. Ich brauche nicht mehr zu leben, ich kann nun auch nicht mehr leben.«

Sie spricht ganz gelassen, einfach, ohne Phrase. Kein Jammern, keine Träne. Völliges Abge-

schlossenhaben mit dem Leben. Nur von daher kann eine solche Ruhe kommen. Und, vielleicht, aus Demut und aus dem Bewußtsein menschlicher Würde.

»Bitte, Soldat, erschieß mich. Du hast doch eine Waffe. Du bist gut. Du kannst es ganz leicht, mit einem einzigen Schuß. Ich habe auch schon andere gebeten, die haben nur gelacht, haben nichts verstanden. Aber du verstehst. Ich bin alt, krank, kann schon nicht mehr aufstehen. Bitte erschieß mich.« Ich murmele irgend etwas Tröstliches: »Warten Sie noch ein bißchen, nur noch ein Weilchen, man wird Sie von hier fortbringen, zu Menschen, ins Warme.«

Ich springe vom Wagen ab. Nur fort von dieser leisen Bitte, von diesen Augen.

Besser, rasch zu sterben . . .

Beljajew hatte mit seinem Kommando inzwischen einen Waggon mit Koffern gefunden, jetzt diskutierten sie: soll man die Koffer aufmachen und rausholen, was einem gefällt, oder soll man sie ungeöffnet so wegschleppen, »die Katze im Sack«? In den Packwagen wühlen einzeln und in Gruppen ebensolche Trophäen-Jäger wie wir. Bei den Radioapparaten schimmern rote Streifen. Ein General mit seinem Adjutanten, zwei Soldaten schleppen Koffer und Ballen. Der General ist sehr geschäftig, ordnet emsig an, fuchtelt mit einem Stöckchen mit silbernem Knauf herum, zeigt auf etwas im Wagen. Ich will jemanden von der Kommandantur suchen. Beljajew ruft: »Geh nicht zu weit weg. Wir finden uns sonst nicht mehr wieder.« Ich erzähle ihm von der alten Frau. Er winkt ungeduldig ab: »Wieder eine Extrawurst. Spuck drauf. Die Alte krepiert doch sowieso.«

Vor den Personenwagen lagen ein paar kaum zugeschneite Leichen. Auf einem der Bahnsteige steht ein Backsteinhäuschen mit großen Fenstern, ein Eisenbahner-Dienstraum. Drinnen ein quadratisches, helles Zimmer. Ein Tisch mit Telefon, ein Ofen und breite Bänke. Am fast erloschenen Ofen hockt zusammengekrümmt ein alter Eisenbahner mit grauem Hindenburgbart. Ein anderer liegt zur Wand gekehrt auf der Bank, mit dem Mantel zugedeckt. Ich fange zu sprechen an. Der Sitzende antwortet einsilbig, gleichgültig. Anscheinend ist er todmüde, von der Kälte benommen, von ausgestandenen Schrecken so erstarrt, daß ihn nun nichts mehr erschrecken, nichts mehr erstaunen kann.

Ich spreche von der alten Frau, rede wieder in diesem bellenden Kasernenhofton: »Unverzüglich aus dem Güterwagen holen, zum Sammelpunkt bringen.«

Er sieht mich gänzlich verständnislos an. Faselt zusammenhanglos:

»Alte? Im Güterwagen?«

Der Liegende dreht sich zu mir um. Er ist jünger. Sein unrasiertes, mageres Gesicht ist dunkel von Krankheit oder Schmutz. Er spricht röchelnd: »Besser für sie, rasch zu sterben, besser für uns alle, rasch zu sterben.«

Der Sitzende winkt ihm schwach ab: »Halt den Mund.«

Er senkt den Kopf, als erwarte er einen Schlag oder Schuß. Übertrieben munter, aber immer noch im Kasernenhofton: »Reden Sie keinen Quatsch. Alles wird sich einrenken. Bringen Sie die Frau weg, verstanden?«

Der Sitzende hebt den Kopf, sagt müde:

»Jawohl.«

Der Liegende dreht sich wieder zur Wand.

Von draußen ruft Beljajew: »Wir wollen weiter. Wo bist du?«

Ich rufe zurück. Gehe. Ich hatte getan, was ich konnte. Werden sie die Alte holen? Und was hätte sie davon? Ich verbiete mir, darüber nachzudenken und über all das andere: darüber, daß ich selbst ja auch feige und gemein bin.

Ruhm und Schande

Die Straße vor dem Postamt ist breit, Bäume zu beiden Seiten, gleichmäßige gepflasterte Bürgersteige, eiserne Gitter, Häuser mit steilen Dächern.

Kaum Verkehr. Vereinzelte Fahrzeuge. Sie haben es nicht eilig, fahren kaum schneller als ein Pferdefuhrwerk. Die Soldaten betrachten die Häuser abschätzend – in welchem würde sich die Einkehr lohnen?

Mitten auf der Straße kommt eine Frau. In einer Hand trägt sie ein Bündel und eine Tasche, an die andere klammert sich ein Mädchen. Die Frau hat um den Kopf, quer über die Stirn, ein schon durchgeblutetes Tuch als Verband. Ihre Haare sind zerzaust. Das Mädchen ist ungefähr 13 oder 14, hat weißblonde Zöpfe, ein verweintes Gesicht. Das kurze Mäntelchen ist schmutzig, die hellen Strümpfe an ihren langen Fohlenbeinchen sind blutig. Vom Bürgersteig her rufen Soldaten sie an, lachen. Die beiden gehen schnell, sehen sich aber immer wieder um, bleiben stehen. Die Frau möchte offenbar umkehren, aber das Mädchen zieht sie vorwärts, in die andere Richtung.

Ich gehe zu ihnen herüber, frage. Die Frau bestürmt mich, fleht: »O Herr Offizier, Herr Kommissar! Ich bitte Sie, um Gottes Willen! Mein Junge ist noch zu Hause, er ist doch noch klein, erst elf Jahre. Die Soldaten haben uns fortgejagt, haben uns geschlagen, vergewaltigt. Auch die Tochter, sie ist erst 13 – so ein Unglück – zweimal. Mich haben viele . . . Sie haben uns geschlagen, auch den Jungen. Um Gottes willen, helfen Sie. Uns hat man fortgejagt, er liegt noch dort, im Haus. Er lebt doch noch, aber sie fürchtet . . . man hat uns fortgejagt.«

Das Mädchen, schluchzend: »Mama, aber er ist doch schon tot!«

Ein paar Soldaten kamen zu uns herüber.

»Was ist denn mit denen los?«

Ich erzähle kurz. Einer, schon älter, mürrisch, mit einer MP: »Schändliches Gesindel! Banditen, Bestien, die so was tun!«

Der andere, jüngere: »Na, und die Fritzen, was haben die getan?«

Ich antworte: »Das waren Faschisten, Deutsche. Aber wir sind Russen, Sowjetbürger.«

Der Ältere: »Frauen und Kinder haben doch nichts getan.«

Ein Soldat in ölverschmiertem Sweater, wohl ein Fahrer, spuckt einen unverständlichen Fluch aus, geht weg. Zwei andere gucken schweigend zu, rauchen.

Ich frage die Frau nach ihrer Adresse, verspreche ihr, hinzugehen und mich um den Sohn zu kümmern, sage ihr, sie sollen zur Sammelstelle gehen: der Bahnhof ist ja ganz in der Nähe. Mehrmals wiederholt sie Straße und Hausnummer, Wohnung. Der Junge heißt Wolfgang, hat einen blauen Anzug an. Ich bitte den älteren Soldaten, der auf die Banditen geschimpft hat, die beiden zur Sammelstelle zu bringen. »Ich kann meinen Wagen und meinen Kumpel hier nicht allein lassen.«

Ich bitte – befehlen wäre hier sinnlos –, denn unterwegs könnte den beiden doch noch etwas passieren. Ich schenke ihm Zigaretten. Schließlich willigt er ein.

Herumstehende Soldaten, halb teilnahmsvoll, halb spöttisch: »Sieh mal an: Geleitschutz. Ist ja wohl nötig, damit man die beiden nicht schon wieder umlegt.« Aber der Alte wirft schon die MP auf den Rücken: »Nu dawaj, Frau, komm.«

Ich erkläre ihr, daß der Soldat sie begleiten, beschützen wird. Sie schaut ungläubig, beinahe irre, wiederholt ständig: Wolfgang, hellblond, grauäugig, blauer Anzug, Straße, Hausnummer, Wolfgang.

Das Mädchen drückt sich an die Mutter, weint nicht mehr, schluckt nur krampfhaft.

Sie gehen die Straße entlang. Voraus stapft der Soldat im Mantel, auf der Schulter die MP, Lauf nach unten.

Die Sonne war herausgekommen. Vor uns eine lange, leere Straße. Dünne Schneestreifen auf dem Asphalt, Schiefer- und Ziegeldächer, schmiedeeiserne Gartengitter. Ostpreußen. Eine Frau mit blutigem Kopfverband, ein Mädchen auf dünnen zitternden Beinen – und Soldaten, manche schimpfen hinter ihnen her, manche bedauern sie – einer beschützt sie, statt seinen Wagen mit Beute vollzupacken –, und manche sehen gleichgültig zur Seite.

Von irgendwo, gar nicht weit, klingt vertrautes Grollen herüber: Artillerie. Außerhalb der Stadt wird gekämpft. Und wir sammeln hier »Trophäen«. Beljajew und ich mit ihm, zusammen mit allen anderen Plünderern. Wir gehören alle zusammen: der General, der auf dem Bahnhof das Einheimsen deutscher Koffer befehligte, der Pionieroberleutnant, der an den Internationalismus glaubt, die Panzergrenadiere, die hinter der Polin herrannten, und alle, die jetzt dort an der vordersten Linie kämpfen, durch den Schnee mit den schwarzen Flecken frischer Einschläge vorstoßen, alle, die Königsberg erobern werden, die sterben, verbluten, und alle, die in den Etappen saufen und Frauen quälen. Wir alle gehören zusammen. Die Anständigen und die Schufte, die Tapferen und die Feiglinge, die Gutherzigen und die Grausamen. Wir alle zusammen, da gibt es kein Entrinnen, niemals und nirgendwohin. Ruhm und Schande lassen sich nicht voneinander trennen.

Eine andere Straße. Eine lange Mauer, über die Zweige herausragen. Auf der gegenüberliegenden Straßenseite ein paar kleine Häuser mit niedrigen Staketzäunen und Gemüsegärten. Auf dem Bürgersteig kommen zwei Frauen. Sie haben Phantasiehüte auf, an dem einen flattert sogar ein Schleierchen. Sie tragen gediegene Mäntel, sind wohlgenährt und gepflegt. Gemächlich gehen sie dahin, unterhalten sich. Über den Fahrdamm führt ein junger Soldat ein lahmendes Pferd am Zügel. Ihm entgegen kommen zwei andere. Sie ziehen einen mit Koffern und Bündeln bepackten Karren.

Die Frauen sehen mit Verachtung, zugleich aber auch neugierig zu ihnen hinüber, ohne jede Angst. Ich gehe zu ihnen. Sie sehen mich genauso neugierig-abweisend an.

»Was machen Sie hier auf der Straße? Wo wollen Sie hin? Wissen Sie denn nicht, daß das gefährlich für Sie ist?«

Beide betrachten mich prüfend, ungläubig und mit Widerwillen. Eine kurze Sekunde sehe ich mich in ihren Augen: ein baumlanger, schwarzer, zottiger Kerl mit struppigem Schnurrbart, drei Tage alten Borsten im Gesicht, in verknautschtem, aufgeknöpftem Mantel – es ist etwas wärmer geworden –, bepackt wie ein Kamel: Kartentasche, Feldflasche, Feldstecher, Beutel mit MP-Magazinen, schwere Pistole und ein langes Messer, aus einem deutschen Bajonett gemacht, mit farbigem Plexiglasgriff. Die ältere, etwa vierzigjährige, verzieht die Lippen zu einem säuerlich-höflichen Lächeln, sagt in Berliner Tonfall:

»Endlich ein Offizier, mit dem man reden kann. In unserer Straße sind alle Lebensmittelläden geschlossen oder ausgeraubt. Wir müssen Lebensmittel kaufen, Karten haben wir.«

Die zweite, die jüngere, hat denselben Akzent: »Ja. Seit vorgestern haben die Kinder kein Brot und keine Butter.«

»Jetzt können Sie nirgendwo etwas bekommen. In der Stadt wird noch gekämpft« (ich lüge, um sie einzuschüchtern), »und außerdem sind hier die Stoßtruppen, da gibt's Soldaten, die jahrelang ohne Frauen waren, die könnten sehr rauh mit Ihnen umgehen. Kehren Sie um, gehen Sie nach Hause.«

Die Ältere mit dem säuerlichen Lächeln, im selben kessen Tonfall wie vorher: »Aber warum denn, wir sind doch keine Militärpersonen?«

Die Jüngere kichert: »Nein, nein, wir sind keine Krieger. Wir brauchen Lebensmittel, haben doch Karten.«

Ich sehe mir diese beiden törichten Hühner an. Anscheinend ahnen sie gar nicht, können sich überhaupt nicht vorstellen, was ihnen blüht.

»Wer sind Sie?«

»Evakuierte aus Berlin.«

»Wo sind Ihre Männer?«

Sie werden lebhafter, zu Konversation bereit. Die Ältere: »Mein Mann ist Leutnant. Zum Glück wurde er verwundet und liegt jetzt im Lazarett.« Die Jüngere: »Mein Mann ist u. k. – er ist Ingenieur in Pommern. Sagen Sie bitte, wann wird es wieder Postverbindung geben?«

Beljajew kommt heran: »Du liebe Zeit, was sind denn das für aufgedonnerte Puten? Die sind auf Männerfang aus.«

»Sie suchen nach einem Lebensmittelgeschäft.« Beljajew lacht: »Und das glaubst du? Guck doch bloß ihre Busen an. Die zwei haben es satt, ohne Männer zu leben. Na, unsere Leute werden sie schon trösten.« Die Frauen flüstern miteinander.

»Ich sage Ihnen jetzt in vollem Ernst: Sie müssen sofort nach Hause. In ein oder zwei Tagen wird in der Stadt wieder Ruhe und Ordnung sein. Aber jetzt, begreifen Sie doch endlich, sie können getötet, vergewaltigt werden.«

Die Ältere trumpft auf, zieht die Lippen ein: »Das ist unmöglich! Das ist doch unzulässig!«

Die Jüngere blinzelt erschrocken: »Warum? Wofür?«

»Aus keinem anderen Grund als dem, daß viele Soldaten sehr erbittert sind, daß sie sich rächen wollen. Die deutschen Soldaten haben unser Land ausgeraubt, haben getötet und vergewaltigt.«

Die Ältere zornig: »Das ist ganz unmöglich. Das glaube ich nicht.« Die Jüngere schluchzt auf: »Was können wir denn dafür?«

86

Ich habe keine Zeit mehr für Konversation. Scharf, schroff, wieder im Kasernenhofton: »Machen Sie sofort, daß Sie nach Hause kommen. Ist Ihre Wohnung weit von hier?«
Die Ältere schweigt beleidigt. Die Jüngere schüchtern: »Hier um die Ecke, zwei Blocks weiter.«
»Unverzüglich nach Hause! Dalli! Das werden Sie mir später noch mal danken!«
Unschlüssig drehen sie sich um, gehen fort.
Die Soldaten mit dem Karren und der mit dem Pferd sind stehengeblieben, beobachten uns, lachen: »Da wäre nun so was Appetitliches, und der Major kann sogar ihre Sprache . . .« Sie schimpfen, aber ohne Zorn.
Wir durchstreifen noch ein paar Straßen. Auf dem Trottoir liegt ein Toter in einem langen, dunklen Mantel, wie ihn Pfarrer tragen. Aus einer eingeschlagenen Balkontür hoch droben im dritten Stock ragt ein Klavier, man hat vergeblich versucht, es durch die Türöffnung hinunterzustoßen. Daunenfedern fliegen herum.
»Hier hat man meistens auf Daunen geschlafen«, erklärt unser Fahrer.

Der Kampf geht weiter

Im Stab des Armeekorps die übliche geschäftige Hast. Deutsche Einheiten – noch ist ungewiß, wie viele und welche Truppengattungen; Panzer und Sturmgeschütze sind jedenfalls dabei – versuchen von Osten her durchzubrechen, umgehen die Stadt am Nordrand. Der Stab hat seine eigenen Sorgen, der Kampf geht weiter. Aber die Stadt nimmt der Soldat auseinander: Trophäen, Frauen, Saufgelage.
Man erzählt uns, daß der Divisionskommandeur, Oberst Smirnow, eigenhändig einen Leutnant erschossen hat, der seine Leute zu einer in einem Torweg liegenden Deutschen »ordentlich« anstehen ließ.

Von einem anderen der vielen schrecklichen Ereignisse dieser Tage hörten wir im Stab. Einige der russischen Mädchen, die zur Zwangsarbeit nach Deutschland verschleppt worden waren, arbeiteten als Serviererinnen bei uns im Stabskasino. Als Zivilistinnen hatten sie keine Uniform erhalten, waren aber reichlich mit Beutegarderobe ausgestattet worden. Eine von ihnen – der Erzähler beschrieb sie ausführlich und wehmütig: sie war die hübscheste von allen, jung, gut gewachsen, fröhlich, die Haare wie pures Gold fielen ihr in Locken über die Schultern, wissen Sie, so wie es die Polinnen und Deutschen tragen, und sie ging so adrett gekleidet! Gestern trug sie einen Eimer Suppe über die Straße. Da schlendern ein paar angetrunkene Soldaten herum, sehen: Hoppla, eine Fritzin, eine Hündin – und aus der MP eine Garbe quer über den Rücken. Sie lebte keine Stunde mehr. Hat noch geweint: warum, wofür? Sie hatte doch schon an die Mutter geschrieben, daß sie bald nach Hause käme.
Im Stab wurde ein Befehl von Marschall Rokossowskij verlesen: Standrechtliches Erschießen für Plündern, Vergewaltigung, Raub, Mord von Zivilpersonen.
Beljajew hörte zu, stierte mit seinen Glotzaugen auf den Fußboden. Nickte hin und wieder: so – so, sehr richtig! Später sagte er zu mir: »Siehst du, die Führung hat das Ganze schon in den Griff bekommen, die Ordnung wird bald wiederhergestellt sein; und du wolltest nervös werden.« Er sah mich prüfend an, grinste angestrengt:
»Also trinken wir auf den Marschall, der richtige Befehle erläßt.«
Als wir aus Ostpreußen zu unserer Einheit zurückfuhren, überholten wir Handwagen, Schlitten, hochbepackte Fahrräder. Man hörte russisch, polnisch, ukrainisch, italienisch, französisch, holländisch.
Manche trieben Kühe mit sich. Einmal sahen wir

auch ein Kuhgespann: Schwarz-weiße Kühe zogen einen hochwandigen Leiterwagen, drumherum eine Schar fröhlicher Mädchen, Russinnen und Polinnen, auch ein paar Burschen in Baskenmützen und Casquettes mit der französischen Trikolore.

An einer Wegkreuzung trafen wir auf einen Militär-LKW, daneben ein Haufen Volk. Laute böse Stimmen, Frauenkreischen, wüstes Schimpfen. Ein paar unserer Soldaten – dem Zustand ihrer Uniform nach Etappenhengste – nahmen weinenden, auf russisch und polnisch protestierenden Mädchen ihre Koffer weg und stießen mit den Gewehrkolben die Beschützer der Mädchen zurück. Der stutzerhaft gekleidete Spieß in einer Mütze mit schwarzem Schirm brüllt:

»Deutsche Hündinnen, Huren, Verräterinnen!«
Einem jungen Franzosen hatten sie das Gesicht blutig geschlagen, er will sich rächen, seine Kameraden halten ihn zurück. Wir gehen zu der Gruppe hinüber. Beljajew neben mir. Der Spieß erklärt: »Der da, der Scheiß-Fritz, brabbelt: Kamrat, Kamrat . . .«

»Aufhören! Sofort!« schreie ich wild. »Wen schlagt ihr Idioten? Das ist doch kein Fritz, der ist Franzose, unser Verbündeter. Gebt den Mädchen ihren Kram zurück! Eben erst haben wir sie aus der faschistischen Knechtschaft befreit. Und ihr beklaut sie jetzt!«

»Knechtschaft? Guck doch, was die für feiste Visagen haben, wie die aufgeputzt sind! Ha, Franzosen. Der soll Kamerad sein? Der Arschficker!«

Die Mädchen und ihre Freunde haben bemerkt, daß wir auf ihrer Seite sind, und reißen die Koffer wieder an sich. Der Spieß, mehr verwirrt als eingeschüchtert, starrt uns an. Ich schimpfe weiter, laut und gewaltig. Beljajew tut es mir nach, zieht seine Pistole: »Befehl von Marschall Rokossowskij: Plünderer auf der Stelle erschießen!«

Der Spieß wird fahl, springt in seinen Wagen. Laut aufheulend startet der Studebaker mit einem so jähen Satz, daß die Soldaten im Wageninneren durcheinanderfallen.

Wir fahren in entgegengesetzter Richtung. Ausgebrannte Häuser in Neidenburg, qualmende, schwelende Brandstätten in Groß-Koslau. Wir fahren stumm. Ich rauche bis zur Übelkeit. Beljajew will ein Gespräch anknüpfen. Immer das gleiche Thema: es ist doch Krieg. Verrohung. Da kann man nichts machen.

Ein einsamer Wagen auf einer verschneiten Straße zwischen Insterburg und Braunsberg im Januar 1945. Die Idylle trügt. 20 bis 30 Kilometer schob sich die russische Front Tag für Tag vor, während die Trecks höchstens 10 bis 15 Kilometer schafften. Ständig mußten die Flüchtenden damit rechnen, von den sowjetischen Panzerspitzen überrollt zu werden (42).

Aber nicht alle flüchteten: Viele blieben in ihren Städten und Dörfern. Nur während der unmittelbaren Kampfhandlungen verließen sie ihre Wohnungen und Häuser. Später kehrten sie in die besetzten Gebiete zurück wie diese Einwohner von Danzig (43) und Elbing (44).

45

Die ersten, die vor der rasch anrollenden russischen Front »provisorisch« evakuiert werden mußten,
waren die 120 000 Memeldeutschen.
Im Sommer 1944 zogen die ersten
Trecks über die Memel (45) nach
Westen durch Ostpreußen. Dort waren die Bauern zuversichtlich, denn
sie hatten den »Ostwall« gebaut, und
die deutsche Propaganda hatte dieses Bollwerk für unüberwindbar
erklärt.

Trotz schlechter Straßen und ungünstigen Wetters begaben sich die ersten Ostpreußen im Spätherbst 1944
auf die Flucht, nachdem vor allem
die Greueltaten der Roten Armee in
Nemmersdorf bekannt geworden
waren. Aber erst während der sowjetischen Großoffensive vom Januar 1945 entschlossen sich Hunderttausende – gegen den ausdrücklichen Befehl des ostpreußischen
Gauleiters Koch, die »Heimat bis
zum letzten Mann« zu verteidigen –
zur Flucht. In eisiger Kälte zogen
nun die Trecks durch das tiefver-
schneite Land (46).

47

Ostpreußen ist abgeschnitten: Am 26. Januar erreichen russische Angriffsspitzen die Eisenbahnlinie Königsberg–Dirschau und drei Tage später bei Tolkemit das Frische Haff. Nach der Einnahme von Elbing, das noch bis zum 10. Februar der russischen Übermacht standhält, kommen die Einwohner aus den Kellern der brennenden Stadt (48).

Nicht jede Stadt war hart umkämpft, und nicht jede Stadt wurde von den Sowjets zum Brandschatzen freigegeben. Hier wird die Regimentsfahne der deutschen Verteidiger als Zeichen der Übergabe einer Stadt in Ostpreußen gesenkt (47).

Oft war die Besetzung für die Zivilbevölkerung mit Angst und Schrecken verbunden. Vergewaltigungen, Plünderungen und Diebstähle waren an der Tagesordnung (49).

48

49

Neben Plünderungen gab es auch viele Beispiele tätiger Hilfe. Hier verarztet ein sowjetischer Sanitäter einen deutschen Verwundeten (51). Vielfach gab es nur noch trockenes Brot zu essen. Und wenn sich Alte und Kinder (50) die letzten Scheiben geteilt hatten, blieb nur noch die Hoffnung auf die Verpflegungskompanien der Besatzungsmacht.

Entgegen der noch heute vorherr-
schenden Meinung, die Rotarmisten
hätten nur geraubt, geplündert und
vergewaltigt, hat es viele sowjetische
Soldaten gegeben, die ihren oft berechtigten Haß gegenüber den Deutschen überwanden und zu helfen
versuchten, wo immer sie konnten,
wie hier bei der Lebensmittelvertei-
lung an die deutsche Zivilbevölkerung (52).

Flüchtlingsehepaar bei der Versorgung seines Kindes: Ein Weidenkorb ersetzt die Wiege (53).

Auf der Suche nach den auf der Flucht verlorengegangenen Eltern steht dieses Mädchen ratlos auf einem Berliner Bahnhof (54).

55

Ein Flüchtlingskind liegt apathisch auf dem Leiterwagen mit der letzten Habe (55).

Verbitterung und Schmerz spiegeln sich in diesen Gesichtern. So sahen Menschen aus, die die Schrecken jener Tage überlebt hatten (56).

58

59

Sudetendeutsche stürmen den Bahnhof von Reichenberg (57), um einen der letzten Züge nach Westen zu erreichen. Die Rote Armee steht vor den Toren der Stadt.
Völlig erschöpft und gezeichnet von den Strapazen eines wochenlangen Marsches aus Schlesien treffen diese Deutschen bei Torgau an der Elbe auf amerikanische Soldaten (58).
Das gab es nur in den ersten Tagen der Flucht: Lastkraftwagen der deutschen Wehrmacht transportieren Zivilisten aus gefährdeten Ortschaften ab (59).

Viele Tausende Bombenevakuierter hatten in Ostpreußen, Westpreußen und Pommern Sicherheit vor den fast pausenlosen Luftangriffen auf Berlin und die mitteldeutschen Industriereviere gesucht. Beim Einmarsch der Roten Armee mußte auch dieser Junge fliehen, der zur »Kinder-Landverschickung« in Preußisch-Holland weilte (60).

Flucht über die Ostsee

Fritz Brustat-Naval

In der Menschheitsgeschichte haben Meer und Schiffe des öfteren eine entscheidende Rolle gespielt. In unserem Jahrhundert gilt das für die letzten 115 Tage des Zweiten Weltkrieges, als eine vom Oberbefehlshaber der Kriegsmarine, Großadmiral Dönitz, ausgelöste Aktion durchgeführt wurde. In dieser verhältnismäßig kurzen Zeit wurden bis zur Stunde der bedingungslosen Kapitulation am 9. Mai 1945, 0.00 Uhr MEZ, nachweislich, d. h. mindestens, zwei Millionen Menschen, darunter eine halbe Million Verwundete, über die winterliche Ostsee nach Westen gebracht. Tatsächlich waren es weitaus mehr.

An dieser enormen Leistung waren rund 500 Handelsschiffe aller Größen, Sonderfahrzeuge, Fähren, Schlepper und andere Seefahrzeuge beteiligt. Auch die wenigen zum Begleitschutz abkommandierten Kriegsschiffe nahmen, trotz räumlicher Enge und sofern es die taktischen Aufgaben zuließen, noch zusätzlich Menschen an Bord. Fast alle erreichten ihr Ziel. Trotz einiger katastrophaler Untergänge betrugen die Verluste auf See »nur« knapp ein Prozent.

Der amerikanische Historiker Philip K. Lundberg schrieb im April 1960 in der »American Historical Review« über diese Evakuierung: »Mit dem Zusammenbruch der Ostfront richtete Dönitz die noch verbliebenen Kräfte der Kriegsmarine auf die Räumung der Ostsee, ein Unternehmen, das sich als der erfolgreichste Abzug über See in der modernen Geschichte erwies.« Und Samuel E. Morison, Chef der »History of the United States«, stimmte ihm zu: »Die Rückführung über die Ostsee, voll der größten Gefahren und Schwierigkeiten, ist sicherlich die größte Rückführung in der modernen Geschichte (überhaupt).«

Wie entwickelte sich nun das aus unserem Bewußtsein schon fast verdrängte legendäre »Unternehmen Rettung«, bei dessen Vollzug sich die Marine nicht nur kriegs- und jahreszeitlich bedingten Gefahren und Schwierigkeiten gegenübersah, sondern auch einem verhängnisvollen Gegeneinander von Partei, Staat und Wehrmacht? Denn die politische Führung versuchte ja bis zuletzt, die Bevölkerung mit Phrasen von Wunderwaffen und Endsieg sowie mit Durchhaltebefehlen an ihre Wohnorte zu fesseln; so berief sich Adolf Hitler unter anderem auf Friedrich den Großen im Siebenjährigen Krieg, und der Reichsminister für Volksaufklärung und Propaganda, Joseph Goebbels, riet den Ostpreußen, »nicht über Bord zu springen«, Kreisleiter Wagner von Königsberg versprach jedem Wankelmütigen »eine vor'n Latz zu knallen«, und die Ortsbauernführer schließlich schoben die Flucht hinaus, bis es fast zu spät war.

Evakuierung – aber wie?

Reval und Riga waren bereits geräumt, als im September 1944 auch der Standortälteste von Memel, Fregattenkapitän Merten, angesichts der sich bedrohlich nähernden Ostfront vorschlug, die Zivilbevölkerung über See zu evakuieren. Der Gauleiter von Ostpreußen, Erich Koch, wollte den Offizier wegen Defätismus aburteilen lassen, aber der Oberbefehlshaber der Kriegsmarine (im folgenden ObdM) stimmte der Evakuierung zu, und 120 000 Memelländer verließen ihre Heimat. Der Vormarsch der sowjetischen Truppen konnte jedoch noch einmal aufgefangen werden.

Mitte Januar aber, bei Temperaturen von minus 25 Grad und darunter, gelang der Roten Armee der Durchbruch ins Reich. Am 16. stießen ihre überlegenen Streitkräfte weit vor, am 17. kam es zu schweren Panzerschlachten. Am 22. Januar standen die Sowjets im Norden von Ostpreußen zwischen Insterburg und dem Kurischen Haff, im Süden näherten sie sich Elbing. Als sie am 27. Januar bei Elbing und Tolkemit das Frische Haff erreichten, war Ostpreußen umzingelt und nur noch durch die schmale Landbrücke der Frischen Nehrung mit dem Westen verbunden. Die aufgeschreckte Bevölkerung drängte in wilder Flucht zur Küste, ans offene Meer.

Die Evakuierung setzte dreierlei voraus: Schiffsraum, Treibstoff und Geleitschutz – und das alles nach fünf Jahren Krieg. Das größte Problem war die Brennstofflage, die sich von Tag zu Tag verschlimmerte und den ObdM zwang, für Norwegen bestimmte Kohlendampfer umkehren zu lassen. Um die durch Minenabwürfe, durch feindliche See- und Luftangriffe bedrohten

Schiffahrtswege passierbar zu halten, wurden die Sicherungsstreitkräfte in der Ostsee durch Einheiten aus der Nordsee und dem norwegischen Raum verstärkt. Was nun die Tonnage betraf, so gab es in der Seekriegsleitung seit eh und je eine eigene Schiffahrtsabteilung/Seetransport (Skl. Adm. Qu VI), kurz Seetra genannt. An ihrer Spitze stand der Seetransportchef für die Wehrmacht, Konteradmiral Engelhardt. Seine nachgeordneten Dienststellen in den Häfen waren mit fachkundigen Offizieren besetzt. Der Seetransportchef dirigierte alle zivilen Handelsschiffe mit militärischen Aufgaben, wie Nachschub- und Verwundetentransporte. In dieser kritischen Situation kamen die zahlreichen Schul-, Ziel- und sonstigen Hilfsschiffe hinzu, die unter Handels- oder Reichsdienstflagge liefen und durchweg mit Zivilseeleuten besetzt waren. Das wichtigste war aber, daß jetzt auch alle großen Passagier-Liner, die jahrelang als Wohnschiffe für Ausbildungseinheiten stillgelegen hatten, zum Abtransport der Bevölkerung freigegeben wurden. Zusammenfassend schrieb der ObdM später: »Die Koordinierung der gesamten noch vorhandenen und mir unterstellten Handelsschiffstonnage mit den taktischen Aufgaben der Seestreitkräfte übertrug ich dem Seetransportchef für die Wehrmacht, Konteradmiral Engelhardt. Dieser erhielt weiteste Vollmachten.«

Eine menschliche Lawine wälzte sich auf die Küste zu. Die kleine, verschneite Seestadt Pillau mit 5 000 Einwohnern schwoll buchstäblich über Nacht auf das Zehnfache an. Die Geflohenen stauten sich in den Straßen und suchten vor der bitteren Kälte in den Hausfluren Schutz. Das Elend der Entwurzelten, die Hilflosigkeit der Säuglinge und Greise waren entsetzlich und gaben den fassungslosen Bürgern einen Vorgeschmack ihres eigenen Schicksals. Jeder setzte seine Hoffnung auf die Schiffe, die man eiligst für ihre neue Aufgabe herrichtete und die alles bieten sollten: Wärme, vorübergehende Geborgenheit, ein neues Ziel.

Am 25. Januar verließen die ersten großen Einheiten den Pillauer Hafen in Richtung Westen: das große Kraft-durch-Freude-Schiff ROBERT LEY, die beiden Ostafrika-Fahrer PRETORIA und UBENA, die DUALA der Reederei Essberger. Aus Königsberg kamen die Hamburg-Süd-Dampfer GENERAL SAN MARTIN und ein weiteres Kraft-durch-Freude-Schiff, DER DEUTSCHE, hinzu. Alles ehemalige Spitzenschiffe der Passagierfahrt nach Übersee und zwischen 6 000 und 27 000 BRT groß. Alle Kabinen, Salons, Nebenräume und Gänge vollgestopft, trugen sie jetzt Zehntausende von Heimatlosen davon. Eine Aktennotiz besagt, daß alleine die ROBERT LEY 5 000 Flüchtlinge sowie in Gotenhafen (Gdingen) zusätzlich 2 000 und 1 000 Verwundete übernahm. Bereits anderntags verließen weitere 17 000 den Pillauer Hafen, diesmal auf den Frachtschiffen TANGA, EBERHARD ESSBERGER, LAPPLAND, WARTHELAND und GOTENLAND, um nur einige der nun immer wiederkehrenden Namen zu nennen. Die gleiche Personenzahl wurde in Danzig verschifft. Von Westen kamen die Lloyd-Liner STEUBEN und BERLIN, nunmehr Verwundetentransporter, um fürs erste 10 000 Verwundete abzuholen.

Der menschliche Umschlag

Ein Pendelverkehr von Osten nach Westen und umgekehrt setzte ein. Die Rettungsaktion verzweigte sich im Nu über alle Häfen der Danziger Bucht: Pillau, Danzig-Neufahrwasser, Gotenhafen, später kam Hela als Absprungbasis hinzu. Die Seetra sah sich erheblichen Umschlagproblemen gegenüber, zumal auch wehrwichtige Betriebe verlagert wurden, der Nachschub weiterlief und gleichzeitig Truppenteile aus Memel und Kurland zum Entsatz der ostpreußischen Hei-

matfront über See herangezogen wurden. Man mußte sich in diesem Strudel gegen alles und jedes durchsetzen, nicht zuletzt gegen höhere Dienstgrade und divergierende Kommandointeressen. Das begann auf der Ebene des Seetra-Chefs selbst, als sogar jetzt noch einzelne Reedereien nicht die verzweifelte Situation begriffen, gegen die zweckentfremdete Verwendung ihrer Passagierschiffe protestierten und beim Kriegsschädenamt jede Abnutzung in Rechnung zu stellen drohten. Schwierig war auch die Beschaffung von Lebensmitteln für die Flüchtlingsmassen und von Stroh, um die Laderäume der Frachter auszupolstern.

Die Einschiffungsoffiziere mußten eingreifen, wenn Prominenz ihren Hausrat und Stäbe ihr Aktenmaterial zu verladen gedachten, indessen die Masse der Bürger froh war, das bloße Leben zu retten und das, was sie in den Händen trug. Und zu allem übrigen glaubte die Partei anfangs noch, den Flüchtlingsstrom kontrollieren und Fahrkarten ausgeben zu müssen, bis ihr allmählich die rauhe Wirklichkeit das Billet aus der Hand nahm. Zuletzt kamen auf einen Quadratmeter vier Menschen – und das auf offenem Deck und ohne Priorität. So wie sie eben kamen.

Von Ende Januar bis Anfang Februar 1945 verließen nachweislich 288 455 Flüchtlinge, Verwundete und Soldaten den Raum Pillau und das vorübergehend eingeschlossene, aber noch einmal freigekämpfte Königsberg. Hinzu kamen 220 233 Menschen aus Danzig/Gotenhafen. Mit der ersten Welle machte sich eine halbe Million davon: nach Swinemünde, Saßnitz, Kiel, Eckernförde. Als dort Überfüllung drohte, kam am 4. Februar von höchster Stelle der Befehl, »aus dem Osten des Reiches vorübergehend zurückgeführte Volksgenossen außer im Reich auch in Dänemark unterzubringen.« Fortan fuhren die Flüchtlingsschiffe auch nach Nyborg, Aarhus und Kopenhagen.

Die mit Menschen vollgepfropften Schiffe bekamen ihren Marschbefehl von der Seetra und wurden dann der 9. bzw. 10. Sicherungsdivision übergeben, die dafür sorgen mußten, daß sie in Geleitzügen heil zum Bestimmungshafen gelangten. Das war ein heikles Unternehmen, da nur wenige bewaffnete Fischdampfer, Minensuch- und Minenräumboote und einige Torpedoboote zur Verfügung standen. Und da das langsamste Schiff das Tempo eines Konvois bestimmt, bedeutete das für die Flüchtlinge zuweilen erneute tagelange Angst. Hatten viele von ihnen das schwarze, winterliche Meer ohnehin noch nie gesehen, so steckten sie jetzt vielleicht im Bauche eines alten Frachters, an dessen Wand die Eisschollen schurrten, während über ihren Köpfen die Bordflak auf feindliche Flugzeuge feuerte und die Zwangswege von Minen geräumt wurden. War ihnen der Treck durch das verschneite Ostpreußen und über das trügerische Haff schon qualvoll genug vorgekommen, so schien nun auch die Seefahrt kein Ende nehmen zu wollen. Die letzten aktiven Einheiten der Kriegsmarine, schwere Kreuzer und Zerstörer, operierten in zwei Kampfgruppen vor der Küste. Mit ihrer weitreichenden Schiffsartillerie nahmen sie die vorrückende russische Front unter Feuer, die sich nach Westen vorschob. Im Gegensatz zu den sowjetischen Armeen, die schon auf die Oder zielten, waren die roten Seestreitkräfte, jahrelang durch Minensperren und winterliches Eis im Finnenbusen blockiert, nur bedingt einsatzfähig. Und das ist eine der Ursachen, die den relativ schwachen deutschen Abwehrkräften die Evakuierung über See überhaupt ermöglichte. Nun tasteten sich russische Schnellboote und U-Boote in die Mittlere Ostsee vor. Einem der letzteren, S 13 unter Korvettenkapitän Marinesko, gelang die Versenkung der STEUBEN (14 660 BRT) und der WILHELM GUSTLOFF (25 484 BRT), über die soviel geschrieben wurde.

Torpedos in der Nacht

Das Flaggschiff der Kraft-durch-Freude-Flotte WILHELM GUSTLOFF sowie die HANSA (21 131 BRT) der Hamburg-Amerika-Linie hatten der 2. Unterseeboot-Lehrdivision in Gotenhafen als Wohnschiffe gedient und sollten mit dieser Ende Januar westwärts verlegt werden. Nach jahrelanger Pause waren ihre Maschinen überholungsbedürftig, hinzu kamen andere Unzulänglichkeiten. Ihr verringertes Stammpersonal bestand vorwiegend aus Kroaten. Doch die Überführung eilte, und die U-Waffe, die eine Sonderstellung einnahm, organisierte die Reise sozusagen auf eigene Faust. Als Begleiter standen lediglich das Torpedoboot LÖWE und ein Torpedofangboot zur Verfügung. Der Auslauftermin wurde auf den 30. Januar 1945, mittags, festgesetzt. Die sich für die Überführung zuständig fühlende 9. Sicherungsdivision hatte nur zufällig davon erfahren und vergeblich geraten, stärkeren Geleitschutz abzuwarten.

Der KdF-Liner WILHELM GUSTLOFF war für rund 1 500 Fahrgäste eingerichtet. Als er sich, wie geplant, in Marsch setzte, hatte er nach den Unterlagen mehr als 6 000 Menschen an Bord: 918 Soldaten, 173 Bedienstete, 373 Marinehelferinnen, 162 Verwundete und 4 424 Flüchtlinge. In letzter Minute sollen noch mehr hinzugekommen sein. Die HANSA wiederum, die sich mit 4 000 Flüchtlingen als »voll beladen« abgemeldet hatte, mußte auf Befehl des Seetransports noch mehr übernehmen, »bis kein Platz mehr frei war«, und dampfte hinterher, um sich auf Hela Reede mit dem KdF-Liner zu vereinigen. Als sie mit 5 000 Menschen gegen Abend dort eintraf, erlitt sie einen Maschinenschaden, so daß die WILHELM GUSTLOFF die Reise alleine fortsetzte. Der steife Nordwest-Wind machte den Schiffen zu schaffen. Während das Fangboot wegen eines Lecks umkehren mußte und das Torpedoboot

LÖWE vereiste, stampfte die WILHELM GUSTLOFF schwerfällig gegenan. Das auf der Lauer liegende sowjetische U-Boot S 13 entdeckte die aus der Danziger Bucht kommenden Schiffe und folgte ihnen. Um 21.40 Uhr, etwa auf der Höhe von Stolpmünde, wurde die WILHELM GUSTLOFF von drei Torpedos getroffen und sank innerhalb von einer knappen Stunde. Nur 838 Überlebende wurden aufgefischt, die Zahl der Ertrunkenen schwankt. Trotz der vielen Opfer wurde die Versenkung der WILHELM GUSTLOFF während des Krieges, der andere Verlustziffern kannte, in der Welt kaum beachtet. Nach dem Seekriegsrecht wurde das Schiff als legitimes Ziel angesehen. Es hatte Hunderte von Soldaten an Bord, war mit Flakgeschützen bestückt und trotz der Verwundeten offiziell kein Lazarettschiff.

Auch die STEUBEN, die demselben U-Boot vor die Rohre lief, war kein Lazarettschiff im Sinne der Haager und Genfer Abkommen, die ein langwieriges Anmeldeverfahren über eine Schutzmacht vorsehen. Zudem hatten die Sowjets in einer Note vom 17. Juli 1941, in der sie der Reichsregierung »systematische und verräterische Übertretung der internationalen Verträge und Konventionen« vorwarfen, von vornherein erklärt, grundsätzlich keine deutschen Lazarettschiffe anzuerkennen. Die deutsche Wehrmacht behalf sich mit bewaffneten Verwundetentransportern (VTS), zu denen auch die STEUBEN gehörte.

Das russische U-Boot S 13 operierte weiter vor der Danziger Bucht und sichtete am späten Abend des 9. Februar die in Begleitung des Torpedobootes T 176 von Pillau kommende STEUBEN. An Bord des Verwundetentransporters befanden sich 2 000 Flüchtlinge und 2 500 Verwundete, ferner u. a. auch 30 Ärzte und 320 Krankenschwestern. Zunächst abgedrängt, verfolgte das U-Boot den Konvoi stundenlang, um in der Nacht mit zwei Torpedos anzugreifen. Der ehemalige Passagierdampfer wurde mitschiffs getroffen und ging sehr schnell unter, wobei sich – wie bei der WILHELM GUSTLOFF – erschütternde Szenen abspielten. Deutsche Kriegsschiffe retteten 600 Menschen, alle übrigen kamen um. Der dritte große Verlust war die GOYA, ein moderner Motorfrachter der Hamburg-Amerika-Linie. Die Zahl der Opfer war kaum geringer als bei der WILHELM GUSTLOFF. Die GOYA befand sich zusammen mit der MOLTKEFELS auf der Reise von Hela nach Kopenhagen. An Bord befanden sich 6 000 Leute, darunter Angehörige eines fast aufgeriebenen Panzerregiments. Die beiden Schiffe wurden von zwei Minensuch-Booten begleitet. Kurz vor Mitternacht mußte das Geleit wegen Maschinenschadens beidrehen. In dieser Pause wurde die GOYA von zwei Torpedos des russischen U-Boots L 3 (Korvettenkapitän Konowalow) getroffen. Der 5 000-Tonner wurde förmlich hochgehoben, zerbrach in zwei Teile und sank in wenigen Minuten. Man schrieb den 16. April 1945.

So hatten diese drei Schiffe rund 16 000 Menschen mit in die Tiefe gerissen. Indessen lagen zwischen dem Untergehen der WILHELM GUSTLOFF und der GOYA immerhin zehn Wochen, in denen Hunderte von Überfahrten glückten und Hunderttausende gerettet wurden. Und hatte der ObdM schon beim erstenmal geäußert, »es wäre wichtiger, alle verfügbaren Mittel einzusetzen und hin und wieder Verluste in Kauf zu nehmen, als auf den gesamten Abtransport zu verzichten«, so durfte er jetzt mit Recht bemerken, daß, »während die schmerzlichen Verluste stark in Erscheinung treten, leicht übersehen wird, daß zu gleicher Zeit eine große Anzahl von Schiffen mit zahlreichen Flüchtlingen und Verwundeten die Ausschiffungshäfen sicher erreichten.« Nach einer Zwischenbilanz waren es bis Ende März bereits 1 256 641.

Man hatte die Menschen, so gut es ging, über See

gebracht. Sie hatten alles aufgeben müssen und befanden sich nun in der Obhut von Seeleuten, die alles daransetzten, ihnen ihr schweres Los wenigstens vorübergehend zu erleichtern. Es gibt rührende Beispiele von Hilfsbereitschaft, die sich den Betroffenen unauslöschlich eingeprägt haben. Zugleich aber drang soviel Neues und Fremdes auf sie ein, daß sie vieles von dem, was sie sahen, überhaupt nicht verstanden, wie ihre unterschiedlichen Berichte zeigen. Und während viele alte Menschen vom Tod dahingerafft und im Meer bestattet wurden, kamen auf denselben Planken Kinder zur Welt, die bis heute den Namen »ihres« Schiffes tragen, wie die Kinder der »Ubena«, deren Geburt der Kapitän standesamtlich dokumentierte.

Die Faust im Nacken

Nach Wochen und Monaten ging die Phase der großen Passagier-Liner vorbei. Sie wurden wegen Brennstoffmangel im Westen stillgelegt oder ein Opfer von Luftangriffen, wie die dem WIL-HELM-GUSTLOFF-Schicksal entronnene HANSA in Warnemünde, die NEW YORK in Kiel und die HAMBURG, die in Saßnitz auf Fliegerminen lief. Ihre Leistungen entsprachen dem Fassungsvermögen. So rettete die DEUTSCHLAND in sieben Einsätzen 69 000 Menschen, die POTSDAM in ebenfalls sieben 53 000, die CAP ARKONA auf drei Fahrten 26 000, die GENERAL SAN MARTIN 29 000 und so weiter. Sehr viel wurde auch den mittleren und kleinen Frachtern abverlangt, die zwar primitiver, aber beweglicher waren, allen voran wohl die EBERHARD ESSBERGER, die in zwölf Einsätzen 67 000 Menschen beförderte, aber auch der Indienfahrer NEIDENFELS, der auf sechs Reisen 30 000 Flüchtlinge abholte. Das ging hinunter bis zur kleinen KAROLINE, einem 800-Tonner, der auf zehn Fahrten insgesamt 6 500 Leute in Sicherheit brachte. Sie alle gaben

ihr Äußerstes: Dickschiffe und Kleinfahrzeuge, Großfrachter und Tanker, Walfänger und Flugsicherungsboote, Lotsenschoner, Schlepper, Leichter, Küstenfahrer und alles, was sich sonst noch anbot. Ganz zu schweigen von den sie begleitenden letzten kleinen Kriegsschiffen im tristen Grau, mit zerfetzten Gefechtsflaggen und den deutlich sichtbaren Einschüssen. Verbeult und rostbedeckt, aus allen Dampfrohren pfeifend, so keuchten sie dahin. Und ob unterwegs auch ihre Maschinen ausfielen und ihre Motoren stehenblieben, sie mußten sehen, daß sie weiterkamen.

Da war die GOTENLAND, ein Frachter, der nach zwei Bombentreffern und ohne Winden und Anker in einer Danziger Werft lag. Dessenungeachtet wurde das Schiff in Marsch gesetzt und brachte in den hektischen Januartagen 3 500 Mütter und Kinder nach Swinemünde. Schier unglaublich mutet auch die Reise der schwerbeschädigten und manövrierunfähigen MONTE ROSA an, die schon als Verwundetentransporter nach Finnland eingesetzt worden war und Flüchtlinge aus Riga geholt hatte. Mit notdürftig abgedichtetem Leck und überfluteten Unterräumen wurde sie von drei Schleppern über die Ostsee gezogen, während in den oberen Decks 5 600 Flüchtlinge, Verwundete und Kranke ahnungslos die erste warme Mahlzeit seit Tagen aßen und darüber einschliefen. Als sie aufwachten, waren sie bereits in Kopenhagen. Es kam aber auch zu unvermeidlichen Pannen. Die Strandung der kleinen NETTELBECK mit 180 Flüchtlingen im Schneesturm vor Hela verlief noch glimpflich, gemessen am tragischen Unglück der NEUWERK, die zwischen Pillau und Hela in dunstiger Nacht ihr Geleit verlor, vom Zwangsweg abkam und deutschen Schnellbooten in die Quere kam. Da die NEUWERK nicht das Erkennungssignal erwiderte, hielt man den Dampfer für ein russisches Schiff und versenkte ihn. Von 900 Frauen, Kindern, Eisenbahnern und Sanitätsgasten überlebten nur drei.

Bomben und Granaten

Am 4. März hatten die Sowjets Köslin erobert und waren nordwärts und zur Danziger Bucht eingeschwenkt. Aus dem Stolper Hinterland flohen die Menschen zum kleinen Stolpmünde, in dessen Enge sich all jene Rette-sich-wer-kann-Szenen gewissermaßen in Großaufnahme wiederholten. Die Danziger Zentrale hatte ein gutes Dutzend kleinerer Dampfer geschickt. Einem Kinderlandtransport und einem evakuierten Lazarett folgend, kämpfte man um jeden Stehplatz an Bord. Schon in vier Tagen war alles vorbei, und während die letzten Schiffe mit 18 310 Menschen bei Nordost-Sturm die Molen verließen, feuerten sowjetische Panzer vom Stadtrand. Von Stolpmünde aus überrannten sie Rügenwalde und Leba, deren Fischkutter das Weite suchten. Die Swinemünde ansteuernden Einheiten aber fanden einen völlig überfüllten Hafen, wo 50 Schiffe auf der Reede ankerten. Es fehlte an Treibstoff, an Lebensmitteln, an Eisenbahnzügen, um die Flüchtlinge weiterzuleiten, unter denen Typhus ausbrach. Die Stadt war von 30 000 Geflohenen überlaufen, weitere 40 000 kamen heran, die Sowjets hatten schon das Haff erreicht. Und über dieser Zusammenballung luden am 12. März 1945 die 700 Bomber der 8. amerikanischen Luftflotte ihre tödliche Last ab, denen sieben Flüchtlingsschiffe zum Opfer fielen, darunter auch die CORDILLERA der Hamburg-Amerika-Linie. Hinterher war der hübsche Badeort nicht wiederzuerkennen und die Zahl der Toten nicht abzusehen.

Anfang März wurde auch Kolberg eingekesselt, Schauplatz der historischen Belagerung von 1807, dessen offene Hintertür zum Meer nun zwei Wochen lang erbittert verteidigt wurde, da der Gegner im Falle einer Kapitulation zwar der Truppe Leben und anständige Behandlung zusicherte – nicht aber den 85 000 Einwohnern. Während die Schiffe draußen ankerten und unter feindlichem Beschuß die Flüchtlinge übernahmen, ging in der Stadt alles drunter und rüber. 71 000 entkamen dem Inferno und ließen ein lichterloh brennendes Kolberg zurück.

Dann geriet die Danziger Bucht in den Würgegriff. Am Palmsonntag, dem 25. März, eroberten die Sowjets Neufahrwasser, wenig später Gotenhafen und Danzig selbst. In Ostpreußen setzten Reste der 4. Armee aus dem Heiligenbeil-Kessel auf die Frische Nehrung über, die Verteidiger von Danzig gingen in die Weichsel-Niederung, die von Gotenhafen-Oxhöft entkamen nach Hela. Von dieser Halbinsel Hela aus verliefen nun alle Absetzbewegungen über das Meer. Die Danziger Seetra hatte sich dorthin begeben, darunter der Admiral für den Bereich östliche Ostsee und auch der Gauleiter von Danzig-Westpreußen, Albert Forster, der Jahre später in Hamburg aufgegriffen wurde. Der berüchtigte Erich Koch, heute noch in polnischer Haft, saß mit seinem Stab fluchtbereit auf dem Eisbrecher OSTPREUSSEN, und der pommersche Gauleiter, Schwede-Coburg, als einfacher Volkssturmmann verkleidet, geriet an Bord eines Flüchtlingsschiffes in Kiel in englische Gefangenschaft.

Der Brennstoffmangel signalisierte das nahende Ende. Oberschlesien war in polnischer Hand, und auch aus dem Ruhrgebiet kam keine Bunkerkohle mehr heran, mit der drei Viertel aller Schiffe beheizt wurden. Die restlichen Lagerbestände, ob Kohle oder Öl, reichten nur noch für ganz wenige Wochen. Die letzten großen Kriegsschiffe und die Passagier-Liner lagen schon still. Immerhin erhöhte sich die Anzahl der im Monat April noch ausgefahrenen Flüchtlinge und Verwundeten auf 1 777 201.

Nachdem Pillau am 27. April unter fürchterlichen Begleitumständen verlorengegangen war, flohen die Menschen in Booten und Prähmen von offenen Landestellen zur Reede von Hela und gingen unter ständigen Angriffen an Bord der wartenden Frachter. Derweil gab es auch im Westen heftige Luftangriffe der Royal Air Force auf die heimkehrenden Transporter, die am 2. und 3. Mai ihren Höhepunkt erreichten. Zwischen Travemünde, Fehmarn und Eckernförde wurden 23 Handelsschiffe versenkt und acht schwer beschädigt. In der Neustädter Bucht ankerte die von der Marine schon zurückgegebene CAP ARKONA neben der DEUTSCHLAND und der THIELBEK. Die CAP ARKONA hatte 5 600, die THIELBEK 2 000 KZ-Häftlinge an Bord, die von der SS in schwedische Verhandlungen eingebracht und schon vom Roten Kreuz verpflegt wurden. Trotz weißer Flaggen wurden die Schiffe mit Phosphorbomben angegriffen, brannten aus und kenterten. Bis auf wenige hundert kamen alle Häftlinge um.

»Soviel Menschenleben retten wie möglich«

Am 1. Mai 1945 hatte Großadmiral Dönitz die Regierungsgeschäfte übernommen. Überzeugt davon, daß auch ein besiegtes Deutschland seinen Platz an der Seite der Westmächte haben sollte, versuchte er vor allem die Identität und den Restbestand der in Auflösung begriffenen Nation zu erhalten. Er sagte: »Mein Regierungsprogramm war einfach. Es galt, soviel Menschenleben zu retten wie möglich. Das Ziel war das gleiche wie in den letzten Monaten.«
Um Zeit zu gewinnen und der russischen Front standzuhalten, ließ er mit Feldmarschall Montgomery über einen Waffenstillstand im norddeutschen Raum verhandeln. Der Sieger von El Alamein, der es zunächst ablehnte, eine militärische Kapitulation mit Flüchtlingsfragen zu verquicken, brummte schließlich ein versöhnliches:

»Ich bin kein Unmensch.« So trat am 5. Mai im Westen Waffenruhe ein. Die Gesamtkapitulation vor den Alliierten, mit der alle Bewegungen zu Wasser und zu Lande aufzuhören hatten, wurde auf den 9. Mai 1945, 0.00 MEZ, festgesetzt. Ein weiterer Aufschub war unter keinen Umständen zu erreichen.
Die letzten drei Tage gipfelten in einer konzentrierten Rettungsaktion aller noch vorhandenen Kräfte. Die spärlichen Brennstoffreste wurden freigegeben und alle verfügbaren Kriegs- und Handelsschiffe zum Endspurt nach Hela und Kurland eingesetzt. Der Seetra-Chef schickte zwölf große Transporter nach Hela und vier nach Libau, begleitet von sechs Torpedobooten und sieben Zerstörern. Hinzu kam eine unübersehbare Flotte von Kleinfahrzeugen vor Ort. Vier Konvois verließen Libau mit 14 000 Soldaten, zwei weitere Windau mit 11 300 Soldaten. Während aus dem Kessel Swinemünde am 5. Mai die letzten 27 000 Mann entkamen, hielt Hela den Rekord, wo alleine am 6. Mai 43 000 Menschen abgeholt werden konnten und in letzter Stunde nochmals 20 000 Flüchtlinge und Soldaten. Aber um alle zu evakuieren, reichte die Zeit nicht mehr aus.
Als mit der bedingungslosen Kapitulation alles stillstand, gab es auf Hela noch etwa 60 000 Flüchtlinge und Soldaten, an der Weichselmündung rund 40 000. Die Armee Ostpreußen ergab sich mit 150 000 Mann; die Heeresgruppe Kurland, bestehend aus der 16. und 18. Armee, kapitulierte mit 208 000 Mann. Demgegenüber wurden zwei bis drei Millionen Menschen evakuiert und nach Westen gebracht.
Im Kielwasser aber blieben Wracks und Trümmer zurück. Die Konkursmasse eines Krieges, in dem Glaube und Opferbereitschaft des deutschen Volkes und die unbestreitbare Tapferkeit seiner Soldaten aufs schrecklichste mißbraucht worden waren.

63

Zwischen dem 15. Januar und dem 8. Mai 1945 wurden mindestens zwei Millionen Menschen, darunter eine halbe Million Verwundeter, über die winterliche Ostsee nach Westen gebracht. An dieser enormen Leistung waren rund 500 Handelsschiffe aller Größen, Sonderfahrzeuge, Fähren, Schlepper und andere Seefahrzeuge beteiligt. Auch die wenigen als Geleitschutz abkommandierten Kriegsschiffe (62) nahmen noch Menschen an Bord.

Diese unvergleichliche Rettungsaktion war notwendig geworden, nachdem die Rote Armee in mehreren gewaltigen Zangenbewegungen Ostpreußen, Westpreußen, Danzig und Hinterpommern vom Westen abgeriegelt hatte.

Tausende von Menschen warteten bei Temperaturen von unter minus 20 Grad Celsius an den Kais von Pillau, Elbing und Danzig auf das rettende Schiff (63, 64). Auf den zwischen Dänemark, der Kieler Bucht und der Danziger Bucht verkehrenden Schiffen mußten die Menschen teilweise Stunden oder ganze Tage lang an Deck ausharren, wie hier auf einem Fährprahm (61) oder auf diesem größeren Truppentransporter, der sich auf dem Weg nach Kopenhagen befindet (65).

65

64

67

Nur das Notwendigste durfte mitgenommen werden. Überflüssiges Gepäck und mitgeführte Tiere blieben zurück (66). Oftmals mußten die Einschiffungsoffiziere hart durchgreifen, wenn Parteiprominenz ihren Hausrat retten und Stäbe ihr Aktenmaterial verladen wollten.

Sowjetische Jagdflugzeuge, U-Boote und Minenfelder waren eine ständige Bedrohung für das »Unternehmen Rettung«. Auch das Linienschiff SCHLESIEN lief am 4. Mai 1945 vor Swinemünde auf eine Mine (67). Im Vordergrund der Hilfskreuzer ORION mit evakuierten Infanteristen.

Mit Menschen vollgepfropft waren
selbst Fischdampfer, Minensuch-
und Minenräumboote, Lotsenschoner, Schlepper, Leichter, Küstenfahrer und Torpedoboote (68, 69).
Viele Flüchtende hatten das
schwarze, winterliche Meer noch nie
gesehen. Aber das war der einzige
noch mögliche Weg nach Westen.

68

69

Der rettende Hafen ist erreicht. Erschöpft sitzt eine Gruppe deutscher Frauen auf einem Kai im Hafen von Kopenhagen (70). Im Hintergrund das Schlachtschiff PRINZ EUGEN, das noch in den letzten Kriegstagen vor der ostpreußischen Küste in die Abwehrkämpfe eingriff und mit seinen mächtigen Geschützen den deutschen Rückzug deckte.

Nachdem die Häfen Swinemünde, Saßnitz, Kiel und Eckernförde mit Flüchtlingen überfüllt waren, kam am 4. Feburar 1945 von höchster Stelle der Befehl, »aus dem Osten des Reiches vorübergehend zurückgeführte Volksgenossen außer im Reich auch in Dänemark unterzubringen«. Fortan fuhren die Flüchtlingsschiffe auch nach Nyborg, Aarhus und Kopenhagen. Allein in die dänische Hauptstadt strömten 50 000 Flüchtlinge.

71

72

73

Die beispiellose Evakuierung über die Ostsee war nur möglich, weil die sowjetischen Seestreitkräfte, durch Minensperren und die Vereisung des Finnischen Meerbusens blockiert, nur bedingt einsatzfähig waren. Lediglich einigen russischen Schnell- und U-Booten gelang der Durchbruch in die Mittlere Ostsee. Das U-Boot S 13 versenkte am 30. Januar die WILHELM GUSTLOFF und am 9. Februar 1945 den Verwundetentransporter STEUBEN. Etwa 10 000 Menschen kamen allein bei diesen beiden Schiffskatastrophen ums Leben.

Auch feindliche Flugzeuge bedrohten die Rettungsaktion. Ein deutscher Hilfskreuzer liegt nach Bombentreffern am 4. Mai manövrierunfähig vor Swinemünde (73). Trotz einiger tragischer Untergänge betrugen die Verluste auf See jedoch »nur« knapp ein Prozent. Allein das Lazarettschiff PRETORIA beförderte über 35 000 Menschen nach Westen (72). Am 20. April lief sie, schwer mitgenommen nach drei Luftangriffen, in den Hafen von Kopenhagen ein – auch dieser Junge war unter den Geretteten (71).

74

75

Die kleine, verschneite Seestadt Pillau mit 5 000 Einwohnern schwoll buchstäblich über Nacht auf das Zehnfache an. Insgesamt wurden von hier rund 420 000 Menschen verschifft, darunter 100 000 Verwundete (74, 75).

Schulter an Schulter warten die Menschen an der Pier der von Hitler zur Festung erklärten Stadt Kolberg (77). Die Rote Armee steht vor den Toren der Stadt. Als im Hafen Granaten einschlagen, bricht Panik aus, und die Flüchtenden stürmen die Schiffe (76).

Die Schiffe quollen über von Menschen: Auf offenem Deck drängten sich bis zu vier Personen pro Quadratmeter (78).

Die Flucht

Alfred M. de Zayas

Der deutsche Exodus aus Mittel- und Osteuropa begann nicht erst 1944 mit der Flucht vor der Roten Armee. Er setzte bereits im Jahre 1939 ein, als Hitler die »Splitter des deutschen Volkstums« aufrief, »Heim ins Reich« zu kommen. In seiner Reichstagsrede vom 6. Oktober 1939 bezeichnete er als »wichtigste Aufgabe« nach Abschluß des Polenfeldzuges »eine neue Ordnung der ethnographischen Verhältnisse, das heißt, eine Umsiedlung der Nationalitäten, so daß sich am Abschluß der Entwicklung bessere Trennungslinien ergeben, als es heute der Fall ist«.

Den Anstoß zu diesem Umsiedlungsprogramm gab das Zusatzprotokoll des deutsch-sowjetischen Nichtangriffspaktes vom 23. August 1939, welches u. a. die jeweiligen Interessenbereiche in Osteuropa abgrenzte. Da das Baltikum sowjetisches Interessengebiet war, sollten die Deutschen in diesen Staaten Gelegenheit haben, für das Reich zu optieren. Im Jahre 1939 lebten etwa 17 000 Deutsche in Estland, 63 000 in Lettland und 52 000 in Litauen.

Die Situation der Deutschbalten, die die wirtschaftliche oder adlige Oberschicht stellten, verschlechterte sich nach dem Ersten Weltkrieg, so daß viele von sich aus allmählich eine »Rück-kehr« ins Reich erwogen. Deshalb war Hitlers Einladung von 1939, ins Reich umgesiedelt zu werden, für viele Deutschbalten durchaus attraktiv. Die Mehrheit optierte 1939 für Deutschland; die übrigen folgten 1941, nachdem die Sowjetunion die baltischen Staaten besetzt hatte. So wurden die Deutschen aus Estland auf Grund des deutsch-estnischen Protokolls vom 15. Oktober 1939 und die Deutschen aus Lettland durch den deutsch-lettischen Umsiedlungsvertrag vom 30. Oktober 1939 nach Westen umgesiedelt. Diejenigen aber, die zurückgeblieben waren, sowie die Deutschen aus Litauen entschlossen sich auf Grund des deutsch-sowjetischen Umsiedlungsvertrages vom 10. Januar 1941 zur Ausreise.

Bemerkenswert ist, daß die Ausreise der Deutschbalten weitgehend freiwillig erfolgte und daß sie Hausrat sowei manchmal Pferde, Rinder, Schweine und Schafe haben mitnehmen können. Sie wurden in ihren Siedlungsgebieten – Westpreußen und Warthegau – nicht geschlossen angesiedelt, sondern lebten über das ganze Land verstreut unter der übrigen deutschen Bevölkerung. Nur in den Städten Posen, Lodz und Gdingen waren sie in größeren Gruppen anzutreffen. Nach Ausbruch des deutsch-sowjetischen Krieges im Sommer 1941 kehrten zahlrei-

129

che Deutschbalten zurück, vor allem nach Litauen, so daß sie im Sommer 1944 flüchten mußten, um von der anrückenden Roten Armee nicht überrollt zu werden.

Hitlers »Heim-ins-Reich«-Programm betraf nicht nur die Deutschbalten, sondern auch die Volksdeutschen in Wolhynien, Rumänien, Bulgarien und Jugoslawien. Vor dem Krieg lebten etwa 50 000 Volksdeutsche im polnischen Wolhynien, die 1939–40 in das Gebiet von Posen übersiedelten. Aus Rumänien wurden rund 215 000 Volksdeutsche umgesiedelt: 93 500 aus Bessarabien, 43 000 aus der Nordbukowina, 52 000 aus der Südbukowina, 154 000 aus der Norddrobrudscha, 500 aus der Süddobrudscha und 10 000 aus Altrumänien. Sie wurden überwiegend im damaligen Reichsgau Danzig-Westpreußen und im Warthegau angesiedelt.

Nur verhältnismäßig wenige Volksdeutsche wurden aus Jugoslawien umgesiedelt, rund 35 800 aus dem Krain (mit Gottschee, Nordjugoslawien), Bosnien-Herzegowina, Kroatien und Serbien. Zum Teil blieben sie im besetzten Jugoslawien, so die 14 000 Gottscheedeutschen in der Untersteiermark, während andere in Polen im Distrikt Lodz und in Lublin angesiedelt wurden. Auch die etwa 3 500 Seelen zählende deutsche Minderheit Bulgariens wanderte auf Grund eines deutsch-bulgarischen Umsiedlungs-Vertrages aus. Viele wurden im Warthegau, andere im Distrikt Lublin neu angesiedelt. Sie wurden somit ebenfalls Opfer späterer Flucht und Vertreibung.

Evakuierung und Flucht in Südosteuropa

Die sowjetische Großoffensive vom 22. Juni 1944 war der Auftakt für die Evakuierung und die Flucht der Volksdeutschen im Südosten. Den Umsiedlungen aus Rumänien zu Anfang des Krieges folgten eine Teilevakuierung bzw. Flucht ab Sommer 1944. Der politische Umsturz in Rumänien am 23. August 1944 machte den sowjetischen Truppen den Weg bis an die ungarische Grenze frei. Im September zogen die ersten volksdeutschen Flüchtlingstrecks aus Rumänien durch Ostungarn. Etwa 20 000 Volksdeutsche flüchteten aus Nordsiebenbürgen, 2 000 aus Sathmar und 66 000 aus dem rumänischen Banat und aus Südsiebenbürgen.

Im September 1944 drang die Rote Armee in Ungarn ein. Hier ging die Evakuierung verhältnismäßig organisiert auf bereits festgelegten Treckwegen vor sich. Verpflegungsstellen wurden eingerichtet und Durchgangsquartiere vorbereitet. In jedem Ort sorgte ein Evakuierungsbeauftragter für die Betreuung der durchziehenden Trecks. Die Deutschen aus Budapest wurden z. T. Ende Oktober evakuiert. Als jedoch am 24. Dezember die Stadt von sowjetischen Truppen eingeschlossen wurde, befanden sich hier noch Tausende von Volksdeutschen. In Westungarn lehnte es der weitaus größte Teil der Ungarn-Deutschen ab, die Heimat zu verlassen, denn sie hielten den Krieg für verloren und hofften darauf, die kommenden Zeiten in der altvertrauten Umgebung besser überstehen zu können als in der ungewissen Fremde. Diejenigen, die flüchteten, leiteten ihre Trecks westlich nach Österreich, einige weiter nach Bayern und Württemberg oder in nördliche Richtung nach Böhmen und Mähren, nach Sachsen und sogar bis nach Schlesien. Wichtig ist zu bemerken, daß im allgemeinen keine Spannungen zwischen Deutschen und Madjaren bestanden; nicht selten versuchten die Madjaren, die Abfahrenden zum Dableiben zu bewegen.

Trotz der Bemühungen des nationalsozialistisch orientierten Volksbundes, möglichst viele Volksdeutsche zur Evakuierung zu bewegen, blieb die Zahl der Flüchtenden verhältnismäßig gering. Sie betrug ungefähr 10–15 Prozent der Ungarn-

Deutschen, also 50 000 bis 60 000 Personen. Die Evakuierung aus Jugoslawien wurde z. T. infolge des Partisanenkrieges bereits im Januar 1944 in Gang gesetzt, als Himmler die Umsiedlung der Volksdeutschen aus den »bandengefährdeten« Gebieten Westslawoniens nach Syrmien anordnete. Bis Ende April 1944 waren rund 25 000 Slawoniendeutsche in die Umgebung von Esseg transportiert und provisorisch bei deutschen Familien und auf verlassenen serbischen Gehöften untergebracht worden. Unter dem Zwang der militärischen Lage begannen im Oktober 1944 die mit Hilfe der Wehrmacht organisierten Trecks nach Österreich zu ziehen. Aus der Batschka und Baranja gelang später etwa der Hälfte der Deutschen die Flucht. Aus dem Banat flüchteten jedoch weniger als ein Zehntel; nur die in Belgrad wohnenden Deutschen wurden noch rechtzeitig vor Beginn der Belagerung mit Eisenbahn und Schiffen aus der Stadt herausgebracht. Schätzungsweise über 200 000 Volksdeutsche flüchteten aus Jugoslawien, während über 200 000 unter der Besatzungsherrschaft von Russen und Partisanen zurückblieben.

Evakuierung aus dem Baltikum
und den deutschen Ostprovinzen

Die Evakuierung und Flucht aus den Ostprovinzen, vor allem aus Ostpreußen, gehört zu den großen Katastrophen der abendländischen Geschichte. Die Zahl der betroffenen Personen ist dabei nur ein äußerer Rahmen für die Größe des Elends, der Not, aber auch des Edelmuts in dieser Zeit.

Die Vorkriegsbevölkerung der deutschen Ostprovinzen ist vom Statistischen Bundesamt auf 9 620 800 geschätzt worden, 2 488 100 in Ostpreußen, 1 895 200 in Ostpommern, 644 800 in Ostbrandenburg und 4 592 700 in Schlesien.

Hinzu kamen 249 500 Deutsche in den Baltischen Staaten und dem Memelgebiet, 380 000 in Danzig und 1 371 000 in Polen, vor allem in den früheren Reichsprovinzen Westpreußen, Posen und Oberschlesien. Während des Krieges waren Umsiedler aus Ost- und Südosteuropa in diese Gebiete gekommen, so daß insgesamt rund zwölf Millionen Deutsche östlich der Oder-Neiße-Linie lebten. Niemand ahnte im Sommer 1944, daß ein Jahr später über sieben Millionen geflohen sein würden.

Die ersten, die vor der rasch anrollenden Front »provisorisch« evakuiert werden mußten, waren die 120 000 Memeldeutschen. Am 13. Juli 1944 wurde Wilna, am 1. August Kowno von sowjetischen Truppen eingenommen. Bald zogen die ersten Trecks von Memel nach Westen durch Ostpreußen. Dort waren die Bauern zuversichtlich, denn sie hatten im Juli 1944 den »Ostwall« gebaut. Männer bis zum 65. Lebensjahr waren zu Schippkolonnen zusammengestellt und an die östliche Grenze Ostpreußens und hinter der Narew-Front zum Bau von Panzergräben, Schützenlöchern und Bunkern geschickt worden. Für den gesamten Ostwallbau von der Memel bis Warschau lag der Oberbefehl in den Händen des Gauleiters und »Reichsverteidigungskommissars« von Ostpreußen, Erich Koch.

Die Propaganda hatte die ostpreußische Bevölkerung davon überzeugt, daß die Russen allenfalls bis Memel vorstoßen könnten, dort aber würde die Wehrmacht sie vor der Grenze Ostpreußens zunächst zum Halten bringen und dann zurückwerfen. Tatsächlich galt bis Mitte 1944 Ostpreußen als eine Oase des Friedens. Viele Tausende sogenannter »Bombenevakuierter« suchten dort Sicherheit vor den fast pausenlosen Luftangriffen im Westen. Hier vor allem fanden nach einer Vereinbarung zwischen Gauleiter Erich Koch und Goebbels viele Berliner Familien Zuflucht.

Im Sommer 1944 mußten die Heeresgruppe Mitte (Generaloberst Reinhardt) und die Heeresgruppe Nord (Generaloberst Schörner) schwere Niederlagen hinnehmen. Sie zogen von der Ukraine und Weißrußland 400 Kilometer in Richtung Ostpreußen zurück. Die »Goldfasane«, d. h. die Parteifunktionäre im besetzten sowjetischen Gebiet, deren Tätigkeit nun ein jähes Ende gefunden hatte, strömten daraufhin nach Königsberg. Die Erzählungen der zurückflutenden Menschen trugen nicht zur Beruhigung der ostpreußischen Bevölkerung bei. Danach setzte die Flucht der Bombenevakuierten aus Berlin und anderen Orten Westdeutschlands ein. Die ostpreußische Bevölkerung durfte aber zunächst nicht fliehen, weil dies als Zweifel am Endsieg ausgelegt wurde. Trotzdem warnten erfahrene militärische Befehlshaber die zivilen Behörden in Ostpreußen mehrmals vor der Bedrohung durch die sich rasch nähernde Front. Schon im August 1944 schlug der Oberbefehlshaber der 4. Armee, General Friedrich Hossbach, die vorbeugende Evakuierung der Zivilisten aus den östlichen Gebieten Ostpreußens vor, doch die politische Führung verurteilte solche Vorschläge als Defätismus und verbot sie, bis es zu spät war. Am 16. Oktober 1944 begann die Rote Armee, und zwar die 3. weißrussische Front unter General Tschernjachowski, auf einer Breite von rund 140 Kilometern eine Großoffensive mit fünf Armeen (40 Schützen-Divisionen und zahlreiche Panzerverbände) gegen die Ostgrenze von Ostpreußen. Sowjetische Flugzeuggeschwader überschütteten Gumbinnen mit Massen von Bomben und verursachten erhebliche Zerstörungen. Es gelang ihnen, große Teile der deutschen Artillerie und der panzerbrechenden Waffen zu zerschlagen. Die 1. deutsche Infanterie-Division, die den Frontalangriff abfangen mußte, erlitt erschreckend hohe Verluste. Jedes Geschütz, das noch feuerte, bildete ein Widerstandsnest. Einzelne Grenadiere, die den Nahkampf überlebten, schlugen sich zu diesen Punkten durch, doch diese wurden von den Russen überrollt. Nur wenige Versprengte konnten sich zur nächsten Auffanglinie durchkämpfen.

Die Sowjets hatten die Reichsgrenze zwar noch nicht überschritten, aber die Gefahr war so offensichtlich, daß der Landrat von Ebenrode seinen ganzen Kreis räumen ließ. Kurzfristige Evakuierungsbefehle ergingen für den Kreis Schloßberg am 17. Oktober, am gleichen Tage auch für die nördlichen und östlichen Gemeinden des Kreises Goldap; für den Kreis Gumbinnen erst am 20. Oktober, als die Russen bereits in das Kreisgebiet eingedrungen waren. Eine geordnete Evakuierung war bei der Panikstimmung nicht mehr möglich, und die überstürzte Flucht ergab ein wildes Durcheinander. Die Trecks zogen aus den Kreisen Goldap, Angerapp, Gumbinnen, Schloßberg, Tilsit und Ragnit in Richtung Westen. Viele wurden von den Russen unterwegs überrollt.

Inzwischen hatte Hitler am 18. Oktober zur Bildung des Volkssturms aufgerufen. »Während der Gegner glaubt, zum letzten Schlag ausholen zu können, sind wir entschlossen, den zweiten Großeinsatz unseres Volkes zu vollziehen. Es wird und muß uns gelingen, wie in den Jahren 1939–1940, ausschließlich auf unsere Kraft bauend, nicht nur den Vernichtungswillen der Feinde zu brechen, sondern sie wieder zurückzuwerfen und so lange vom Reich abzuhalten, bis ein die Zukunft Deutschlands, seiner Verbündeten und damit Europas sichernder Friede gewährleistet ist.«

Ungenügend bewaffnet und ausgerüstet, konnten »alle waffenfähigen Männer von 16 bis 60 Jahren« den Millionenheeren der Alliierten nicht standhalten, auch wenn sie tapfer um jedes Haus kämpften. Gauleiter Koch schickte die nicht ausgebildeten Volkssturmmänner in den Tod, z. B. das Volkssturm-Ersatz-Bataillon Goldap, das 400 Mann stark war und aus vier Kompanien bestand. Uniformen, Erkennungsmarken, Verbandpäckchen und Decken wurden nicht ausgegeben.

Am 19. Oktober brachen die Russen ins Reichsgebiet ein. Ortschaften gingen verloren und wurden durch die Wehrmacht wieder genommen, bis sie sich der russischen Übermacht ergeben mußte. Am 20. Oktober setzten die Russen neue Panzerverbände der 11. Garde-Armee (Generaloberst Galitzki) ein. Sie überquerten den Fluß Angerapp und überrannten Nemmersdorf im Kreis Gumbinnen. Am 21. Oktober bestand die Gefahr, daß Gumbinnen selbst in russische Hände fallen könnte. Die deutsche Verteidigung wurde verstärkt, auch der Volkssturm eingesetzt. Bis zum 23. Oktober hatte das Goldaper Bataillon 76 Mann durch Tod und Verwundung verloren. Die Verwundeten, die den Russen in die Hände fielen, sind wahrscheinlich als Partisanen erschossen worden, da sie ohne Uniformen kämpften.

Aber der tiefe Einbruch bis Nemmersdorf sollte den Höhepunkt der Oktoberoffensive bilden, denn es gelang durch einen Zangenangriff, die durchgebrochenen Russen abzuschneiden und an der Rominte eine neue Abwehrfront einzurichten. Die Russen behielten in ihrer Hand zwar Tilsit, Trakehnen und Ebenrode, stellten aber den Vorstoß nach Westen ein. Erst am 12. Januar 1945 griffen sie wieder an.

Nemmersdorf war eine der vielen befreiten Ortschaften. Wie war es der deutschen Bevölkerung während der Besetzung ergangen? Die qualvollen Geschehnisse sind von vielen Augenzeugen belegt. So berichtet der ehemalige Stabschef der 4. Armee Generalmajor Erich Dethleffsen: »In einer größeren Anzahl von Ortschaften südlich Gumbinnen (wurde) die Zivilbevölkerung – z. T. unter Martern wie Annageln an Scheunentore – durch russische Soldaten erschossen. Eine große Anzahl von Frauen wurde vorher vergewaltigt. Dabei sind auch etwa 50 französische Kriegsgefangene durch russische Soldaten erschossen worden.« Der Augenzeuge Oberleutnant Dr. Heinrich Amberger berichtete über Nemmersdorf weiter: »Am Straßenrand und in den Höfen der Häuser lagen massenhaft Leichen von Zivilisten, die augenscheinlich nicht im Lauf der Kampfhandlungen durch verirrte Geschosse getötet, sondern planmäßig ermordet worden waren. Unter anderem sah ich zahlreiche Frauen, die man, nach der Lage der verschobenen und zerrissenen Kleidungsstücke zu urteilen, vergewaltigt und danach mit Genickschuß getötet hatte; zum Teil lagen daneben auch die ebenfalls getöteten Kinder.«

Auch Schweizer Korrespondenten haben damals über Nemmersdorf berichtet. Am 7. November 1944 veröffentlichte der Genfer »Courrier« einen Augenzeugenbericht seines Sonderkorrespondenten an der Ostfront: »Die Lage wird nicht nur durch die erbitterten Kämpfe der regulären Truppen gekennzeichnet, sondern leider auch durch Verstümmelung und Hinrichtung der Gefangenen und die fast vollständige Ausrottung der deutschen bäuerlichen Bevölkerung.« Die Zahl der Opfer wird verschieden angegeben. Man kann davon ausgehen, daß zwischen 50 und 80 Zivilisten getötet wurden.

Aber sehr viel Blut war vorher von den Deutschen in der Sowjetunion und in Polen vergossen worden. Die Hetzparolen von sowjetischen Schriftstellern gossen weiteres Öl ins Feuer. So ließ sich Ilja Ehrenburg in einem Flugblatt zu der Äußerung hinreißen: »Die Deutschen sind keine Menschen. Von jetzt ab ist das Wort ›Deutscher‹ für uns der allerschlimmste Fluch . . . für uns gibt es nichts Lustigeres als deutsche Leichen.« Ähnlich schrieb er in der Soldatenzeitung »Krasnaja

Swesda« am 24. Oktober 1944: »Wir befinden uns in der Heimat Erich Kochs, des Statthalters der Ukraine – damit ist alles gesagt. Wir haben es oft genug wiederholt: Das Gericht kommt! Jetzt ist es da.«

Und: »Es genügt nicht, die Deutschen nach Westen zu treiben. Die Deutschen müssen ins Grab hineingejagt werden. Gewiß ist ein geschlagener Fritz besser als ein unverschämter. Von allen Fritzen aber sind die toten die besten.«

Auch die Schriften Alexej Tolstojs, Simonows, Surkows und vieler anderer hatten großen Einfluß auf die Moral der Truppe. Drei Monate später, während der erfolgreichen Januar-Offensive, schrieb ein sowjetischer Berichterstatter angesichts des brennenden Insterburg: »Es gibt kaum ein erziehenderes Schauspiel als eine brennende feindliche Stadt. Man sucht in seiner Seele nach einem Gefühl, das dem Mitleid ähnlich wäre, doch man findet es nicht . . . Brenne, Deutschland, du hast es nicht besser verdient. Ich will und werde dir nichts von dem verzeihen, was uns angetan wurde durch dich . . . Brenne, verfluchtes Deutschland.«

Als deutlicher Gegensatz zu diesen Parolen für die Soldaten liest sich Stalins Tagesbefehl Nummer 55, mit dem er die Welt zu beruhigen suchte: »Manchmal wird darüber geschwätzt, daß die Rote Armee das Ziel habe, das deutsche Volk auszurotten . . . Es wäre lächerlich, die Hitler-Clique dem deutschen Volke, dem deutschen Staate gleichzusetzen. Die Erfahrungen der Geschichte besagen, daß die Hitler kommen und gehen, aber das deutsche Volk, der deutsche Staat bleibt.« Worte der Vernunft, wenn man hier Stalin ernstnehmen könnte, und doch wirken sie nur wie eine klägliche Arabeske am Rande der harten Realität des Krieges in Ostdeutschland.

Denn was in Nemmersdorf im Oktober 1944 passierte, wiederholte sich in unzähligen Dörfern Ostpreußens, Pommerns und Schlesiens in den letzten Monaten des Krieges. So z. B. in Metgethen, einem Vorort von Königsberg, der vom 29. Januar bis 19. Februar 1945 in russischer Hand war, dann von der deutschen 5. Panzer-Division und 1. Infanterie-Division wieder befreit wurde. Dort wurden 32 Zivilisten auf einem eingezäunten Tennisplatz zusammengetrieben und durch eine elektrisch gezündete Mine in die Luft gesprengt. Etliche Frauen wurden vergewaltigt, dann getötet.

Was sich dort abgespielt hat, wurde von Gauleiter Koch in allen Einzelheiten durch Flugblätter bekanntgegeben, um die Bevölkerung zu verzweifeltem Widerstand anzustacheln. Zusätzlich ließ Goebbels den »Durchhalte-Film« Kolberg nach Königsberg fliegen, um ihn dort überall zu zeigen. Der 1943 gedrehte Veit-Harlan-Film stellt das Schicksal der Bewohner der pommerschen Stadt Kolberg dar, die unter Führung von Gneisenau und Nettelbeck im preußisch-französischen Krieg von 1806/07 ihre Stadt auch dann den napoleonischen Truppen nicht übergaben, als das geschlagene preußische Heer nach Ostpreußen floh.

Die Ereignisse, die sich beim Einmarsch der Roten Armee abspielten, stellen zweifellos den tiefsten Punkt der Erniedrigung dar, die die Ostdeutschen erleben mußten. Alexander Solschenizyn, damals ein junger Hauptmann der Roten Armee, schildert den Einmarsch seines Regiments in Ostpreußen im Januar 1945: »Nach drei Wochen Krieg in Deutschland wußten wir Bescheid: Wären die Mädchen Deutsche gewesen – jeder hätte sie vergewaltigen, danach erschießen dürfen, und es hätte fast als kriegerische Tat gegolten . . .« Noch eindrucksvoller beschrieb er eine Szene in Neidenburg in seiner Dichtung »Ostpreußische Nächte«:
»Zweiundzwanzig, Höringstraße.
Noch kein Brand, doch wüst, geplündert.

Durch die Wand gedämpft – ein Stöhnen:
Lebend finde ich noch die Mutter.
Waren's viel auf der Matratze?
Kompanie? ein Zug? Was macht es!
Tochter – Kind noch, gleich getötet.
Alles schlicht nach der Parole:
NICHTS VERGESSEN! NICHTS VERZEIH'N!
BLUT FÜR BLUT! Und Zahn für Zahn.
Wer noch Jungfrau, wird zum Weibe,
und die Weiber – Leichen bald.
Schon vernebelt, Augen blutig,
bittet: ›Töte mich, Soldat!‹«

Solschenizyn setzte sich gegen eine solche Behandlung Unschuldiger ein und wurde deswegen verhaftet und nach GULAG verbannt. Das gleiche passierte dem Major Lew Kopelew.

Doch in seiner »Geschichte des Großen Vaterländischen Krieges« schrieb Professor Boris Telpuchowski vom Institut für Marxismus-Leninismus beim Zentralkomitee der KPdSU: »Das Benehmen der Sowjetsoldaten, der Zöglinge der KP, zur deutschen Bevölkerung war menschlich.«

Doch Tausende von Frauen, die nicht mehr fliehen konnten, haben den Freitod den Vergewaltigungen und Mißhandlungen vorgezogen. Geradezu erschreckend ist die Zahl der Selbstmorde in Ostpreußen, Pommern und Schlesien. Frau E. S. aus Rössel in Ostpreußen berichtet: »Etwa am 20. Februar 1945 kamen feste Verbände nach Rössel . . . Tag und Nacht wurde geplündert. Die Vergewaltigungen nahmen kein Ende. Viele Frauen, z. B. Frau B., baten Dr. N. vom Krankenhaus um Gift. Er gab es nicht. Unter den von wüsten Männern viehisch Mißhandelten befanden sich Kinder von 13–14 Jahren, so die 14jährige Tochter von W. F. und die 13jährige Tochter von Kaufmann V. M. Meine Freundin E. W. wurde von russischen Soldaten zu ihrer Mutter gebracht, sie konnte vor Schwäche nicht mehr gehen und war lange krank.

Ein Mädel aus der Siedlung konnte die Vergewaltigungen nicht mehr ertragen, nahm Essigessenz und starb unter furchtbaren Schmerzen. Ein anderes Mädel hängte sich aus demselben Grunde auf, eine Flüchtlingsfrau ebenfalls.« Vielen Berichten gemeinsam ist der Hinweis auf betrunkene Soldaten. Denn überall wurden Alkoholvorräte gefunden, in privaten Kellern, in Schnapsbrennereien.

Ein weiteres Beispiel der sinnlosen Tötung von Zivilisten liefert Hans Graf von Lehndorff, dessen Bruder und Mutter die Flucht als aussichtslos aufgaben und auf einem Gutshof bei Altmark in Westpreußen auf die Russen warteten. Am 25. Januar gegen Abend waren sie da: »In dem Durcheinander . . . wurde mein Bruder mit dem Messer schwer verletzt. Meine Mutter konnte ihn noch notdürftig verbinden. Dann kamen andere Russen, fragten wer er sei, und erschossen ihn dann mit meiner Mutter zusammen.«

Die Trecks

Spätestens am 22. Januar war der Zugverkehr von Ostpreußen nach dem Reich auf allen Strecken gesperrt. Auch die Trecks kamen nicht mehr durch, denn am 26. Januar wurde Ostpreußen bei Elbing abgeschnürt; damit war die Flucht von Osten nach Westen nicht mehr möglich. Die auf dem Weg befindlichen Trecks mußten nach Norden ausweichen. Der Kreis schloß sich immer enger. Am 21. Januar fiel Allenstein, am 26. Januar Rastenburg, am 28. Januar Sensburg und Rössel. Die Trecks strömten nach Norden zum Frischen Haff, in die Kreise Pr. Eylau, Heilsberg, Braunsberg und Heiligenbeil.

Der Weg über vereiste Straßen und durch tosende Schneestürme war nicht leicht. Die Frauen mußten es allein schaffen, denn die Männer waren beim Volkssturm. Die Pferde glitten immer wieder aus, Wagen brachen zusammen.

Es fehlte an Nahrungsmitteln, vor allem an Milch für die Kleinkinder.

Wieviel schwere Arbeit, Last und Not haben die ostdeutschen Frauen bei den Flüchtlingstrecks getragen! Glücklich waren diejenigen, die hilfsbereite französische und belgische Kriegsgefangene zur Unterstützung hatten. Diese hatten meistens über vier Jahre in Betrieben oder auf dem Lande gearbeitet. Als die Stunde der Flucht kam, entschlossen sich viele, mit nach Westen zu ziehen, anstatt sich von den russischen Soldaten befreien zu lassen. Dankbare Ostpreußen haben in vielen Berichten solche Hilfeleistung gewürdigt: »Mit zwei Wagen, von denen der Franzose den einen und meine Tochter den anderen fuhr, begaben wir uns auf die Flucht über das Haff. Das Eis war in dieser Zeit schon sehr morsch und brüchig geworden, und auf der Fahrt sah man viele Stellen, wo Flüchtlinge mit bis aufs Haff geretteten Sachen untergegangen waren. Auch hier hat er alle Schwierigkeiten, die uns an der Flucht hinderten, beseitigt . . .«

Als in vielen Fällen die Trecks von den Russen überrollt wurden, waren es die französischen und belgischen Kriegsgefangenen, die die Frauen vor Belästigungen schützten. »Sie kamen in Gruppen mit Karren und Handwagen, und wenn sie merkten, daß die Russen über uns herfallen wollten, nahmen sie uns in die Mitte ihrer Kolonne.« Immer wieder gaben Kriegsgefangene junge deutsche Mädchen als ihre Ehefrauen aus.

Zum Drama der Flucht gehören zahllose Szenen der Verzweiflung und Not. Geradezu katastrophal gestaltete sich die Flucht der Ostpreußen über das Frische Haff und die Nehrung. Das Eis war brüchig. Stellenweise mußten die Flüchtlinge sich durch 25 Zentimeter hohes Wasser hindurchschleppen. Mit Stöcken tasteten sie die Fläche vor sich ab. Zahllose Bombentrichter zwangen sie zu Umwegen. Häufig rutschte man

aus und glaubte sich bereits verloren. Die Kleider, völlig durchnäßt, ließen nur schwerfällige Bewegungen zu. Aber die Todesangst vertrieb die Frostschauer, die über den Körper jagten.

Die Bauersfrau I. S. aus Großroden, Kreis Tilsit in Ostpreußen, erlebte, wie ihr Treck von Tieffliegern angegriffen wurde: »Die Bomben schlugen Löcher, und ganze Reihen von Wagen gingen unter. Wir hatten keinen Lebensmut und warteten sehnsüchtig auf den Tod . . . Als dieser Angriff beendet war, sind wir Überlebenden weitergefahren.«

Unterwegs auf der Nehrung wurden Frauen im Wagen entbunden; und wenn das letzte Stück Brot bereits verzehrt war, suchten die Flüchtlinge noch überall nach Essen. Und noch viel schlimmer als der Hunger war der Durst. Aber Wasser durfte wegen Typhusgefahr nicht getrunken werden.

Die Straße über die Nehrung war so schmal, daß zwei Wagen nebeneinander nur ganz knapp Platz hatten. Zur Linken schimmerte die Eisfläche des Haffs, zur Rechten war Wald. Bereits ein Drittel der Wagen war auf dem Eis liegen geblieben, ein weiteres Drittel ging auf der Straße kaputt. Wenn jemand einen Radbruch hatte, entwickelte sich ein Stau, der einige Stunden dauerte. Wieder ein Loch, wieder tiefster Schlamm, wieder eine Anhöhe! Ob man noch durchkommen würde? An manchen Tagen kam man nur drei bis fünf Kilometer vorwärts.

Die Flucht aus Danzig-Westpreußen und Pommern

Seit Ende Januar 1945 waren der Nordteil Westpreußens mit Danzig und der Halbinsel Hela sowie Ostpommern das Auffangbecken und der Durchmarschraum für die Flüchtlinge aus Ostpreußen und den westpolnischen Gebieten. Viele treckten weiter nach Pommern, ein Teil konnte mit der Eisenbahn von Danzig oder per Schiff das Reichsgebiet westlich der Oder erreichen. Abgesehen von diesen Flüchtlingen lebten zu dieser Zeit etwa drei Millionen Deutsche in dem Gebiet zwischen Ostpreußen und dem Unterlauf der Oder: 400 000 in Danzig selbst, 620 000 in Westpreußen und 1,6 Millionen in Ostpommern. Obwohl im Gegensatz zur Provinz Ostpreußen für Westpreußen seit dem Herbst 1944 detaillierte Räumungspläne aufgestellt worden waren, wurde ihre Ausgabe im Januar so lange verzögert, bis die Pläne durch die Ereignisse überholt waren. Nur in vereinzelten östlichen Kreisen wie Neumark wurde eine Evakuierung bereits am 18. Januar durchgeführt. Dagegen erhielten die Kreise Rosenberg und Marienwerder erst am 20. Januar Fluchterlaubnis, die Kreise Stuhm und Marienburg am 23. Januar. Russische Panzer erreichten diese Gebiete am 23. Januar auf ihrem Vorstoß nach Elbing und erfaßten mehrere Trecks noch östlich von Nogat und Weichsel.

Im Brennpunkt der Fluchtbewegung standen natürlich die Weichselübergänge bei Marienwerder und Dirschau sowie an der Nogat bei Marienburg. Erstaunlicherweise gelang es etwa 80 Prozent der in Elbing zusammengedrängten Menschen, nach Danzig und Pommern zu entkommen, bevor die Stadt am 10. Februar von sowjetischen Truppen eingenommen wurde.

Zur gleichen Zeit flüchteten auch die Deutschen aus Graudenz, Thorn und Bromberg. Die Wege waren überall verstopft und die Weichselbrücken den Wehrmachtskolonnen vorbehalten, so daß die Trecks über das Eis ziehen mußten. In diesen Gebieten befanden sich nicht nur die zahlreiche einheimische deutsche Bevölkerung, sondern auch die 300 000 umgesiedelten Volksdeutschen aus den baltischen Staaten, aus Wolhynien und Bessarabien.

Am 25. Januar wurde die Festung Posen eingeschlossen, allerdings erst nachdem ein Großteil der deutschen Bevölkerung per Eisenbahn evakuiert worden war. Am 23. Februar mußte Posen kapitulieren.

Mittlerweile gelang es der deutschen Wehrmacht, in Pommern kleine Geländegewinne zu erzielen und einen Teil der deutschen Bevölkerung zu befreien. So berichtete der Bauer A. S. aus Schlagenthin, Kreis Arnswalde, daß die Russen den Ort am 5. Februar besetzten, viele Bewohner erschossen und die Frauen vergewaltigt hatten. Als am 16. Februar jedoch schwere Kämpfe einsetzten, rückten die Russen ab. Etwa 150 Personen flohen sofort zur deutschen Front, aber über 700 blieben zurück, die am nächsten Tag wieder von den Russen erfaßt und zum Teil verschleppt wurden.

Im Monat Februar veränderte sich die Front kaum, die entlang der Linie Graudenz-Zempelburg-Märkisch Friedland-Stargard-Pyritz verlief. Diese vierwöchige Kampfpause wurde weitgehend nicht ausgenützt, um zu fliehen, denn die Einheimischen sowie viele Flüchtlinge aus Ost- und Westpreußen ließen sich durch die relative Ruhe dazu verleiten, in diesen Gebieten zu bleiben. Hinzu kommt, daß die Parteibehörden für ganz Pommern und das nördliche Westpreußen die Flucht der Bevölkerung ausdrücklich verboten und in einigen Fällen die Weiterfahrt der aus Osten kommenden Trecks ebenfalls untersagten. Deshalb waren mindestens 2,5 Millionen Deutsche, ein Viertel davon Flüchtlinge, in Pommern und Danzig, als der neue russische Angriff in den ersten Märztagen begann.

Binnen zwei Wochen nahmen die sowjetischen Armeen – unterstützt von der 1. polnischen Armee – ganz Ostpommern in Besitz. Sie erreichten die Odermündung bei Stettin und schnitten die Fluchtwege ab. Viele treckten in Richtung Kolberg, um von dort aus entweder mit dem Schiff oder an der Ostseeküste entlang über

Dievenow nach dem Westen zu kommen. Die allgemeine Fluchtrichtung ging also nach Norden und Nordosten. Zahllose Trecks wurden unterwegs überrascht.

Die Belagerung der Stadt Kolberg begann am 7. März, als sich etwa 80 000 Menschen dort aufhielten. Dank der zähen Verteidigung konnten bis zur Einnahme der Stadt am 18. März etwa 70 000 Menschen über See abtransportiert werden.

Für Tausende von Flüchtlingen, die nach Danzig strömten, wurde dieses Ziel zum Verhängnis. Zunächst gab es Auffanglager, und viele Flüchtlinge konnten in privaten Wohnungen untergebracht werden. Nach allem, was sie bisher durchgemacht hatten, bedeuteten Fliegeralarm und Luftschutzkelleraufenthalt nicht viel. Aber seit Ende Februar fuhr die Eisenbahn nicht mehr ins Reich, und der Ring um Danzig wurde immer enger. Nur der Weg über die Ostsee war noch offen. Aller verfügbare Schiffsraum wurde nach den Häfen Danzig, Gdingen und nach Hela beordert. Am 22. März gelang den sowjetischen Truppen zwischen Danzig und Gdingen der Durchbruch an die Küste. Am 25. März mußten die Hafenanlagen von Danzig und Gdingen gesprengt werden. Als Danzig am 27. März besetzt wurde, waren noch etwa 200 000 Einheimische und Flüchtlinge in der Stadt.

Die Flucht aus Schlesien

Anfang 1945 lebten in Schlesien rund 4,7 Millionen Menschen. Ihre Evakuierung und Flucht verliefen geordneter als in Ostpreußen und Pommern, denn Schlesien wurde nicht in so kurzer Zeit überrollt. Die erste große Fluchtwelle brach um den 19. Januar 1945 los.

Im ostoberschlesischen Industriegebiet sollten lediglich Frauen mit kleinen Kindern evakuiert werden, denn die Produktion sollte in vollem Umfang aufrechterhalten werden. Die Bahnstrecke Ratibor – Neiße konnte aber nicht alle befördern, die fliehen wollten. Deshalb bildeten sich Trecks, die entweder nach Sachsen oder in Richtung Sudetenland zogen. Viele blieben freiwillig daheim, um dem Tod durch Erfrieren auf der Landstraße zu entgehen, denn die Flüchtlinge mußten öfter auf freiem Feld in Schnee und Eis kampieren. Als Ostoberschlesien Ende Januar von sowjetischen Truppen besetzt wurde, waren noch etwa eine halbe Million Deutsche dort.

In den östlich der Oder gelegenen Landkreisen Niederschlesiens waren von den rund 700 000 Einwohnern höchstens 100 000 zurückgeblieben. Die Mehrheit wurde in Eisenbahnzügen, Omnibussen und Kraftfahrzeugen befördert.

Die Flucht ging nicht nur nach Westen, sondern auch nach Süden und Südwesten in das Sudetenland hinein, wo sich bei Ende des Krieges etwa 1,6 Millionen Schlesier befanden. Aus Breslau konnten nicht alle mit dem Zug evakuiert werden. Über 100 000 Menschen, meist Frauen, mußten die Stadt während härtester Kälte zu Fuß verlassen. Vom 20. Januar an wurde durch Lautsprecher die Aufforderung durchgegeben: »Frauen und Kinder verlassen die Stadt zu Fuß in Richtung Opperau-Kanth!« Einen schriftlichen Wehrmachtsbefehl, die Stadt zu Fuß zu verlassen, erhielt am 22. Januar die Regierungsangestellte Elisabeth Erbrich: »In meinem Rucksack das Notwendigste, auf dem Leibe Unterwäsche und Kleider, soviel ich anziehen konnte, ein Paar Stiefel an den Füßen, in einer großen Handtasche ein gekochtes Huhn und Eßbares für die nächsten Tage, so trat ich meine Flucht an ... Es war eisiges, sonnenklares Winterwetter und 16 Grad Kälte ... Wie eine Karawane zogen die Flüchtlinge ... wie eine schwarze Schlange im leuchtend weißen Schnee.« 22 Kilometer von Breslau entfernt konnte Frau Erbrich einen Güterzug nach Gnadenfrei, dann nach Liegnitz und Görlitz nehmen. Unter den Flüchtlingen am Bahnhof herrschte Panikstimmung. Vor den Zugtüren stauten sich die Massen. Einer riß den anderen von der Tür. Kinder wurden von ihren Müttern getrennt. Alte Frauen irrten umher ohne jedes Gepäck. Sie hatten den Verstand verloren und wußten nicht mehr ihren Namen und woher sie kamen. Das Deutsche Rote Kreuz und die NSV (Nationalsozialistische Volkswohlfahrt) taten, was sie konnten, um zu helfen.

Als Mitte Februar die Russen den Ring um Breslau geschlossen hatten, waren noch etwa 200 000 Zivilpersonen in der Stadt. Durch die darauf folgenden Luftangriffe und Kampfhandlungen kamen schätzungsweise 40 000 um. Aber die Festung hielt. Erst am 6./7. Mai kapitulierte die Stadt: Zuvor war Gauleiter Hanke ausgeflogen worden.

Die Flüchtlinge im Westen

In den letzten Monaten des Krieges hatte sich etwa die Hälfte der ostdeutschen Bevölkerung nach Westen abgesetzt. Dort mußten sie das bittere Schicksal der Städter in Sachsen und Mecklenburg teilen. Viele, die alle Strapazen der Flucht überstanden hatten, starben unter den Bombenteppichen der angloamerikanischen Bomberverbände. Der verheerendste Angriff ereignete sich in der Nacht vom 13. zum 14. Februar 1945 auf Dresden. Die schöne Barockstadt war mit etwa 600 000 schlesischen Flüchtlingen vollgestopft; viele waren in Eisenbahnzügen, andere mit Trecks gekommen, sie hatten kampiert, wo immer es möglich war, und hofften, in Dresden nur so lange zu bleiben, bis sie nach Schlesien zurückkehren konnten. In den mehr als fünf Kriegsjahren war Dresden von Luftangriffen verschont geblieben, gewiß nicht aus humanitären Erwägungen, sondern weil hier keine

wichtigen militärischen Objekte einen Angriff rechtfertigten. Natürlich hatte Dresden einen Bahnhof, von dem aus sich die Bahnlinien in viele Richtungen verzweigten. Die Zerstörung des Bahnhofs hätte einen strategischen Angriff rechtfertigen können, jedoch nicht Bombenteppiche in einer Zeit, in der Dresden – wie man auf alliierter Seite wußte – von Flüchtlingen überquoll.

Dann, um 22.00 Uhr am 13. Februar, erschien über Dresden eine Wolke britischer Bomber. Der erste Angriff wurde um 22.21 Uhr abgeschlossen. Hauptsächlich Phosphorbomben waren abgeworfen worden. Die Stadt brannte. Ein zweiter Angriff erfolgte um 1.30 Uhr am 14. Februar. Insgesamt waren 1 400 britische Flugzeuge beteiligt. Und als ob dies nicht genug wäre, warfen um 12.12 Uhr noch 450 amerikanische Flugzeuge Bomben ab. Insgesamt wurden 3 430 Tonnen Brand- und Sprengbomben abgeworfen. Die begleitenden P-51 Jäger griffen im Tiefflug die Menschen auf den Straßen und die auf den Elbwiesen rastenden Flüchtlingstrecks an. 135 000 Menschen starben. 400 000 wurden obdachlos.

War dieser Angriff notwendig? Hat er die Beendigung des Krieges um einen einzigen Tag beschleunigt? Wie viele der Opfer waren schlesische Flüchtlinge? 50 000? Vielleicht mehr.

Gerhart Hauptmann, der schlesische Dichter aus Agnetendorf im Riesengebirge, befand sich im Sanatorium Weidner in Dresden-Loschwitz. Von dort aus sah er die brennende Stadt und sagte in Tränen: »In diesem Augenblick wollte ich sterben.« Später schrieb er: »Wer das Weinen verlernt hat, der lernt es wieder beim Untergang Dresdens . . . Ich stehe am Ausgang des Lebens und beneide alle meine toten Geisteskameraden, denen dieses Erlebnis erspart geblieben ist.«

Aber nicht nur in Dresden, sondern in vielen anderen Städten und Dörfern sanken mittelalterliche und barocke Kirchen und Schlösser in Schutt und Asche. Sie begruben unter sich Tausende ostdeutscher Flüchtlinge.

Die Flucht aus der Tschechoslowakei

In der Tschechoslowakei sah die militärische Lage anders aus als in Schlesien oder Ostpreußen. Bis zum Beginn des Jahres 1945 blieben das Sudetenland und das Protektorat Böhmen-Mähren von unmittelbaren Kriegseinwirkungen verschont. Erst die sowjetische Großoffensive vom 12. Januar 1945 bedrohte die östlichen sudetendeutschen Siedlungsgebiete. Die Heeresgruppe Mitte unter Generalfeldmarschall Ferdinand Schörner konnte die Offensive der 1. ukrainischen Front (Konjew) auffangen und den Durchbruch nach der Tschechoslowakei vereiteln. Ende März begann die Offensive der 4. ukrainischen Front (Petrow), die zusammen mit der 2. ukrainischen Front (Malinowski) nach Preßburg und Brünn stieß. Am 24. April fielen Troppau und Brünn. Doch blieben bis zur Kapitulation die größeren Teile des Sudetenlandes in deutscher Hand. Deshalb gab es in der Tschechoslowakei keine überstürzte Flucht wie z. B. aus Ostpreußen. Bereits im Februar 1945 wurde ein Eisenbahntransport mit etwa 600 Frauen und Kindern aus Warnsdorf im Nordsudetenland bis nach Bayern geleitet.

Ab März 1945 vollzog sich im Ostsudetenland eine geordnete Evakuierung unter günstigeren klimatischen Bedingungen, die deswegen wenige Opfer forderte. Die erste Evakuierungswelle erfaßte etwa 30 000 Sudetendeutsche. Als die Gefahr akuter wurde, versuchten Parteidienststellen, die Bauern zum Verlassen ihrer Höfe zu zwingen. Diese zögerten jedoch, angesichts des bevorstehenden deutschen Zusammenbruchs ihre Höfe zu verlassen. Ein Teil der Bevölkerung aus Südmähren entschloß sich im April 1945 zur

Flucht ins niederösterreichische Waldgebiet. Der Hauptschuldirektor Matthias Krebs aus Neusiedl, Kreis Nikolsburg, zog am 17. April 1945 mit einem großen Treck von 48 Wagen nach Großsiegharts und Thumeritz in Österreich, wo die Flüchtlinge bis zur Kapitulation bleiben konnten.

Viele Deutsche in den Sprachinseln Mährens, wie Mährisch-Ostrau und Olmütz, entschlossen sich, nach Böhmen zu ziehen; sie wurden meistens mit der Eisenbahn oder mit Autobussen nach Westen geschafft. Viele Evakuierte sind dann vom Ausbruch des tschechischen Aufstandes am 5. Mai 1945 überrascht worden. Besonders hart war das Schicksal derjenigen, die sich in innertschechischem Gebiet befanden. Sie wurden mißhandelt, beraubt und die Männer häufig interniert. Viele versuchten heimzukehren und fanden ihre Wohnungen und Höfe entweder ausgeplündert oder beschlagnahmt und von Tschechen besetzt vor. Manchmal fanden sie bei Nachbarn oder Verwandten Unterkunft, oder sie wurden gleich in eines der zahlreichen Lager eingewiesen.

Andere versuchten, nach Westen zu den Amerikanern zu flüchten. Die amerikanische 3. Armee unter General George S. Patton hatte nämlich die Westtschechoslowakei bis zur Linie Karlsbad-Pilsen-Budweis besetzt. Dort kam es allerdings nicht zu Plünderungen, Vergewaltigungen oder sonstigen Drangsalierungen bei der Besetzung. Aus den Berichten ist zu entnehmen, daß die Bevölkerung trotz der Unannehmlichkeiten einer feindlichen Besetzung aufatmete und eine baldige Normalisierung erhoffte. Als sie dann von den Potsdamer Beschlüssen über die Zwangsaussiedlung erfuhren, entschlossen sich einzelne sudetendeutsche Familien, der Vertreibung zuvorzukommen und mit Hilfe der Amerikaner sogar Haushalt und Möbel auf Heeresfahrzeugen nach Bayern zu retten.

Die Rückkehr

Das Kapitel über die Flucht darf nicht abgeschlossen werden, ohne zu erwähnen, daß Millionen von Flüchtlingen, die in den ersten Monaten des Jahres 1945 ihre Heimat in Ostdeutschland verließen, fest davon überzeugt waren, daß sie bald wieder, wenn der Krieg endlich vorbei sei, in ihre Wohnorte zurückkehren könnten. Im April 1945 betrug die deutsche Bevölkerung in den Ostprovinzen etwa 4 400 000 Menschen. Bis zum Juli 1945 waren 1 125 000 Flüchtlinge zurückgekehrt, weil sie die Härten des verlorenen Krieges lieber in der Heimat durchstehen wollten. Sie ahnten nicht, daß sie wieder vertrieben werden würden. Andere hatten von der alliierten Entscheidung, die Deutschen auszuweisen, gerüchteweise gehört, sie begriffen aber nicht, daß die 700 Jahre alten ostdeutschen Siedlungen von heute auf morgen zerschlagen werden sollten.

Die Rückkehr spielte sich in verschiedenen Phasen ab. Die ersten, die zurückkehrten, waren die Flüchtlinge, die vom raschen sowjetischen Vormarsch abgeschnitten worden waren. Bereits in den letzten Januartagen 1945 kehrten viele Ostpreußen in die heimatlichen Orte zurück. Dann folgten eine zweite Welle der Rückwanderung im März und eine dritte nach der Kapitulation am 7./8. Mai 1945.

Die ostdeutschen Flüchtlinge, die in Mitteldeutschland Zuflucht gefunden hatten – in Sachsen, Mecklenburg, Brandenburg und Westpommern – hatten ihre Heimatorte vor der Roten Armee verlassen, ohne dem Regime der Sowjets entkommen zu sein. Deshalb wollten sie ihr weiteres Schicksal lieber in der Heimat abwarten, zumal sich die russischen Truppen nach der Kapitulation sehr viel disziplinierter zeigten als vorher.

Die russischen Militärbefehlshaber und die in den einzelnen Orten eingerichteten Kommandanturen verhielten sich zur Rückkehr der Flüchtlinge durchaus nicht einheitlich. In vielen Fällen wurden Trecks sofort zur Umkehr gezwungen, oder es wurde ihnen die Erlaubnis zur Rückkehr erteilt. In anderen Fällen registrierte man sie und behandelte sie wie die einheimische Bevölkerung.

Der Bauer Paul Ewert aus Montauerweide, Kreis Stuhm in Westpreußen, war bis Lauenburg in Pommern geflohen, wo sein Treck im März 1945 überrollt worden war: »Mitte Mai wurde uns mitgeteilt, daß Güterzüge über Lauenburg, Neustadt, Danzig, Thorn nach Rußland führen und Flüchtlinge in die Heimat mitnähmen. Nähere Erkundigungen bei der russischen Kommandantur in Lauenburg bestätigten dies. Nach Entrichtung von 10 RM pro Erwachsener bekamen wir einen Ausweis in russischer und polnischer Sprache und fuhren am 29. Mai von Lauenburg ab ... Bei unserer Ankunft waren bereits zurückgekehrt bzw. kehrten im Laufe des Sommers 97 Personen (von ursprünglich 362 Einwohnern) zurück.«

Es scheint, daß vor der Potsdamer Konferenz die russischen Militärbefehlshaber keine Anweisungen über die geplante Vertreibung der Deutschen erhalten hatten. Es war zunächst militärisch sinnvoll, Flüchtlingsansammlungen zu vermeiden und eine bessere Kontrolle der Bevölkerung dadurch zu erreichen, daß jeder in sein Heimatgebiet zurückkehrte.

Insgesamt gesehen war die sowjetische Haltung undurchsichtig und widerspruchsvoll, denn manchmal haben die Russen die von den polnischen Behörden schon vor der Potsdamer Konferenz begonnenen Ausweisungsaktionen in Einzelfällen behindert, in den meisten Fällen aber gebilligt. Tausende von Flüchtlingen hatten jedenfalls den Rückweg angetreten, und viele konnten über die Oder und Neiße nach Osten gehen. Ende Juni/Anfang Juli 1945 wurde an den Übergängen über die Oder und Neiße der Weg für die Rückkehr gesperrt. Besonders im Raum von Görlitz entstand hierbei eine große Verwirrung. Am westlichen Ufer und in der Stadt Görlitz staute sich der Rückwanderungsstrom, während Tausende der von den polnischen Verwaltungsbehörden zwangsweise Ausgetriebenen über die Neiße nach Westen kamen. Die Not stieg ins Unermeßliche. Elisabeth Erbrich aus Breslau erinnert sich: »Wieder nahmen sich viele Rückwanderer das Leben, weil sie die Kraft nicht mehr fanden, noch einmal in eine ungewisse Zukunft und ohne Ziel zu wandern.«

Aber die, die sich bereits östlich von Oder und Neiße befanden, konnten in vielen Fällen die Rückkehr fortsetzen, wenn sie nicht zur Zwangsarbeit rekrutiert wurden. Gleichgültig, ob es sich um Flüchtlinge oder Einheimische handelte, wurden die in den Dörfern und Städten angetroffenen Deutschen von sowjetischen Kommandeuren zur Beseitigung von Trümmern, Bestellung von Feldern, zum Abbau von Eisenbahngleisen sowie zu anderen Zwangsarbeiten herangezogen. Für manche Flüchtlinge dauerte es Wochen und Monate, bis sie ihre Heimat erreichten, und viele mußten erleben, daß der Rückweg die vorangegangene Flucht an Strapazen und Gefahren noch übertraf. Der Eisenbahnverkehr lag still, Trecks waren ihrer Pferde beraubt worden, Gepäckstücke waren restlos ausgeplündert. Die Rückkehrer zogen meistens zu Fuß durch abgebrannte Orte und über Landstraßen, wo noch die Leichen von Soldaten und Zivilisten verwesten. Es gab kein Deutsches Rotes Kreuz mehr, keine Hilfeleistung von deutschen Soldaten oder Regierungsstellen, keine amtliche Organisation. Hunger und Durst forderten neue Opfer. Sie fürchteten nicht nur die sowjetischen Truppen, sondern auch die polnische Miliz.

Schätzungsweise sind bis Ende Juni 1945 etwa 400 000 Flüchtlinge aus der sowjetischen Besatzungszone wieder in ihre Heimat östlich der Oder und Neiße zurückgekehrt. Aus der Tschechoslowakei, wohin 1,6 Millionen Schlesier geflüchtet waren, kehrte etwa die Hälfte zurück. An der schlesisch-tschechischen Grenze konnten die Polen nicht wie an der Oder und Neiße den Rückkehrerstrom sperren, u. a. auch aus Rücksicht auf die Tschechen. Die teils völlig entleerten Dörfer und Städte Schlesiens füllten sich wieder mit Menschen, so daß die deutsche Bevölkerung Schlesiens im Juni 1945 wieder auf rund 2,5 Millionen angewachsen war.

Auch in Ostpommern war der Anteil der noch unter russischer Besetzung im Lande befindlichen Einwohner relativ hoch; etwa 150 000 Ostpommern waren aus Mecklenburg und Vorpommern zurückgekehrt, die zusammen mit den Zurückgebliebenen und nicht mehr rechtzeitig Herausgekommenen rund eine Million Menschen zählten. Die Städte und Dörfer wiesen nun wieder durchschnittlich 50–60 Prozent der ehemaligen Einwohnerzahlen auf. In einigen Kreisen wie Belgard, Köslin, Neustettin, Dt. Krone, Friedeberg, Stolp und Lauenburg betrug die Einwohnerzahl teilweise über 75 Prozent des alten Standes.

Am niedrigsten war die Zahl der zurückgebliebenen oder zurückgekehrten Bevölkerung in Ostpreußen, man schätzt rund 800 000 Menschen, d. h. knapp ein Drittel der Bevölkerung im Jahr 1944. In den östlichen Kreisen wie z. B. im Regierungsbezirk Gumbinnen erreichte die deutsche Bevölkerung kaum 15 Prozent ihrer ehemaligen Höhe. In dem relativ kleinen Ostbrandenburg lebten im Juni 1945 rund 350 000 Menschen, die nicht rechtzeitig hatten fliehen können.

Angesichts dieser Einwohnerzahlen für die Gebiete östlich der Oder-Neiße-Linie im Sommer 1945 stimmt es merkwürdig, daß bei der fünften

Sitzung der Potsdamer Konferenz am 21. Juli 1945 Stalin behauptete, daß nicht ein einziger Deutscher auf dem Territorium lebe, das Polen übergeben werden sollte. Die Provisorische Polnische Regierung wurde auch gebeten, ihre Ansichten zur Oder-Neiße-Grenze vorzutragen. Präsident Boleslaw Bierut sprach von nur 1,5 Millionen Deutschen in den fraglichen Gebieten, und sie würden »freiwillig ziehen, sobald die Ernte vorbei ist«. Damit wurden Churchill und Truman, die über die Zahl der noch umzusiedelnden Deutschen berieten, absichtlich getäuscht.

Churchill selbst hatte immer wieder gesagt, daß die Zahl der umzusiedelnden Deutschen in einem angemessenen Verhältnis zu den polnischen Umsiedlern aus den von Rußland annektierten Gebieten stehen müßte: »Wir konnten eine Ausweisung von ebenso vielen Deutschen akzeptieren, wie Polen aus Ostpolen östlich der Curzon-Linie übersiedelten, sagen wir zwei bis drei Millionen; doch eine Ausweisung von acht oder neun Millionen Deutschen . . . war zu viel und völlig falsch.« Bezüglich der Rückkehr von Deutschen in ihre Heimat sagte er: »Es konnte Polen nicht guttun, so viel zusätzliches Territorium zu gewinnen. Wenn die Deutschen es schon verlassen hatten, sollten sie zurückkehren dürfen. Wir wünschten keine breite deutsche Bevölkerung, die von ihren Nahrungsquellen abgeschnitten war. Die Ruhr lag in unserer Zone, und falls sich nicht genügend Nahrung für die Einwohner finden ließ, mußte es zu Zuständen wie in deutschen Konzentrationslagern kommen.«

Doch die Westalliierten kontrollierten nicht die Gebiete, aus welchen die Deutschen umgesiedelt werden sollten. Erst später bemerkten sie das Täuschungsmanöver der Polen und der Russen, die verschwiegen, daß die angestrebte Vertreibung weitere 5,6 Millionen Menschen umfassen sollte. Erst im November 1945, als sich der Alliierte Kontrollrat in Berlin um einen besseren Überblick bemühte, wurde klar, daß sehr viel mehr Deutsche, als vorher behauptet, noch in den Oder-Neiße-Gebieten lebten. Die Provisorische Polnische Regierung sprach nun von 3,5 Millionen. Dazu bemerkte Sir Orme Sargent in einem internen Bericht des britischen Foreign Office: »Genau so, wie wir in Potsdam von den Russen betrogen wurden, als sie behaupteten, daß nur 1,5 Millionen Deutsche östlich von Oder und Neiße geblieben seien, werden wir jetzt, wie ich fürchte, feststellen, daß es weit mehr Deutsche als die 3,5 Millionen sind, die der Kontrollkommission gemeldet wurden, selbst wenn man annimmt, daß bereits fünf Millionen nach Deutschland vertrieben worden sind.« Er sollte Recht behalten.

Reparationsverschleppte

Ein Sonderkapitel der Flucht bildet die Verschleppung deutscher Zivilpersonen zur Zwangsarbeit in die Sowjetunion, denn gerade aus Angst vor diesen Deportationen ergriffen viele Ostdeutsche die Flucht.

Von den zurückgebliebenen oder unterwegs überrollten Ostpreußen, Pommern, Brandenburgern und Schlesiern wurden 218 000 verschleppt. Mehr als 100 000 kamen bei den Strapazen um oder erlagen der Kälte oder dem Hunger. Außer den Reichsdeutschen wurden auch Hunderttausende von Volksdeutschen aus Polen, Rumänien, Jugoslawien und Ungarn als sogenannte »Reparationsverschleppte« deportiert. Auch bei ihnen lag die Sterbeziffer um 45 Prozent.

Der Begriff »Reparationsverschleppte« besagt, daß die Siegermächte Reparationen aus Deutschland in der Form von Arbeitsleistungen forderten. Die Frage wurde auf der Jalta-Konferenz (4.–11. Februar 1945) erörtert und die

Entscheidung in einem von Churchill, Roosevelt und Stalin unterzeichneten Protokoll vom 11. Februar 1945 festgehalten, wonach »Reparations in kind« anstelle von Geldreparationen aus Deutschland zu nehmen seien. Der Begriff »Reparations in kind« wurde dahingehend definiert, daß Lieferungen aus der laufenden deutschen Produktion, Demontage deutscher Industrien und Verwendung deutscher Arbeitskräfte eingeschlossen waren. Eine Reparationskommission mit einem sowjetischen, einem amerikanischen und einem britischen Mitglied wurde in Moskau gebildet. Daher tragen die westlichen Alliierten auch die Mitverantwortung an dem Massensterben der deutschen Reparationsverschleppten.

Die Verschleppungen begannen allerdings bereits vor der Konferenz von Jalta, also lange vor der Absprache mit den Westalliierten. Für die Volksdeutschen im rumänischen Banat und in Siebenbürgen begannen sie im Herbst 1944, für die Ostpreußen im Januar 1945.

Im Gegensatz zu den Tötungen und Vergewaltigungen durch Angehörige der sowjetischen Truppen, die weitgehend Willkürhandlungen einzelner Soldaten und Offiziere waren, handelt es sich bei diesen Verschleppungen um eine systematisch betriebene Aktion, die von der obersten sowjetischen Führung geplant und einheitlich durch alle sowjetischen Armeen jenseits von Oder und Neiße durchgeführt wurde.

Für die Organisation der Verschleppung waren die Heeresgruppen der Roten Armee zuständig. Die Deportationen begannen in den jeweils eroberten Gebieten im allgemeinen zwei bis drei Wochen nach der Besetzung. Es ging nicht darum, bestimmte Personen zu fassen, sondern eine möglichst große Zahl arbeitsfähiger Deutscher zusammenzutreiben. Jeder der vier sowjetischen Heeresgruppen war ein etwa gleich hohes »Verschleppungssoll« auferlegt worden. Zum Bereich der Heeresgruppe Tschernjakowski ge-

hörte Ostpreußen bis zur Linie Elbing–Dt. Eylau. Hauptsammellager für die Deportationen war Insterburg. Insgesamt wurden 44 000 Personen verschleppt. Das Gebiet der Heeresgruppe Rokossowskij umschloß den westlichen Sektor Ostpreußens, ganz Westpreußen mit Danzig und den östlichen Zipfel Pommerns bis zur Linie Köslin–Flatow. In diesem Bezirk waren Ciechanow, Soldau und vor allem Graudenz Sammellager und Verladebahnhof für 55 000 Deutsche. Südlich daran grenzte der Bereich der Heeresgruppe Schukow, der das westliche Polen, Ostbrandenburg und die westliche Hälfte Ostpommerns umschloß. Ausgangspunkt für die Transporte von 57 000 Deutschen waren Schwiebus in Brandenburg, Posen und Sikawa bei Lodz. Zum Bereich der Heeresgruppe Konjew gehörten ganz Schlesien und das südliche Polen. Hier wurden die meisten Deutschen zur Deportation festgenommen, etwa 62 000, mit Sammellagern in Beuthen und in Krakau.

Die Umstände der Internierung und die Transporte in russischen Güterzügen waren erbärmlich. Männer von 17 bis 60 Jahren, Frauen von 15 bis 50 Jahren wurden erfaßt, wobei viele junge Mütter von ihren Kindern getrennt wurden.

Nach der Ankunft in den Arbeitslagern mußten die erschöpften Menschen schwere körperliche Arbeiten leisten, so in Kohlengruben, Ziegeleien, Panzerfabriken, beim Kanalbau und im Steinbruch. Nur wenn sie sehr krank und arbeitsunfähig waren, wurden sie frühzeitig nach Deutschland zurückgeschickt. Die anderen folgten erst 1947, 1948, 1949 oder noch später.

Von den Millionen Vertriebenen haben die »Reparationsverschleppten« am meisten gelitten, denn sie verloren nicht nur die Heimat, sondern leisteten jahrelang Sklavenarbeit, wie die Besiegten in der Zeit der ägyptischen Pharaonen. Rund die Hälfte dieser Sklaven des 20. Jahrhunderts ist umgekommen.

144

81/

Am 13. Januar begann der Kampf um Ostpreußen. In verlustreichen Gefechten brach die Rote Armee über Pillkallen und Gumbinnen durch. Mit Hilfe von schwerer Artillerie (79) gelang es gegen Ende des Monats, Königsberg einzuschließen.

Die Hauptkräfte stießen über Elbing ans Frische Haff vor. Damit war Ostpreußen abgeschnitten. Zurück blieben zusammengeschossene Trecks (80) und Menschen, deren einzige Chance die Flucht über das Meer war.

Bereits am 16. Oktober 1944 hatte die Rote Armee eine Großoffensive gegen Ostpreußen eröffnet. Der Wehrmacht gelang es jedoch, die durchgebrochenen Russen abzuschneiden und eine neue Abwehrfront aufzubauen. Nemmersdorf war eine der vielen zurückgewonnenen Ortschaften. Hier erwartete die

82

83

deutschen Truppen ein grauenvoller Anblick (81, 82, 83).

Zwischen 60 und 80 Greise, Frauen und Kinder waren auf bestialische Weise ermordet worden. Ein Schweizer Korrespondent berichtet: »Mit Ausnahme einer jungen deutschen Frau und eines polnischen Arbeiters ist alles von der Roten Armee vernichtet worden. 30 Männer, 20 Frauen, 15 Kindern sind in Nemmersdorf den Russen in die Hände gefallen . . . Es sind Eindrükke, die auch die lebhafteste Phantasie übersteigen.«

Nemmersdorf war kein Einzelfall. Brennende Dörfer und zerschossene Trecks markierten den Weg der Roten Armee nach Westen (84).

85

86

Der Kampf um Königsberg begann mit der großen russischen Offensive Ende Januar 1945. Über zwei Monate verteidigte sich die Stadt gegen vier sowjetische Armeen mit zusammen rund 100 Schützendivisionen und zwei Panzerkorps. Gegen diese gewaltige Übermacht, so der Befehl Hitlers, sollte sich Königsberg »bis zur letzten Patrone« wehren.

Die Schlacht um Königsberg verlief in zwei Phasen: Die erste begann am 19. Februar (86), die zweite am 6. April (85). Zuvor war Ostpreußen vom Reich abgeschnitten worden. Auf dem Weg zum Frischen Haff rollen sowjetische Panzertruppen durch Mühlhausen (87).

Die deutsche Hauptkampflinie bestand nur aus vier Divisionen; diese setzten sich aus einem bunten Gemisch regulärer Soldaten, Volkssturm-, Marine-, Polizeieinheiten, dazu Hilterjugend, Reichsarbeitsdienst und Zöglingen einer Feuerwehrschule zusammen (88). Parolen wie »Uns geht die Sonne nicht unter« sollten den Kampfwillen der Bevölkerung und der Soldaten stärken (89). Erst nach einer erbitterten, drei Tage währenden Schlacht kapitulierte die »Festung Königsberg« am 9. April 1945 (90, 91).

88

89

90

91

92

Nach dem Vorstoß der Roten Armee auf Elbing war für unzählige Trecks der Fluchtweg nach Westen abgeschnitten. Jetzt blieb nur noch ein Ausweg: die Fahrt über das zugefrorene Haff auf die Nehrung. Ein endloser Zug von Menschen quälte sich über das Eis, angegriffen von russischen Flugzeugen und immer der Gefahr ausgesetzt, im brüchigen Eis oder in Bombenlöchern zu versinken (92, 94, 95).
Die zurückbleibenden Truppen wurden von der Ostsee her mit Nachschub versorgt. Hier werden im Februar 1945 an einer mit der Kampfgruppe vereinbarten Landestelle Fässer mit Treibstoff auf dem Eis vor der Küste abgeladen (93).

93

94

95

96

97

98

Unter unmenschlichen Strapazen und bei Temperaturen von unter minus 20 Grad versuchen Hunderttausende zu Fuß und mit Pferdewagen den russischen Truppen zu entkommen (96, 98).

Ein Foto vom 18. Februar 1945: Während sich im Vordergrund deutsche Panzer und Grenadiere zum Gegenstoß gegen durchgebrochene Russen sammeln, zieht im Hintergrund der endlose Flüchtlingstreck von Zivilisten über die vereisten Straßen Ostpreußens (97).

Oft herrschte auf den Rückzugswegen totales Chaos. Zu den Trecks stießen versprengte Einheiten zurückflutender Truppen. In ununterbrochener Folge zogen die vollgepackten Wagen und Schlitten immer weiter nach Westen. Abgetriebene Pferde vor den Wagen, auf den Wagen verzweifelte Menschen (99).

Der lange Weg nach Westen war nicht leicht. Oft mußten es die Frauen allein schaffen, denn ihre Männer waren als Soldaten oder beim Volkssturm zurückgeblieben. Ganze Dorfgemeinschaften brachen auf (100, 103) und verluden ihr Hab und Gut auf Ackerwagen. Hilfsbereite französische und belgische Kriegsgefangene, die im Osten als zwangsverpflichtete Landarbeiter eingesetzt waren, unterstützten sie dabei. Dankbare Ostpreußen haben in vielen Berichten solche Hilfeleistung gewürdigt.

Die Evakuierung und Flucht aus Schlesien verlief geordneter als in Ostpreußen und Pommern, denn Schlesien wurde nicht in so kurzer Zeit überrollt. Die erste große Fluchtwelle brach ab Mitte Januar 1945 los. Es bildeten sich Trecks, die nach Sachsen, in Richtung Sudetenland oder nach Berlin zogen (101, 102, 104).

101

102

103

104

In den letzten Monaten des Krieges
hatte sich etwa die Hälfte der ostdeutschen Bevölkerung nach Westen abgesetzt. Viele, die alle Strapazen der Flucht überstanden hatten,
starben unter den Bombenteppichen
der anglo-amerikanischen Bomberverbände. Der verheerendste Angriff ereignete sich in der Nacht vom
13. zum 14. Februar 1945 auf Dresden, das in den mehr als fünf Kriegsjahren von Luftangriffen verschont
geblieben war. In der schönen Barockstadt befanden sich etwa
600 000 schlesische Flüchtlinge.
Über 1 500 britische und amerikanische Bomber verwandelten Dresden
in ein Flammenmeer und eine Trüm-
merwüste (107, 108). Mehr als
100 000 Menschen starben, 400 000
wurden obdachlos (105, 106).

Die Vertreibung

Alfred M. de Zayas

Zwangsumsiedlungen sind in unserem Jahrhundert keine Seltenheit. Bereits im Jahre 1923 wurden rund zwei Millionen Griechen und Türken zwangsweise ausgetauscht. In den zwanziger und dreißiger Jahren deportierten die neuen Machthaber in der Sowjetunion Millionen Bürger von Europa nach Asien. Diesem Beispiel folgte auch Hitler, der Zwangsumsiedlungen zur Verwirklichung seiner Lebensraum-Politik vornahm. Etwa 100 000 Franzosen aus Elsaß-Lothringen wurden nach Vichy-Frankreich, über eine Million Polen aus dem Warthegau in das sogenannte Generalgouvernement abgeschoben. Kurz nach dem Angriff auf die Sowjetunion 1941 entschloß sich Hitler, die Krim zu annektieren und die einheimische Bevölkerung zu vertreiben. Als Neusiedler waren dort Deutsche aus Südtirol vorgesehen.

Im Nürnberger Prozeß wurden diese Maßnahmen Hitlers ausdrücklich als Kriegsverbrechen und Verbrechen gegen die Menschlichkeit verurteilt. Das in Nürnberg angewandte Prinzip schien klar zu sein: Massendeportationen sind völkerrechtswidrig. Dennoch beschlossen die Alliierten selbst eine noch größere Zwangsumsiedlung, als Hitler sie jemals durchgeführt hatte. Die deutsche Bevölkerung aus den Provinzen Ost-preußen, Ost-Pommern, Ost-Brandenburg und Schlesien (Reichsdeutsche) sowie die Deutschen aus Polen, Ungarn und der Tschechoslowakei (Volksdeutsche) sollten nach Westen, in das um ein Viertel verkleinerte Deutschland, umgesiedelt werden. Hinzu kamen noch die Deutschen aus Jugoslawien und Rumänien, die ebenfalls von Vertreibungsmaßnahmen betroffen wurden. Von den rund 17,5 Millionen Deutschen, die in diesen Gebieten vor dem Krieg lebten, fielen etwa 1,1 Millionen im Krieg, 2,5 Millionen konnten in der Heimat bleiben, während die übrigen flüchteten oder vertrieben wurden. Zwölf Millionen Ostdeutsche erreichten den Westen. Über zwei Millionen starben auf der Flucht oder während der Vertreibung.

Die Idee, die Ostdeutschen zu verjagen, stammte nicht von Stalin, von Churchill oder Roosevelt, sondern von Dr. Eduard Benesch, dem Präsidenten der tschechoslowakischen Exilregierung in London. Er wollte eine Großtschechoslowakei ohne deutsche Minderheiten und betrachtete das Münchner Abkommen von 1938, durch das das seit Jahrhunderten von Deutschen besiedelte Sudetenland zum Reich geschlagen worden war, als nichtig. Tatsächlich hatte jedoch Hitler selbst das Abkommen gebrochen, als er im März 1939

169

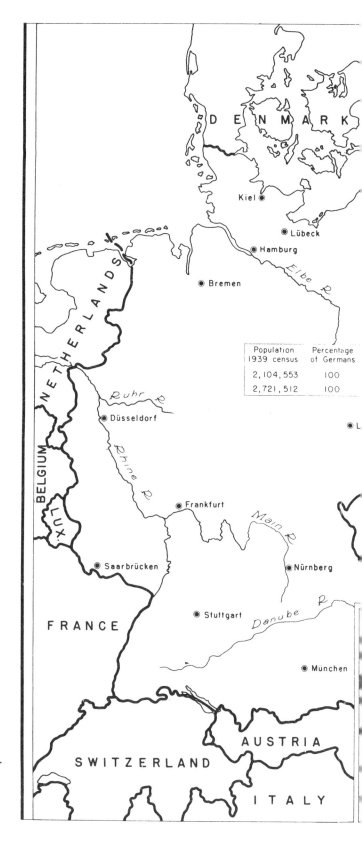

*Offizielle Landkarte der amerikanischen Delega-
tion bei der Konferenz von Jalta. Die Karte zeigt
den prozentualen Anteil der Deutschen in den
Ostprovinzen und in Polen.*

170

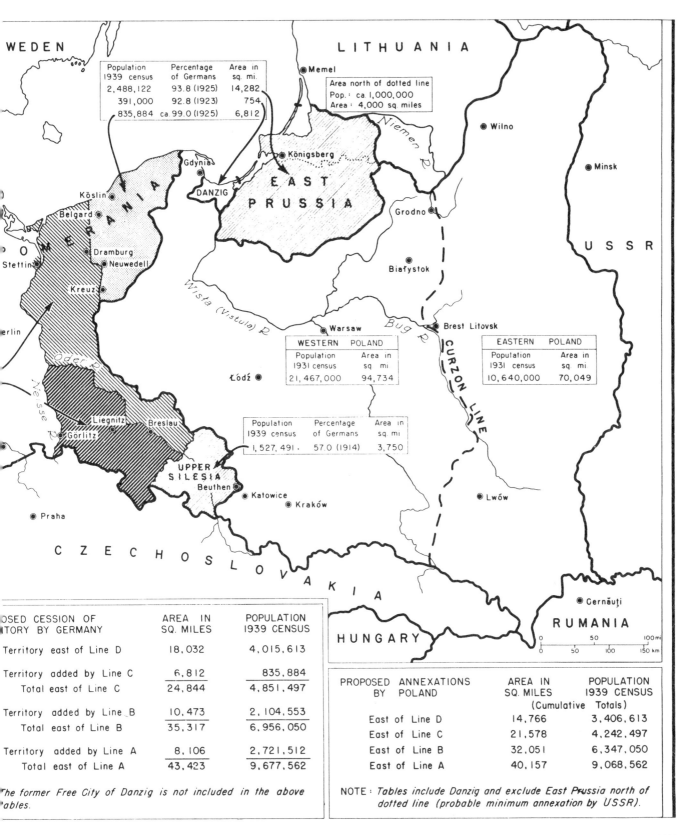

Population 1939 census	Percentage of Germans	Area in sq. mi.
2,488,122	93.8 (1925)	14,282
391,000	92.8 (1923)	754
835,884	ca. 99.0 (1925)	6,812

Area north of dotted line
Pop.: ca. 1,000,000
Area: 4,000 sq. miles

WESTERN POLAND

Population 1931 census	Area in sq. mi.
21,467,000	94,734

EASTERN POLAND

Population 1931 census	Area in sq. mi.
10,640,000	70,049

Population 1939 census	Percentage of Germans	Area in sq. mi.
1,527,491	57.0 (1914)	3,750

OSED CESSION OF TORY BY GERMANY	AREA IN SQ. MILES	POPULATION 1939 CENSUS
Territory east of Line D	18,032	4,015,613
Territory added by Line C	6,812	835,884
Total east of Line C	24,844	4,851,497
Territory added by Line B	10,473	2,104,553
Total east of Line B	35,317	6,956,050
Territory added by Line A	8,106	2,721,512
Total east of Line A	43,423	9,677,562

The former Free City of Danzig is not included in the above tables.

PROPOSED ANNEXATIONS BY POLAND	AREA IN SQ. MILES (Cumulative Totals)	POPULATION 1939 CENSUS
East of Line D	14,766	3,406,613
East of Line C	21,578	4,242,497
East of Line B	32,051	6,347,050
East of Line A	40,157	9,068,562

NOTE: Tables include Danzig and exclude East Prussia north of dotted line (probable minimum annexation by USSR).

Böhmen und Mähren besetzte. Im Londoner Exil beschloß Benesch, die Sudetendeutschen, »die 1938 dem tschechoslowakischen Staat den Dolch in den Rücken gestoßen« hatten, für ewig auszuweisen. Bereits im Juli 1942 stimmte das britische Kabinett dem Prinzip der Zwangsumsiedlung der Sudetendeutschen zu.

Geordnete und humane Umsiedlungen

Nach dem Ersten Weltkrieg hatte man den 3,5 Millionen Sudetendeutschen das Selbstbestimmungsrecht verweigert. Nach dem Zweiten Weltkrieg ging man noch einen Schritt weiter. Die Siegermächte wollten keine deutschen Minderheiten in den Staaten Ostmitteleuropas lassen, die später Unruhe stiften könnten. Sie sollten ins amputierte Deutsche Reich vertrieben werden. Dabei ging es zunächst nur um die volksdeutschen Minderheiten, die man in den Siegerstaaten allgemein als die »fünfte Kolonne« Hitlers betrachtete.

Die Reichsdeutschen in Ostpreußen, Pommern, Ost-Brandenburg und Schlesien waren freilich keine Minderheiten und auch keine »fünfte Kolonne«. Es waren aber Grenzveränderungen vorgesehen, die Millionen Reichsdeutsche außerhalb der neuen Grenzen Deutschlands belassen würden. Warum diese Grenzveränderungen? In erster Linie, weil Stalin die Osthälfte Polens annektieren wollte, die er gemäß dem Ribbentrop-Molotow-Pakt vom September 1939 besetzt hatte.

Bei der Konferenz von Teheran (28. November–1. Dezember 1943) genehmigten Roosevelt und Churchill die Annexion. Da sie aber Polen nicht ganz im Stich lassen wollten, einigten sie sich darauf, Polen im Westen auf Kosten Deutschlands zu entschädigen. Wieviel deutsches Land sollte Polen aber bekommen? Zunächst forderte die polnische Exilregierung in London Ostpreu-

ßen, Danzig und Oberschlesien. Mit der Zeit wuchsen die Forderungen der Polen in London und auch in Moskau, bis am 18. Dezember 1944 die »Prawda« einen Artikel veröffentlichte, wonach Polens Westgrenze von Stettin nach Süden an der Oder und der westlichen Neiße entlang bis zur tschechoslowakischen Grenze verlaufen sollte.

Östlich dieser Linie lebten über zehn Millionen Deutsche. Was sollte mit ihnen geschehen? Aus heutiger Sicht scheint der Plan, so viele Millionen Menschen zu vertreiben, kaum durchführbar. Dennoch waren die Westalliierten damals offensichtlich davon überzeugt, daß diese Zwangsumsiedlungen in »geordneter und humaner« Weise verlaufen würden.

Am 15. Dezember 1944 sagte der britische Premierminister Winston Churchill im Parlament: »Man wird reinen Tisch machen. Mich beunruhigen diese großen Umsiedlungen nicht, die unter modernen Verhältnissen besser als je zuvor durchgeführt werden können.« Und Präsident Roosevelt hatte bereits am 17. November 1944 in einem Brief dem Präsidenten der polnischen Exilregierung, Mikolajczyk, mitgeteilt: »Wenn Polens Regierung und Volk im Zusammenhang mit der neuen Grenzziehung des polnischen Staates wünsche, Umsiedlungen . . . vorzunehmen, wird die Regierung der Vereinigten Staaten keine Einwände erheben und, so weit möglich, die Umsiedlung erleichtern.«

Beide, Churchill und Roosevelt, dachten an die Gründung einer »Population Transfer Commission«, die Aufsicht und Kontrolle über die Umsiedlungen ausüben würde. Auch eine Entschädigung für zurückgelassenes Eigentum war vorgesehen.

Auf der Konferenz von Jalta (4.–11. Februar 1945) wurde erneut über die Westgrenze Polens verhandelt. Dabei erklärten sich Roosevelt und Churchill gegen eine Grenze an der Görlitzer

Neiße, um die Zahl der Vertriebenen möglichst gering zu halten.

Dies widerlegt die populäre These, daß die Westalliierten die Landkarte Mitteleuropas nicht kannten und nicht wußten, daß es zwei verschiedene Flüsse mit dem Namen Neiße gab. Die Ablehnung der westlichen Neiße war unmißverständlich. Churchill und Roosevelt bestanden ferner darauf, daß jede Umsiedlung im Verhältnis zu dem bleiben müsse, was Polen verdauen und was nach Deutschland überführt werden könne. So wörtlich: »Es wäre höchst bedauerlich, wenn man die polnische Gans so mit deutschem Futter mäste, daß sie an Verdauungsbeschwerden eingehe.«

Die Entscheidung über die polnische Westgrenze wurde in Jalta nicht getroffen, sondern bis zum Friedensvertrag vertagt.

In den darauffolgenden Monaten versuchten die Sowjetunion und die provisorische Regierung Polens, diese Entscheidung dadurch vorwegzunehmen, daß sie ein fait accompli schaffen wollten. Die Deutschen, die noch nicht geflüchtet waren, sollten schnellstens vertrieben werden.

Die Trecks beginnen

Als die »Big Three« (Churchill, Truman und Stalin) nach der deutschen Kapitulation in Potsdam zusammentrafen, waren die Vertreibungen bereits in vollem Gange. Die Idee einer »Population Transfer Commission« war somit überholt. Auf den Straßen Pommerns und Schlesiens zogen die Trecks von Vertriebenen nach Berlin, nach Dresden und Leipzig. Auch auf dem Wasserwege kamen sie nach Westen. So lief am 27. Juli 1945, noch während der Potsdamer Konferenz, im Westhafen von Berlin ein Schiff mit der traurigen Fracht von rund 300 fast zu Tode verhungerten Kindern ein, die aus einem Heim im pommerschen Finkenwalde stammten. Die Gemischte Hilfskommission des Internationalen Roten Kreuzes schilderte den Fall: »Kinder von zwei bis 14 Jahren lagen bewegungslos auf dem Schiffsboden, die Gesichter von Hunger gezeichnet, an Krätze leidend, von Ungeziefer zerfressen. Leib, Knie und Füße waren geschwollen – bekanntes Symptom des Hungers.«

In der Tschechoslowakei war es nicht anders. Am 30. Mai 1945 wurden rund 30 000 Deutsche aus Brünn verjagt und in Richtung Österreich in Marsch gesetzt. Rhona Churchill beschrieb das Elend in einem Artikel im Londoner Daily Mail: »Kurz vor neun Uhr abends marschierten sie (junge Revolutionäre der tschechischen Nationalgarde) durch die Straßen und riefen alle deutschen Bürger auf, um neun Uhr vor ihren Häusern zu stehen, ein Gepäckstück in jeder Hand, bereit, die Stadt auf immer zu verlassen. Den Frauen blieben zehn Minuten, die Kinder zu wecken, sich anzuziehen, ein paar Habseligkeiten zusammenzupacken und sich auf die Straße zu stellen. Hier mußten sie allen Schmuck, Uhren, Pelze und Geld den Nationalgardisten ausliefern, bis auf den Ehering . . . Es war stockfinster, als sie die Grenze erreichten, die Kinder weinten, die Frauen stolperten vorwärts. Die tschechischen Grenzwächter drängten sie über die Grenze den österreichischen Grenzwachen entgegen. Da kam es zu neuer Verwirrung. Die Österreicher weigerten sich, die Leute aufzunehmen, die Tschechen, sie wieder ins Land zu lassen. Sie wurden für die Nacht auf ein offenes Feld getrieben. Am nächsten Morgen erschienen ein paar Rumänen als Wache.

Sie sind immer noch auf diesem Feld, das zum Konzentrationslager geworden ist. Sie haben nur zu essen, was ihnen die Wachen gelegentlich bringen. Rationen erhalten sie nicht . . . Jetzt wütet eine Typhusepidemie unter ihnen, und es heißt, daß täglich hundert sterben.«

Am 31. Juli kam es zu einer Explosion im

Kabelwerk von Aussig an der Elbe. Die Tschechen machten dafür die deutschen »Werwölfe« verantwortlich. Ein Blutbad folgte. Frauen und Kinder wurden von der Brücke in den Fluß gestürzt, auf der Straße erschossen oder totgeprügelt. Man schätzt, daß zwischen 1 000 und 3 000 Menschen umkamen. Der britische Botschafter in Prag, Mr. Nichols, telegrafierte dem Foreign Office: »Ich habe mehrere Berichte aus verschiedenen Quellen erhalten, aus denen hervorgeht, daß die tschechische Bevölkerung von Usti nad Labem (Aussig) kürzlich Ausschreitungen gegen die einheimischen Deutschen begangen hat ... Zwei Frauen englischer Herkunft, die dabei in Usti anwesend waren, bestätigen die Aussagen und fügen hinzu, daß die fraglichen Taten wahrscheinlich als spontane Ausschreitungen tschechischer Schlägertypen erfolgten ...«

Solche Ausschreitungen hatten das gewünschte Ergebnis: Viele Deutsche verließen ihre Heimat und versuchten, die Grenze zur amerikanischen Zone zu erreichen. Der Zustand, in dem sie ankamen, veranlaßte die Westalliierten dazu, in Potsdam die vorläufige Einstellung der Vertreibungen zu fordern. So versuchten sie, einen Teil ihres ursprünglichen Planes zu retten. Zunächst galt es, die Vertreibungen hinauszuzögern, um die Zahl der Umzusiedelnden und den Zeitpunkt der Umsiedlungen festzulegen.

Ungeordnete Massenvertreibungen

Um diese Fragen zu diskutieren, wurde während der Potsdamer Konferenz (17. Juli–2. August 1945) ein Ausschuß gebildet. Mitglieder waren Cavendish Cannon (USA), Geoffrey Harrison (Großbritannien) und A. Sobolew (Sowjetunion). Den Entwurf für den späteren Artikel XIII des Potsdamer Protokolls verfaßte Geoffrey Harrison. Am 1. August 1945 berichtete er dem Foreign Office: »Die Verhandlungen waren nicht einfach – Verhandlungen mit den Russen sind nie einfach ... Die sowjetische Regierung hält es für die Aufgabe des Alliierten Kontrollrats in Deutschland, die Aufnahme der ausgesiedelten Bevölkerung möglichst rasch zu erleichtern. Cannon und ich wandten uns nachdrücklich gegen diesen Standpunkt. Wir erklärten, daß wir für den Gedanken an Massenausweisungen ohnehin nichts übrig hätten. Da wir sie aber nicht verhindern könnten, möchten wir dafür sorgen, daß sie in einer möglichst geordneten und humanen Weise durchgeführt würden ...« Es ging um über 16 Millionen Menschen. Zwischen fünf und sechs Millionen waren bereits in den letzten Monaten des Krieges geflüchtet. Von ihnen gelang es etwa einer Million, in die Heimat zurückzukehren. Hunderttausende wurden in die Sowjetunion zur Zwangsarbeit verschleppt. Die anderen waren auf schwere Zeiten gefaßt, hofften aber in der Heimat ihrer Eltern bleiben zu können.

Doch Artikel XIII des Potsdamer Protokolls bestimmte »daß die Überführung der deutschen Bevölkerung oder Bestandteile derselben, die in Polen, der Tschechoslowakei und Ungarn zurückgeblieben sind, nach Deutschland durchgeführt werden muß«.

Dabei ließ der Artikel zu viele Fragen offen. Nichts wurde über die Deutschen in Rumänien oder Jugoslawien beschlossen. Doch viele Tausende wurden ausgewiesen. Auch der Begriff »Polen« wurde nicht näher definiert, so daß später Zweifel aufkamen, ob die im Artikel IX des Potsdamer Protokolls unter polnische Verwaltung gestellten deutschen Provinzen betroffen waren. Der Artikel XIII wurde nämlich in der Hektik der letzten Tage der Konferenz verfaßt und ist deshalb ungenau formuliert. Der eigentliche Sinn des Artikels muß im letzten Absatz gesucht werden, wonach Polen, Ungarn und die Tschechoslowakei »weitere Ausweisungen der deutschen Bevölkerung einstellen« sollten, bis der Alliierte Kontrollrat in Berlin Maßnahmen zur Verteilung, Unterkunft und Ernährung der noch Umzusiedelnden träfe.

Trotz dieses Moratoriums liefen die Vertreibungen weiter. So berichtete am 1. September 1945 der Politische Berater der britischen Militärregierung dem Foreign Office: »Die Vertreibungen werden kaum vorher angekündigt, die Flüchtlinge gehen mit dem, was sie tragen können . . . Die meisten Flüchtlinge haben bei der Ankunft in Berlin keinerlei persönlichen Besitz, weil sie ihn gegen Nahrungsmittel eingetauscht haben oder unterwegs von Soldaten beraubt worden sind.« Ähnlich stellte der Londoner »Economist« am 15. September 1945 fest: »Obwohl die Potsdamer Erklärung das Einstellen von ungeordneten und unmenschlichen Massenvertreibungen der Deutschen verlangte, geht die gewaltsame Abschiebung aus den Provinzen Ostpreußen, Pommern, Schlesien und Teilen von Brandenburg weiter. Auch die Vertreibung der 3,5 Millionen Sudetendeutschen aus der Tschechoslowakei wird fortgesetzt.«

Am 12. Oktober telegraphierte der Politische Berater der amerikanischen Militärregierung in Berlin, Robert Murphy, nach Washington: »Allein auf dem Lehrter Bahnhof in Berlin haben unsere Sanitätsdienststellen täglich im Durchschnitt zehn Menschen gezählt, die an Erschöpfung, Unterernährung und Krankheit gestorben sind. Sieht man das Elend und die Verzweiflung dieser Unglücklichen, spürt man den Gestank des Schmutzes, der sie umgibt, stellt sich sofort die Erinnerung an Dachau und Buchenwald ein. Hier ist Strafe im Übermaß – aber nicht für die Parteibonzen, sondern für Frauen und Kinder, die Armen, die Kranken . . .«

Am 18. Oktober telegrafierte General Eisenhower nach Washington: »In Schlesien verursachen die polnische Verwaltung und ihre Methoden eine große Flucht der deutschen Bevölkerung nach dem Westen . . . Viele, die nicht weg können, werden in Lager interniert, wo unzureichende Rationen und schlechte Hygiene herrschen. Tod und Krankheit in diesen Lagern sind extrem hoch. Die von den Polen angewandten Methoden entsprechen ganz gewiß nicht der Potsdamer Vereinbarung . . . Die Todesrate in Breslau hat sich verzehnfacht und eine Säuglingssterblichkeit von 75 Prozent wird berichtet. Typhus, Fleckfieber, Ruhr und Diphtherie verbreiten sich.«

Am 12. November veröffentlichte das amerikanische Nachrichtenmagazin »Time« ein erschütterndes Bild von drei deutschen Waisenkindern aus Danzig. Unter der Überschrift »Sünde ihrer Eltern« schrieb »Time«: »Diese drei deutschen Kinder büßen für Sünden, die ihre Eltern vielleicht begingen. Weggejagt aus einem polnischen Waisenhaus in Danzig, wurden sie in vollgestopften Viehwagen nach Deutschland ohne ärztliche Betreuung und beinahe ohne Lebensmittel zurückgeschickt. Die Polen, deren Kinder vor gar nicht langer Zeit ähnlich aussahen, sind dabei, sämtliche Krankenhäuser von Deutschen zu säubern, egal, wie krank sie sind. Der Junge, links, ist neun Jahre alt und wiegt 18 Kilo und ist zu schwach, um zu stehen. Der Junge in der Mitte ist zwölf und wiegt 21 Kilo. Seine Schwester, rechts, ist acht und wiegt sieben Kilo.«

Beunruhigt durch viele ähnliche Meldungen wies der amerikanische Außenminister Byrnes am 30. November 1945 seinen Botschafter in Warschau, Arthur Lane, an, der provisorischen polnischen Regierung die amerikanische Mißbilligung auszudrücken: »Die US-Regierung ist ernstlich bestürzt über Berichte von fortgesetzten Massentransporten mit deutschen Flüchtlingen, die offenbar aus den Gebieten östlich der Oder-Neiße-Linie nach Deutschland gekommen sind. Diese Leute sind vermutlich in Eile aus ihren Wohnungen vertrieben und um all ihren Besitz gebracht worden, bis auf das, was sie tragen konnten. Berichte zeigen, daß diese Flüchtlinge ... in einem erschreckenden Zustand der Erschöpfung angekommen sind, daß manche an ansteckenden Krankheiten leiden, daß vielen ihre letzte persönliche Habe genommen worden ist. Solches Massenelend und die schlechte Behandlung Schwacher und Hilfloser lassen sich mit dem Potsdamer Protokoll nicht vereinbaren ... ebensowenig mit internationalen Regeln für die Behandlung von Flüchtlingen.«

Die Deutschen unter polnischer und tschechischer Herrschaft

Für viele bedeutete die Vertreibung eine Erlösung von noch schlimmeren Zuständen, von einer unmenschlichen Behandlung und von ständigen Schikanen durch die neuen Machthaber. Im Artikel IX des Potsdamer Protokolls waren die Regierungen der UdSSR, der Vereinigten Staaten und Großbritanniens übereingekommen, die deutschen Gebiete östlich der Oder und Görlitzer Neiße, bis zur endgültigen Festlegung der deutschen Grenzen in einem künftigen Friedensvertrag, unter die Verwaltung des polnischen Staates zu stellen. Unter dieser Verwaltung waren die Deutschen weitgehend entrechtet. Im Sommer 1945 wurde der Zloty als Währung eingeführt; die Deutschen konnten ihre Reichsmark entweder überhaupt nicht oder nur zu extrem ungünstigen Kursen umtauschen. In Stettin und anderen Städten erhielten die Deutschen keine Lebensmittelkarten; in Oberschlesien wurden deutsche Gottesdienste verboten. Zeugen berichten, daß die polnische Miliz ihre Ordnungsgewalt zu zahllosen Plünderungen mißbrauchte und viele völlig unschuldige Deutsche mißhandelte. Sondergerichte wurden errichtet; die Gefängnisse füllten sich mit Deutschen, die,

obwohl persönlich meist unschuldig, für das büßen mußten, was während des Krieges im Namen Deutschlands an Polen oder polnischen Juden begangen worden war.

Um solchen Gefahren zu entgehen, versuchten einige Deutsche, die polnische Namen hatten, die polnische Staatsangehörigkeit zu erwerben. Der polnische Staat war auch daran interessiert, um zu zeigen, daß es in Ostdeutschland eine zahlreiche autochthone polnische Bevölkerung gab. Eine amtliche Aufforderung des Starosten (Landrat) von Neidenburg in Ostpreußen zur Option für Polen lautet: »In Verbindung mit Ihrem bisher ungeklärten Verhältnis zum polnischen Volk und Staat fordere ich Sie auf, sich innerhalb von zwei Wochen, gerechnet vom Datum des Erhalts dieses Schreibens, zu erklären, ob Sie die polnische Staatsangehörigkeit dadurch zu erwerben wünschen, daß Sie die Treueerklärung dem polnischen Volk und Staat gegenüber bekunden und unterzeichnen. Für den Fall, daß Sie sich in der oben erwähnten Frist nicht erklären, bemerke ich, daß Ihre Wirtschaft, die Sie zur Zeit in Übereinstimmung mit Art. 2 Pkt. 1 Buchst. b der Verordnung des P. K. W. N. vom 6. 9. 1944 über die Durchführung der Bodenreform Ges. Bl. R. P. Nr. 4 Pos. 17 besitzen, vom Staat übernommen wird.«

Die übrigen Deutschen konnten aber der Enteignung, der Internierung, der Zwangsarbeit und der Ausweisung nicht entgehen. Die Ost-Dokumentation des Bundesarchivs enthält Hunderte von Berichten deutscher Zeugen über Mißhandlungen und Ermordungen ihrer Landsleute. Aber auch ausländische Berichte liegen vor. Aus einer vertraulichen Mitteilung von R. W. F. Bashford an das Foreign Office geht hervor: »Konzentrationslager sind nicht aufgehoben, sondern von den neuen Besitzern übernommen worden. Meistens werden sie von polnischer Miliz geleitet. In Swientochlowice (Oberschle-

Sonderbefehl

für die deutsche Bevölkerung der Stadt Bad Salzbrunn einschliesslich Ortsteil Sandberg.

Laut Befehl der Polnischen Regierung wird befohlen:

1. Am 14. Juli 1945 ab 6 bis 9 Uhr wird eine Umsiedlung der deutschen Bevölkerung stattfinden.

2. Die deutsche Bevölkerung wird in das Gebiet westlich des Flusses Neisse umgesiedelt.

3. Jeder Deutsche darf höchstens 20 kg Reisegepäck mitnehmen.

4. Kein Transport (Wagen, Ochsen, Pferde, Kühe usw.) wird erlaubt.

5. Das ganze lebendige und tote Inventar in unbeschädigtem Zustande bleibt als Eigentum der Polnischen Regierung.

6. Die letzte Umsiedlungsfrist läuft am 14. Juli 10 Uhr ab.

7. Nichtausführung des Befehls wird mit schärfsten Strafen verfolgt, einschließlich Waffengebrauch.

8. Auch mit Waffengebrauch wird verhindert Sabotage u. Plünderung.

9. Sammelplatz an der Straße Bhf. Bad Salzbrunn-Adelsbacher Weg in einer Marschkolonne zu 4 Personen. Spitze der Kolonne 20 Meter vor der Ortschaft Adelsbach.

10. Diejenigen Deutschen, die im Besitz der Nichtevakuierungsbescheinigungen sind, dürfen die Wohnung mit ihren Angehörigen in der Zeit von 5 bis 14 Uhr nicht verlassen.

11. Alle Wohnungen in der Stadt müssen offen bleiben, die Wohnungs- und Hausschlüssel müssen nach außen gesteckt werden.

Bad Salzbrunn, 14. Juli 1945, 6 Uhr.

Abschnittskommandant

(-) Zinkowski
Oberstleutnant.

Befehl des polnischen Abschnittskommandanten im schlesischen Bad Salzbrunn vom 14. Juli 1945. Dieser Vertreibungsbefehl wurde vor der Potsdamer Konferenz und ohne die Genehmigung der Alliierten erteilt.

sien) müssen Gefangene, die nicht verhungern oder zu Tode geprügelt werden, Nacht für Nacht bis zum Hals in kaltem Wasser stehen, bis sie sterben. In Breslau gibt es Keller, aus denen Tag und Nacht die Schreie der Opfer dringen.«

Im Lager Lamsdorf (Oberschlesien) wurden die Internierten durch Hunger, Krankheit, harte Arbeit und körperliche Mißhandlungen dezimiert. Der überlebende Lagerarzt Heinz Esser berichtete, daß 6 488 Internierte, darunter 628 Kinder, im Lager umgekommen sind.

Über die Zustände in der Tschechoslowakei gibt es einige amerikanische Berichte, da das West-Sudetenland von amerikanischen Truppen besetzt war. Amerikanische Soldaten waren Zeugen von Ausplünderungs- und Mißhandlungsfällen; öfter mußten amerikanische Kommandeure den ansässigen Tschechen in freundlicher, aber fester Haltung erklären, »daß gewisse Vorgänge im Namen der Menschlichkeit nicht geduldet werden könnten«, wie Robert Murphy nach Washington meldete.

So heißt es z. B. in einem Bericht der U.S. Army vom 27. Oktober 1945: »Frau Anna Hruschka, eine Sudetendeutsche aus Kottiken, sieben Kilometer nördlich von Pilsen, sagte aus, daß ein tschechischer Soldat und mehrere tschechische Polizisten in ihr Haus eindrangen, Geschirr, Kristall und Kleidung beschlagnahmten, nachdem sie ihre Schwester und ihren Schwager zusammengeschlagen hatten. Frau Hruschka ging am gleichen Tage nach Pilsen, um den Überfall dem tschechischen Armeehauptquartier auf der Klattower Straße zu melden. Nachdem sie in ihr Haus zurückgekehrt war, kamen zwei Polizeibeamte und nahmen sie zum Polizeirevier in Kottiken fort. Dort wurde sie über ihre Reise nach Pilsen befragt und mit einer Geldbuße in Höhe von 1 000 Kronen belegt, weil sie ohne Genehmigung nach Pilsen gefahren war und weil sie die gelbe Armbinde nicht getragen

hatte. Dann wurde sie so schwer mißhandelt, daß sie ohnmächtig wurde. Ein Auge ist heute noch verbunden, das andere Auge ist schwarzumrändert.«

Andere Deutsche wurden in die alten NS-Konzentrationslager eingesperrt und entsprechend behandelt. H. G. Adler schreibt über die Verhältnisse im ehemaligen KZ Theresienstadt, wo er selbst als Jude schweres Unrecht erlitten hatte: »Bestimmt gab es unter ihnen welche, die sich während der Besatzungsjahre manches haben zuschulden kommen lassen, aber die Mehrzahl, darunter viele Kinder und Halbwüchsige, wurden bloß eingesperrt, weil sie Deutsche waren. Nur weil sie Deutsche waren . . .? Der Satz klingt erschreckend bekannt; man hatte bloß das Wort ›Juden‹ mit ›Deutsche‹ vertauscht. Die Fetzen, in die man die Deutschen hüllte, waren mit Hakenkreuzen beschmiert. Die Menschen wurden elend ernährt, mißhandelt, und es ist ihnen um nichts besser ergangen, als man es von deutschen Konzentrationslagern her gewohnt war. Der Unterschied bestand lediglich darin, daß der herzlosen Rache, die hier am Werke war, das von der SS zugrundegelegte großzügige Vernichtungssystem fehlte. Das Lager stand unter tschechischer Verwaltung, doch wurde von dieser nicht verhindert, daß Russen gefangene Frauen vergewaltigten . . .«

Dies ist aber nur ein Teil der Geschichte, denn nicht alle Lager waren Vernichtungslager, nicht alle Vertriebenen wurden mißhandelt oder getötet.

Für viele war gerade das korrekte Verhalten einzelner Tschechen, sei es im Amt oder am Arbeitsort, ein Lichtblick in einer sonst trostlosen Lage. Nicht wenige Sudetendeutsche verdankten der persönlichen Hilfsbereitschaft und dem Entgegenkommen mancher Tschechen, vor allem dort, wo durch jahrelanges Zusammenleben eine gegenseitige menschliche Wertschätzung gewachsen war und von der jeweiligen politischen Konstellation unberührt blieb, eine Erleichterung ihres schweren Schicksals.

Eine besondere Würdigung verdient die Hilfsaktion des Tschechen Premysl Pitter für deutsche Kinder, die ihre Eltern durch die Kriegs- und Nachkriegsereignisse, vor allem in den tschechischen Lagern, verloren hatten und in den Massenlagern verwahrlosten und zugrunde gingen. Gegen den anfänglichen Widerstand der Behörden brachte er Hunderte von Kindern in den von ihm errichteten Heimen unter und rettete ihr Leben.

Auch viele Polen, die während des Krieges viel deutsches Unrecht erlitten hatten, zeichneten sich durch Menschlichkeit und Hilfsbereitschaft aus. Das sehr verdienstvolle Buch »Dokumente der Menschlichkeit« sammelt einige hundert Beispiele von Nächstenliebe. So berichtete eine Schlesierin: »Im Riesengebirge war unser Zufluchtsort nach der Flucht aus Breslau. Das dortige Kinderheim war schon in polnischer Hand ... Die Leiterin, Frau N. N., eine junge Frau, war in einem deutschen KZ gewesen. Da kam ich eines Tages mit meinem zweieinhalbjährigen Sohn Harald ins Heim. Sie sah den Jungen, kniete nieder bei ihm, küßte ihn und machte das Kreuzzeichen auf seiner Stirn ... Seitdem bekamen wir hin und wieder ... gutes Essen für das Kind. Und als wir ganz unerwartet im Mai 1946 ausgewiesen wurden, erschien sie auf dem Sammelplatz und drückte uns eineinhalb Pfund Butter in die Hand. Als sie sah, daß das Kind krank war, schickte sie ein polnisches Mädchen auf dem Rade nach, mit Prontosil-Tabletten, die mir eine große Hilfe waren.«

Ähnliche Beispiele der Menschlichkeit wiederholten sich überall in Polen, der Tschechoslowakei, Ungarn, Jugoslawien und Rumänien. Doch gibt es keinen Zweifel, daß in den Monaten und Jahren nach dem Kriege eine menschliche Behandlung der Deutschen in diesen Ländern eher die Ausnahme und nicht die Regel bildete.

Organisierte Umsiedlungen

Nach diesen Beispielen von ungeregelten Vertreibungen und unmenschlichen Internierungen soll auch darauf hingewiesen werden, daß nicht alle Ostdeutschen in dieser Weise ausgesiedelt wurden. Dafür sorgten die Interventionen der Westalliierten und die Bestimmungen des Alliierten Kontrollrates in Berlin, der am 20. November 1945 einen Zeitplan bekanntgab, wonach 6,5 Millionen Deutsche aus Polen und den von Polen verwalteten Gebieten sowie aus der Tschechoslowakei und Ungarn in die vier Besatzungszonen umgesiedelt werden sollten. Der Alliierte Kontrollrat hat sich auch weiterhin mit den Umsiedlungen befaßt, obwohl die Abmachungen meistens direkt zwischen Vertretern der ausweisenden Staaten und der Besatzungszonen getroffen wurden.

Tschechoslowakei

Die organisierten Ausweisungen aus der Tschechoslowakei begannen im Januar 1946 und beruhten auf Verhandlungen von Vertretern der amerikanischen Besatzungsbehörden mit Vertretern der tschechoslowakischen Regierung am 8. und 9. Januar 1946. Nach dieser Vereinbarung durften die »Auswandernden« hinreichend Kleidung, 30 – 50 Kilogramm Gepäck und 1 000 RM mitnehmen. Die Transporte sollten durchschnittlich 1 200 Personen in 40 Eisenbahnwaggons, die bei schlechtem Wetter geheizt werden könnten, umfassen; Familien sollten nicht auseinandergerissen werden. Der erste Transport traf am 25. Januar 1946 aus Budweis im Grenzübergangslager Furth im Wald ein. Täglich wurden vier Züge mit 4 800 Personen abgefertigt. Meistens wurden

Internierungslager in den einzelnen Bezirken als Sammelstellen für die Auszuweisenden eingerichtet. Wie auch vor Beginn der organisierten Transporte herrschte Willkür in vielen Internierungslagern. Häufig wurden die Auszuweisenden ausgeplündert, so daß das vereinbarte Mindestgepäck von 30 Kilogramm meist nicht erreicht wurde. So kamen die Ausgewiesenen in die amerikanische Zone mit wenigen Kleidungsstücken und ohne die unentbehrlichen Haushaltsgegenstände an, die zu diesem Zeitpunkt in Deutschland nicht zu beschaffen waren. Bargeld konnte in unterschiedlicher Höhe mitgenommen werden: manchmal 200, mal 500, mal 1 000 RM. In vielen der Transporte befanden sich Familien, deren arbeitsfähige Mitglieder in der Tschechoslowakei zurückgehalten wurden.

Durch amerikanische Interventionen wurden neue Vereinbarungen mit den tschechischen Behörden im April 1946 erzielt. Danach besserten sich die Bedingungen der Ausweisung im Sommer 1946. Mißhandlungen kamen nur noch selten vor, aber die Tschechen beraubten nach wie vor die Vertriebenen und teilten ihnen wertloses Zeug zu, nur damit sie das Mindestgewicht des Gepäcks vorweisen konnten. Diese Beschwerden waren der Anlaß für weitere Besprechungen zwischen Vertretern der amerikanischen Militärregierung und tschechoslowakischen Regierungsstellen am 15. Juni 1946 in Prag, bei denen neue Richtlinien für die Ausweisung vereinbart wurden.

Im Jahr 1946 sind 1 111 Einsenbahnzüge mit 1 183 370 Ausgewiesenen aus der Tschechoslowakei in die amerikanische Zone eingelaufen.

Im Juni 1946 setzte die Ausweisung in die sowjetische Zone ein. Insgesamt wurden nach tschechischen Angaben bis Ende Oktober 1946 etwa 750 000 Sudetendeutsche in die Sowjetzone ausgewiesen.

In den Jahren 1947 und 1948 wurden nur kleinere Gruppen ausgesiedelt, öfter im Rahmen der Familienzusammenführung, denn viele Facharbeiter waren von ihren Familien getrennt und in der Heimat zurückgehalten worden.

Über die Methode der Umsiedlungen aus der Tschechoslowakei urteilte ein Bericht des amerikanischen Repräsentantenhauses »Expellees and Refugees of German Ethnic Origin« 1950 zusammenfassend: »Ungefähr eine Viertelmillion Sudetendeutscher wurde auf unmenschliche Weise durch selbständige Aktionen von ›Partisanen‹ aus den Grenzgebieten nach Deutschland vertrieben.« Die übrigen, etwa 2,5 Millionen, wurden Ende 1945 und 1946 nach Deutschland geschickt, und zwar durch eine organisierte Umsiedlung, die von der tschechoslowakischen Regierung durchgeführt wurde. Die Verhältnisse waren so, daß keine dieser Unternehmungen als human und geregelt bezeichnet werden kann. Sudetendeutsche, die sich 1938 loyal gegen die Tschechoslowakei verhalten und deshalb unter dem Naziregime gelitten hatten, wurden zum größten Teil ebenfalls von der Vertreibung betroffen.«

Das siebenhundertjährige Neben- und Miteinander der Deutschen und Tschechen wurde mit der Vertreibung abgeschlossen. Die Heimat von Gregor Mendel, Rainer Maria Rilke, Franz Kafka und Gustav Mahler sollte keine Deutschen mehr kennen.

Polen

Während die amerikanische Zone überwiegend Sudetendeutsche übernahm, gingen die meisten Deutschen aus den Gebieten östlich der Oder-Neiße-Linie entweder in die sowjetische oder britische Zone. Unter dem Kennwort »Operation Schwalbe« wurden 1 375 000 Deutsche vom Frühjahr bis zum Ende 1946 in die britische Zone überführt. Für den gesamten nördlichen

Diese Armbinde hatten alle verbliebenen deutschen Facharbeiter zu tragen, die nach der Kapitulation im Elektrizitätswerk von Hirschberg/Riesengebirge (Jelenia Góra) tätig waren.

Dieser Schein wurde ausgegeben, damit der Vertriebene sich ausweisen konnte.

Raum war Stettin die Hauptstation für die Zusammenstellung der Transporte. In den Sammellagern, in denen die Auszuweisenden oft wochenlang auf die Abfahrt der Transportzüge warten mußten, herrschten katastrophale Zustände. Außer auf dem Schienenwege erfolgte der Weitertransport von Stettin nach Westen teilweise auch über See nach Lübeck.

Von einer humanen Umsiedlung kann aber keine Rede sein. Fast alle Berichte über die Ausweisung im Jahre 1946 erwähnen das schonungslose Vorgehen der polnischen Ausweisungskommandos. Daß sich die Übergriffe und vor allem die Plünderungen überhaupt milderten, verdanken die Vertriebenen den Vertretern der britischen Besatzungsmacht, die wiederholt gegen die Art protestierten, in der die polnischen Behörden die Ausweisungen handhaben.

Mit dem Eintritt des Winters 1946/47 verweigerten die britischen Behörden jede weitere Aufnahme von Ausweisungstransporten, da viele Tote durch Kälte zu beklagen waren. Verschiedene Transporte liefen deshalb wieder in ihre Ausgangsorte zurück. Im Frühjahr 1947 begann eine neue Etappe der Zwangsausweisungen. Da die britische Besatzungszone immer noch nicht zu einer Übernahme bereit war, gingen die Transporte in die sowjetische Besatzungszone. So wurden bis Ende 1947 schätzungsweise weitere 500 000 Deutsche aus Schlesien, Ostpommern, Westpreußen und dem Südteil Ostpreußens nach Westen transportiert.

Während der Jahre 1948 und 1949 folgten Aussiedlungen aus dem sowjetisch verwalteten Teil Ostpreußens. Zunächst hatten die Sowjets die Deutschen als Arbeitskräfte behalten wollen. Die katastrophalen Lebensbedingungen im gesamten »Verwaltungsgebiet Kaliningrad« führten dazu, daß viele Deutsche versuchten, über die Grenze in den polnischen Teil Ostpreußens zu flüchten. Tausende starben an Hunger und Entkräftung. Allmählich konnten aber die deutschen Arbeitskräfte durch eingewanderte Russen ersetzt werden, so daß die überlebenden 100 000 Deutschen in die sowjetische Besatzungszone Deutschlands umgesiedelt wurden.

In den Jahren 1948 und 1949 folgten weitere 200 000 Deutsche aus Polen und in den Jahren 1950 und 1951 weitere 50 000 im Rahmen der »Aktion Link«. Danach blieben in den Oder-Neiße-Gebieten noch insgesamt etwa eine Million Deutsche zurück.

Ungarn

In den letzten Monaten des Krieges sind nur etwa 60 000 der 500 000 Ungarndeutschen geflohen. 35 000 wurden zur Zwangsarbeit in die Sowjetunion verschleppt. Nach der sowjetischen Besetzung kamen radikale Elemente, vor allem madjarische Nationalisten, an die Macht, die den verlorenen Krieg an den Volksdeutschen rächen wollten. Zunächst wurden viele enteignet und von ihren Höfen verjagt. Doch zahlreiche Ungarn in der Regierung widersetzten sich der Ausweisung der Deutschen, bis sich schließlich die Radikalen durchsetzten.

Die Transporte aus Ungarn begannen im Januar 1946. Allerdings entsprachen sie zunächst nicht den Vorstellungen des Alliierten Kontrollrates. General Lucius Clay beschrieb die ersten Transporte: »Der Anblick, den die erste Zugladung aus Ungarn bot, war erschütternd. Die Ausgewiesenen waren ohne genügend Proviant und nur mit notdürftigstem Reisegepäck zusammengeholt worden; hungrig und armselig kamen sie an. Nach mehrfach wiederholten Vorstellungen wurde vereinbart, daß jeder Ausgewiesene etwas Gepäck und 500 RM mitnehmen durfte.«

1946 wurden etwa 170 000 Volksdeutsche in der amerikanischen Zone, vornehmlich in Württemberg, angesiedelt. Die Transporte in den Jahren

1947 und 1948 liefen in die russische Zone, nach Sachsen, wo etwa 50 000 Volksdeutsche aus Ungarn untergebracht wurden. Wie bei der Ausweisung aus der Tschechoslowakei, verliefen die Transporte in die amerikanische Zone einigermaßen ordentlich. Die Transporte nach Sachsen gingen brutaler vor sich, aber nicht alle Ungarndeutsche wurden ausgesiedelt. Etwa 270 000 konnten in der Heimat ihrer Eltern bleiben.

Jugoslawien

Unter den Vertriebenen erlitten die Volksdeutschen in Jugoslawien das schwerste Schicksal. Von ursprünglich über 500 000 Volksdeutschen kamen etwa 135 000 um, d. h. über ein Viertel. Etwa 30 000 wurden zur Zwangsarbeit in die Sowjetunion verschleppt. Die Überlebenden wurden hauptsächlich in die sowjetische Besatzungszone Deutschlands repatriiert.

Das Schicksal der Donauschwaben, Slawoniendeutschen und anderer Volksdeutscher, die nicht geflüchtet waren, erwies sich in den ersten Monaten des Jahres 1945 als besonders grausam. Tausende, die in Lager interniert wurden, erlagen dem Hunger, dem Typhus und anderen Krankheiten. Eine geregelte Umsiedlung hätte vielleicht in Gang gesetzt werden können. In einem Aide-mémoire vom 19. Januar 1946 über den »Transfer der restlichen deutschen Minderheit aus Jugoslawien nach Deutschland« wandte sich die jugoslawische Regierung unter fälschlicher Berufung auf die Potsdamer Vereinbarungen an die amerikanische Botschaft in Belgrad. Die amerikanische Militärregierung hatte aber die Hände voll zu tun mit den Vertreibungen aus den deutschen Ostgebieten, der Tschechoslowakei und Ungarn. Eine Vereinbarung mit den Jugoslawen wurde deshalb abgelehnt. Trotzdem wurden immer wieder Volksdeutsche über die Grenze nach Österreich oder nach Ungarn abgeschoben. Insgesamt gelangten etwa 290 000 Jugoslawiendeutsche nach Österreich und Deutschland, während 82 000 zurückblieben oder zurückgehalten wurden.

Rumänien

Ganz anders gestaltete sich das Schicksal der 238 000 Siebenbürger Sachsen, der 220 000 Banater Schwaben und der übrigen Volksdeutschen in Rumänien. Nur verhältnismäßig wenige wurden vertrieben. Rund 80 000 Volksdeutsche wurden zur Zwangsarbeit in die Sowjetunion deportiert. In den Jahren 1946/47 kehrten die Arbeitsunfähigen zurück, allerdings nicht nach Rumänien, sondern fast ausschließlich über Frankfurt/Oder in die sowjetische Besatzungszone. Eine organisierte Umsiedlung gab es nicht, u. a. deshalb, weil im Artikel XIII der Potsdamer Vereinbarung keine vorgesehen worden war. Doch viele Rumäniendeutsche wollten wegen der z. T. unerträglichen Lebensbedingungen das kommunistisch gewordene Land verlassen. Viele flohen nach Ungarn und von dort weiter nach Österreich.

Dennoch spricht man von »Vertriebenen« aus Rumänien. Hier handelt es sich um die rund 215 000 Umsiedler aus Bessarabien, Bukowina und Dobrudscha, die sich bei Kriegsende im ehemaligen Warthegau oder im ehemaligen Reichsgau Danzig-Westpreußen befanden. Diejenigen, die vor den sowjetischen Truppen nicht geflohen waren, wurden mit den anderen Volksdeutschen aus Polen nach Deutschland abgeschoben.

Die Integration der Vertriebenen

Die Geschichte der Vertriebenen endet nicht mit der Ankunft in der sowjetischen, amerikanischen, britischen oder französischen Zone. Dort mußten sie das Elend und den Hunger mit der übrigen deutschen Bevölkerung teilen. Doch ihre Lage war noch trostloser, denn sie kamen verarmt in eine ihnen unbekannte Stadt oder Landschaft.

Zunächst mußten sie die notwendigen Entlausungen in den Lagern über sich ergehen lassen. Alle, die diese Zeit erlebt haben, werden sich an den Hunger und vor allem an ihr Heimweh erinnern. Wie oft haben sie geweint, wie oft nur gesessen und nachgedacht. Doch die Stunde des Wiederaufbaus kam bald danach. Die Arbeit lenkte vom Heimweh ab. Die Müdigkeit ersetzte die Traurigkeit. Es galt, ein neues Leben aufzubauen. Und gerade in diesem Augenblick, als man den Ausweg aus der Verzweiflung suchte, stellte der amerikanische Marshall-Plan die Mittel zum Wiederaufbau zur Verfügung. Millionen von arbeitslosen Vertriebenen, die nach einem neuen Sinn des Lebens suchten, wurden aufgerufen, sich am Wiederaufbau des zerstörten Landes zu beteiligen. Die Hilfe kam genau zum richtigen Zeitpunkt, und ohne sie wären die Millionen Arbeitslosen vielleicht zu einem Faktor der Unruhe in Deutschland geworden. Aber die deutschen Vertriebenen verzichteten auf Rache und Gewalt. Eine Haltung, die die Geschichte würdigen wird.

Am 5. August 1950 wurde die »Charta der deutschen Heimatvertriebenen« verkündet: »Wir Heimatvertriebenen verzichten auf Rache und Vergeltung. Dieser Entschluß ist uns ernst und heilig im Gedenken an das unendliche Leid, welches im besonderen das letzte Jahrzehnt über die Menschheit gebracht hat . . .« Die Charta verlangte, daß das »Recht auf die Heimat« als eines der von Gott gewollten Grundrechte der Menschheit anerkannt und verwirklicht wird. 30 Jahre nach Verkündung der Charta ist eine neue Generation in der Bundesrepublik herangewach-

sen. Für sie ist die Vertreibung und die Charta der Heimatvertriebenen nur noch Geschichte.

Die Spätaussiedler

Heute kommen immer noch Deutsche aus dem Osten. Sie sind keine »Vertriebene« im eigentlichen Sinne. Man nennt sie »Spätaussiedler«. Doch ist ihr Schicksal von jenem der Vertriebenen nicht zu trennen. Viele, die jetzt kommen, wurden damals als junge Facharbeiter zurückgehalten. Viele haben seit den fünfziger Jahren 20 und mehr Ausreiseanträge gestellt, und erst jetzt, nach den Ostverträgen erhielten sie die Ausreisegenehmigung. Sie sind Deutsche, die nach der Vertreibung von 90 Prozent ihrer Landsleute einfach zurückgeblieben waren. Ihre Existenz als Deutsche war kaum mehr möglich. Die Pflege ihrer Muttersprache und ihrer Kultur wurde ihnen erheblich erschwert. In vielen Gegenden Schlesiens und Ostpreußens war es verpönt, öffentlich auf der Straße Deutsch zu sprechen. Die Kinder lernten nur Polnisch in der Schule. Um Schwierigkeiten mit einer unfreundlichen Umgebung zu vermeiden, lehrten die Eltern ihren Kindern nicht mehr die eigene Muttersprache. Deshalb suchten und suchen viele Deutsche die Ausreise als einzige ihnen noch verbliebene Möglichkeit, ihre Identität als Deutsche zu bewahren.

Seit der Führung einer Bundesstatistik im Jahre 1950 sind über eine Million »Spätaussiedler« in die Bundesrepublik gekommen. Auch sie gehören zum Komplex der »Vertreibung«, denn er ist nicht abgeschlossen mit der Feststellung, daß zwölf Millionen Ostdeutsche gegen Ende des Krieges in den Westen gelangten. Betroffen von dieser Katastrophe wurden insgesamt über 16 Millionen Menschen: die Flüchtlinge, die Vertriebenen, die Spätaussiedler, die Zurückgebliebenen.

111

112

Zwangsumsiedlungen sind in unserem Jahrhundert keine Seltenheit, obwohl sie gegen das Völkerrecht verstoßen. Dennoch beschlossen die Alliierten eine noch umfangreichere Vertreibung von Menschen aus ihrer Heimat, als selbst Hitler sie hatte durchführen lassen. Rund zwölf Millionen Ost- und Sudetendeutsche waren davon betroffen. Über zwei

Millionen starben auf der Flucht oder während der Vertreibung. Auf dem Anhalter Bahnhof von Berlin: Ein junges Mädchen wird von Helfern gestützt. Sie ist während eines Vertriebenentransportes aus Polen von polnischem Begleitpersonal vergewaltigt worden (109).

Die letzten Stunden in der Heimat. Zwei Frauen eines pommerschen Dorfes nehmen voneinander Abschied (110). Nicht alle Deutschen wurden sofort ausgewiesen. 2,5 Millionen blieben zurück. Sie wurden als Spezialisten in Industrie und Landwirtschaft gebraucht.

Auf der Konferenz von Potsdam wurde beschlossen, daß die deutsche Bevölkerung aus Polen, der Tschechoslowakei und Ungarn nach Deutschland überführt werden sollte. Diese Überführung sollte »in ordnungsgemäßer und humaner Weise erfolgen«. Doch schon vor Beginn dieses Abkommens begannen illegale Massenausweisungen aus den ehemaligen deutschen Gebieten und aus dem Sudetenland. Sie gingen mit dem, was sie tragen konnten, doch die meisten Vertriebenen hatten bei ihrer Ankunft in den vier Besatzungszonen keinerlei persönlichen Besitz mehr, weil sie ihn gegen Nahrungsmittel eingetauscht hatten oder die Züge geplündert worden waren (111,112).

Erst im Januar 1946 begannen auf Intervention der Westalliierten organisierte Ausweisungen. Sie beruhten auf Vereinbarungen zwischen amerikanischen sowie tschechoslowakischen und polnischen Behörden. So durften z. B. die »Auswandernden« hinreichend Kleidung, 30 bis 50 Kilogramm Gepäck und 1 000 Reichsmark mitnehmen. Familien sollten nicht auseinandergerissen werden.

Da die eingesetzten Güterzüge zumeist nicht beheizt werden konnten, verhinderten westliche Militärdienststellen mehrere Eisenbahntransporte, um damit eine Wiederholung der Katastrophe vom Jahr zuvor zu verhindern. Damals starben Tausende an Unterkühlung oder erfroren während des langen Transports, denn eine solche Fahrt dauerte im zerstörten Deutschland gut eine Woche (113, 114, 115).

Die Geknechteten von früher sind die Herren von heute. Marusia Kusnetsova, die für zwei Jahre als Fremdarbeiterin nach Deutschland verschleppt worden war, beaufsichtigt nun deutsche Frauen, die die Straßen einer eroberten Stadt im Osten fegen müssen (116).

Noch in den letzten Kriegstagen brach in der Tschechoslowakei ein Volksaufstand gegen die deutschen Besatzer aus. Nun übten die Tschechen Rache und Vergeltung für die über Jahre ertragenen Qualen und Demütigungen. Schon in den ersten Tagen nach der Kapitulation wurden die Deutschen in Arbeitslagern zusammengefaßt. Zusammen mit tschechischen Kollaborateuren waren sie Gewalttaten und Willkür meist hilflos ausgeliefert.
Besser hatten es diejenigen, die unter tschechischer Bewachung das Land verlassen mußten – wie diese Gruppe aus Prag (119). Viele Deutsche wurden in Lagern unter freiem Himmel zusammengefaßt, um dann nach Deutschland überführt zu werden. Nicht selten wurden ihnen die letzten Habseligkeiten genommen. So sah es nach einem Überfall im Lager Pilsen im Mai 1945 aus (118). Glück hatte, wer mit einem richtigen Treck in den Westen ziehen konnte (117).

Für viele – selbst alte Menschen – war die Verteibung aus ihrer Heimat eine Erlösung. Sie nahmen lieber die Strapazen dieser Flucht ins Ungewisse auf sich als die teilweise unmenschliche Behandlung und ständige Schikanen der neuen Machthaber (120).

119

121

122

123

Besonders hart war das Schicksal der Volksdeutschen aus Jugoslawien. Von den über 500 000 Deutschen kamen rund 135 000 um. Etwa 30 000 wurden zur Zwangsarbeit in die Sowjetunion verschleppt. Die Überlebenden wurden hauptsächlich in die sowjetische Besatzungszone abgeschoben. Ein Beispiel: Von 135 gestarteten Ackerwagen aus

Katy kamen nur 35 in der Tschechoslowakei an, wo diese Gruppe Rast auf ihrem Weg nach Deutschland machte (121, 122).
Viele wollten in ihre Heimat zurück. Nur wenigen gelang es. Diese deutsche Mutter wartet im Juli 1945 in Berlin auf die Genehmigung zur Rückkehr auf ihren Bauernhof in Pommern (123).

Mit den ersten Vertriebenentransporten kehrten auch die ersten Soldaten aus russischer Kriegsgefangenschaft zurück. Unzählige starben auf dem langen Weg aus dem Osten oder mußten sich sofort in ärztliche Versorgung begeben, wie dieser beinamputierte Soldat – ein namenloses Schicksal (124).

Die Menschenmühle

Peter Grubbe

Ein kleiner, viereckiger Barackenraum. In der Diagonale ein Tisch. Dahinter zwei Angestellte, die anhören, prüfen, entscheiden. Vor dem Tisch eine Kette von Menschen, die vorüberziehen: Männer, Frauen, Greise, Krüppel, Kinder, Kriegsversehrte, Kriegsvertriebene, Heimatlose. Einer hinter dem anderen. Ohne Ende. Sie legen ihre Papiere auf den Tisch, sie erklären, bitten, betteln, warten – dann gehen sie weiter. Das Zimmer hat zwei Türen. Zu der einen kommen sie herein, zur anderen gehen sie hinaus. Dazwischen liegt die Entscheidung, das Urteil. Über der Eingangstür, vor der sie warten, durch die sie eintreten, hängt ein schmales weißes Schild: FLÜCHTLINGSLAGER UELZEN AUFNAHME.

Vor dem Tisch eine Frau im schwarzen Kleid, eine Tasche, aus Papierschnur geflochten, in der Hand, das Gesicht eingefallen, rote Flecken über den spitz hervortretenden Backenknochen, neben ihr die Tochter, 16 Jahre alt, ein kindlich offenes Mädchengesicht; daneben der 13jährige Sohn. Vor sechs Wochen hat die Tochter eine Arbeitsaufforderung für eine der verstaatlichten Thüringer Fabriken erhalten. Daraufhin sind sie fortgegangen. Zunächst wollten sie nach Hessen, in die amerikanische Zone. Dort ist die älteste Schwester bei einem Pfarrer in Stellung. Bei Eschwege hat man sie festgehalten und zurückgeschickt. Im Wiederholungsfalle würden sie mit sechs Wochen Gefängnis bestraft werden, hat man ihnen gesagt. So sind sie nach Uelzen gekommen. Hier könnten sie Papiere für die Weiterfahrt bekommen, hat man ihnen unterwegs erzählt, hier erhielten sie auch eine Zuzugsgenehmigung. Die britische Zone nähme noch Flüchtlinge aus der russischen Besatzungszone auf.

Der Beamte schüttelt den Kopf. Die englische Zone ist schlimmer überfüllt als jede der drei anderen. Aller Zuzug ist gesperrt. Er reicht die Papiere zurück. Das Mädchen hat während der ganzen Zeit kein Wort gesprochen. Jetzt rollen langsam zwei Tränen über ihr Gesicht. Sie hat Angst. Sie will nicht zurück in die Ostzone. Dort gibt es die Listen, in die man sich eintragen muß, die Arbeitsverpflichtungen, die Fremden, die plötzlich in den Wohnungen auftauchen, die Menschen, die nicht zurückkehren. Die Mutter hat mit unsicherer Hand eine Schachtel deutscher Zigaretten aus der Tasche gezogen, hält sie zögernd vor sich hin.

Der Beamte wendet sich ab. »Der nächste bitte . . .« Seine Stimme klingt belegt. Sein Gesicht ist plötzlich sehr müde. Langsam, zögernd

201

verlassen die beiden Frauen den Raum. Der Junge blickt sich noch einmal um, sieht den Mann an, fragend, ohne Verständnis. Dann schließt er die Tür hinter sich.

»Der nächste bitte . . .«

Ein Mann von etwa 50 Jahren. Breites, rotes Gesicht. Unverkennbar schlesischer Dialekt. Er ist Schlossermeister von Beruf. Er ist nach Sachsen geflüchtet und will nun in die Westzone. Er sei politisch verfolgt. Der Beamte greift nach der Kennkarte. »Sind Sie verheiratet?« Der Mann zuckt zusammen, zögert, stockt: Ja, er ist verheiratet. Aber er will sich scheiden lassen. Die Kinder sollen bei der Frau bleiben. Er hat schon eine Firma in Köln, bei der er anfangen kann, als Schlosser, sofort. Er sucht hastig nach einem Papier in seiner Brieftasche. Dabei fällt ein Bild heraus, das Bild einer Frau. Der Beamte hat bereits die Kennkarte herumgedreht und einen Stempel daraufgedrückt. Um vier Uhr nachmittags geht ein Zug zurück über die Grenze, in die russische Zone, in das dortige Durchgangslager Schöningen. Die Fahrt bezahlt das Lager.

Ein Bauernsohn aus Mecklenburg, vor zwei Monaten aus englischer Kriegsgefangenschaft heimgekehrt, groß, blond, einen verbissenen Zug um den zusammengepreßten Mund. Er legt seinen Personalausweis auf den Tisch, die polizeiliche Abmeldung, daneben die Einberufung zum Uranbergbau. Der Beamte hebt für einen Augenblick den Kopf. Dann füllt er einen Zettel aus, für die Nebenstelle des Arbeitsamts, in der gleichen Baracke. Echten politischen Flüchtlingen, auch die zum Uranbergbau Verpflichteten gehören dazu, gewährt die britische Zone Asylrecht. Und Landarbeiter werden ohnehin gesucht. Der Junge, der vor dem Tisch steht, holt tief Atem. Dann packt er seine Papiere zusammen und geht weiter, zum Arbeitsamt.

»Der nächste bitte...«

Zwei Artisten aus Leipzig, die während des Krieges in Eger und Karlsbad aufgetreten und von dort vertrieben worden waren. Sie haben politische Witze über die SED gemacht. Sollten verhaftet werden. Die Landesleitung der CDU bestätigt ihre Angaben. Sie haben keine Verwandten in der Zone. Ihr Beruf steht auf keiner Mangelliste. Sind sie politisch Verfolgte? Wer nimmt sie auf?

Man muß warten lernen

Ein achtzehnjähriges Mädchen, offensichtlich schwanger, ein rotes Tuch um den Hals, schmutzig, geschminkt, keine Papiere. Sie sei von den Russen verfolgt, habe flüchten müssen. Sie wolle mit ihrem Verlobten nach Hamburg. Der Beamte hat bereits nach dem Stempel gegriffen. Sie bekommt einen Rückfahrschein in die russische Zone. Mit spöttischem Lachen zerknüllt sie den Zettel, wirft ihn zur Erde. Sie wird hier bleiben, im Westen. Sie wird einen Weg finden.

Ein alter Mann, Tischlermeister aus Ostpreußen. Drei Jahre hat er in Halle gelebt. Als Hilfsarbeiter in der Werktischlerei einer Maschinenfabrik. Jetzt hat er Nachricht von seiner Frau bekommen. Sie lebt mit der Tochter in Celle, bei Verwandten, in einem kleinen, sechs Quadratmeter großen Zimmer. Dort will er hin. Die beiden Männer hinter dem Tisch sehen sich an. Der Mann vor dem Tisch wartet. Nach Erlaß der Regierung ist die Erteilung einer Zuzugsgenehmigung zum Zwecke der Familienzusammenführung zulässig. Aber maßgeblich ist der Wohnsitz des Mannes, des Ernährers. Und das wäre Halle in der Ostzone. Der Mann wartet. Zögernd schreibt der Beamte einen Vermerk auf das Papier. Er wird versuchen zu helfen. Er wird versuchen, ihn einzuschieben. Der Mann muß warten, vielleicht Monate. Er hat ja das Warten gelernt. Drei Jahre lang. Die Hauptsache ist, daß er nicht zurück braucht.

Ein Kriegsversehrter, seit zehn Monaten unterwegs, eine ehemalige Gutsbesitzerin aus der Mark Brandenburg, zwei Landarbeiterinnen, angeblich direkt aus Ostpreußen kommend, mit gefälschten Papieren, ein ehemaliger Soldat, aus französischer Kriegsgefangenschaft geflüchtet, eine »Volksdeutsche« aus Oberschlesien. »Der nächste bitte . . .« Bauern aus Siebenbürgen, Handwerker aus Westpreußen, Evakuierte aus Berlin, Flüchtlinge, Verbrecher; ein Straßenmädchen, das aus dem Krankenhaus geflohen ist, ein Pfarrer, den man seines Amtes enthob, ein Schwarzhändler, dem die Polizei auf den Fersen ist, eine ehemalige BDM-Führerin. Die meisten kommen das erste Mal. Manche stehen zum dritten, zum vierten Mal vor dem Tisch. Ein Arbeitsscheuer zieht seit zwei Jahren durch die Länder der Bizone mit einem alten Entlassungsschein und mit dreifachen Papieren.

28 Baracken umfaßt das Durchgangslager Uelzen. 28 grau gestrichene Holzbaracken auf einem Bauplatz am Rande der vom Kriege verschont gebliebenen, friedlich verschlafenen Heidestadt. Ein Zaun, über den ein Stacheldraht gespannt ist, schließt die Anlage ein. Vor dem Tor ein Schlagbaum, daneben ein Posten, der die Papiere kontrolliert. Zwischen den einzelnen Baracken schmale Durchgänge, breite Straßen, weiße Richtungsschilder: Zum Arzt. Zur Aufnahme. Zum Verpflegungsempfang. Zur Lagerleitung. Zur Transportabteilung. Eine Barackenstadt.

Das Lager faßt 1 600 Personen und ist durchschnittlich mit über 2 000 belegt. Etwa jeder achte von denen, die kommen, kann bleiben, erhält eine Zuzugsgenehmigung der Regierung Niedersachsens, wird Verwandten zugewiesen, die angewiesen werden, ihn aufzunehmen, wird durch das Arbeitsamt im Lager an einen Betrieb vermittelt, der Fachkräfte sucht. Die keine Zuzugsgenehmigung erhalten, müssen das Lager wieder verlassen.

Es riecht nach Lumpen

Solange sie im Lager sind, werden sie verpflegt. Einkleiden kann man sie nicht, obwohl manche von denen, die kommen, fast nur Lumpen auf dem Leib tragen und fast barfuß gehen. Aber Zuteilungen an Wäsche, an Kleidern, an Textilien waren nicht zu erhalten. Selbst Decken werden nicht mehr ausgegeben. Die deutschen Wirtschaftsämter verfügen angeblich über keine Kontingente. Lediglich das britische Rote Kreuz verteilt täglich 40 bis 50 Kleidungsstücke an völlig zerlumpte Kinder und Frauen. Ein saurer, dumpfer Geruch hängt in den niederen Hallen der Baracken. Es riecht nach Lumpen.

Eine Frau mit einem bäuerlich breiten Gesicht, ein schwarzes Umschlagtuch um die Schultern, hockt auf »ihrem« Platz im Stroh. Es ist ihr Bett, ihr Wohnraum, ihr »Zuhause«. Zwischen den Knien hält sie eine Tasche. Sie hat ihre Schuhe ausgezogen. Die Füße sind geschwollen. Sie sucht ein Stück Stoff als Fußlappen.

Sie ist das dritte Mal im Lager. Sie kommt aus Ostpreußen. Mit dem Treck ihres Dorfes ist sie zunächst in den Sudetengau gezogen, dann über Sachsen, Thüringen hierher. Das erste Mal wies die Lagerleitung sie dem Kreis Aurich zu. Aber das Flüchtlingsamt des Kreises schickte sie zurück, da für Flüchtlinge aus dem Sudetengau nicht Niedersachsen, sondern Bayern zuständig sei. Sie wurde nach Hof weitergeleitet. Nach vier Wochen war sie wieder da. Bayern sei nur für Sudetendeutsche, nicht aber für Ostpreußen zuständig.

Nun wartet sie wieder hier. Ihr Gepäck hat sich um zwei Kisten und einen Koffer vermindert. Auch das Geld ist weniger geworden. 300 Mark hat sie noch. Über 20 Monate wartet sie jetzt, fast zwei Jahre. In der nächsten Woche soll sie mit einem Transport endgültig in ihre »neue Heimat« gebracht werden.

Im Schatten der Barackenwand spielen zwei Kinder, ein Junge und ein Mädchen von zehn und elf Jahren. Sie spielen »Erwachsene«. Sie spielen Kofferpacken und Essenholen. Sie spielen Abreise und Streit und Schlafen. Das Kleid des Mädchens ist voller Flecken und reicht knapp bis zum Knie. Der Junge hat keine Schuhe an den Füßen. Sie sind seit Jahren nicht mehr zur Schule gegangen. Das Mädchen kommt aus Pommern. Der Vater hat sie mitgebracht. Die Mutter ist dort geblieben, bei einem Polen. Die Mutter des Jungen kommt aus Schlesien. Sie hat keine Papiere. Sie und der Vater des Mädchens haben sich vor der Lagerleitung als Ehepaar ausgegeben. Eigentlich hätten sie Anfang der Woche mit einem Transport nach Hildesheim fahren sollen, als Landarbeiter. Aber am Abend vor der Abreise ist der Mann verschwunden. Bis heute ist er nicht zurückgekehrt. Einstweilen sorgt die Frau für das Mädchen. Sie gilt ja als seine Mutter. Aber was soll werden, wenn der Mann nicht zurückkommt?

Die Baracke ist halb dunkel. Die Kinder spielen. Sie spielen Grenze und Gefängnis. Später zieht der Junge eine Illustrierte aus der Tasche. Stockend buchstabiert er die Texte unter den Bildern, denn lesen hat er noch gelernt.

Um fünf Uhr nachmittags wird das Tor des Lagers geschlossen. Wer später kommt, muß bis zum anderen Morgen warten. Der Wartesaal des Bahnhofs bleibt die ganze Nacht geöffnet. An den Tischen sitzen schlafende Gestalten. Gelegentlich schlurft ein müder Kellner durch den Raum. In einer Ecke führen ein paar Frauen ein halblautes Gespräch. Zuweilen fährt einer auf aus einem wirren Traum, tastet hastig nach dem Koffer, dem Rucksack, nach dem Geld in seinem Brustbeutel. Es wird so viel gestohlen heutzutage.

Die Nächte sind noch warm. Am Rande des Bahnsteigs, an der Bahndammböschung hocken ein paar Gestalten im Dunkel. Einmal zündet sich einer eine Zigarette an. Für einen Augenblick beleuchtet die bläuliche Flamme eines Feuerzeugs die Gesichter. Ein Mädchen, drei Männer, einer von ihnen fast noch ein Kind, keiner älter als 30 Jahre. Dann erlischt die Flamme wieder. Ein paar Worte tropfen aus dem Dunkel. ». . . Arbeitsamt . . . Arabische Legion . . . Argentinien . . . Zivilarbeiter für Frankreich . . . Bayern . . . besser Landwirtschaft als Bergbau . . . am besten ins Ausland, in Deutschland ist doch nichts mehr los . . .«

Ein Zug fährt auf dem Bahndamm vorbei. Der Schnellzug nach Hamburg. Dunkle, unbeleuchtete Wagen. Nur die Lokomotive wirft einen Feuerschein gegen den Himmel. Die Schienen vibrieren noch eine Weile.

Ein paar Schritte abseits von den anderen sitzt eine Frau. Neben ihr schlafen zwei Kinder, in eine Decke gewickelt. Vor einem Dreivierteljahr war sie im Lager Uelzen, zwei Monate lang, mit ihrem Mann zusammen. Dann wurden sie in den Kreis Verden eingewiesen. Der Mann sollte dort als Facharbeiter in einer Fabrik eingestellt werden. Statt dessen kam er ins Krankenhaus. Dort ist er vor vier Wochen gestorben, an Tuberkulose, ohne die Arbeit aufgenommen zu haben, und daher ohne Zuzug. Darauf hat man ihr die Zuzugsgenehmigung verweigert und sie einfach in das Flüchtlingslager nach Uelzen zurückgeschickt. Denn dieses sei nun wieder für sie zuständig.

Morgen früh um acht wird sie sich dort melden. Man wird sie aufnehmen, da sie ja Papiere hat. Über anderthalb Jahre war sie bereits in Lagern. Nun wird sie wieder in einem Lager leben, vielleicht ein paar Monate, bis man sie weiterschickt. Vor dreieinhalb Jahren begann ihre Flucht. Vor dreieinhalb Jahren ist sie in die Mühle geraten, in die Mühle der Barackenlager, in die Menschenmühle.

Wege ohne Ziel

Die die Mühle ausspuckt, machen sich ohne Ziel auf den Weg. Sie warten am Rand der Bahnhöfe auf Güterzüge, die halten müssen, weil das Signal auf Rot steht, klettern rasch auf einen der offenen Kohlewaggons und fahren mit, ohne zu wissen wohin. Sie kommen in Dörfer, in denen man sie feindselig mustert, als gehörten sie zu einem fremden Volk, mit dem man nichts zu tun haben möchte, weil es arm ist und nichts besitzt. Wenn sie ein amtliches Papier haben, so daß man sie nicht fortschicken kann, weist man ihnen eine Baracke zu, die leer steht, weil die »Fremdarbeiter«, die früher darin untergebracht waren, nach Hause gegangen sind, oder man gibt ihnen eine Kammer neben einem Stall, die sich nicht heizen läßt. Sie landen in Städten, in deren Straßen noch die Trümmer der zerbombten Häuser liegen. Wer Glück hat, findet einen Keller in den Ruinen, den noch keiner entdeckte, oder ein halbwegs bewohnbares Zimmer in einem eingestürzten Haus. Dann bemühen sie sich, Geld zu verdienen.

München. Der Mann, der vor dem Eingang der Münchner Bierwirtschaft steht, ist 26 Jahre alt. Er trägt eine geflickte Soldatenuniform und eine alte Soldatenmütze über dem blassen, ein wenig aufgedunsenen Gesicht. Er hat nur ein Bein. Das andere hat ihm eine Panzergranate abgerissen bei den Kämpfen um Warschau. Er hat die Hände in den Hosentaschen. Und wenn einer von denen, die sich an ihm vorbeischieben, stehen bleibt, flüstert er ihm leise zu: »Brotmarken – oder Sacharin?« Und zuweilen wechseln ein kleines Päckchen und ein schmutziger Geldschein ihre Besitzer.

Seit einem halben Jahr steht er hier, seit sie ihn aus dem Lazarett entlassen haben, mit einem Bein und zwei Krücken, ein paar Hundertmarkscheinen rückständigen Wehrsolds und einem kleinen grauen Ausweis, der bescheinigt, daß er schwerkriegsbeschädigt ist. Er stammt aus Ostpreußen. Aber dorthin kann er nicht zurück. Als sie ihn aus dem Lazarett entließen, hatte er versucht nach Österreich zu fahren, zu einer Schwester seiner Mutter, die in Innsbruck lebt. Aber er durfte nicht einreisen. Und als er versuchte, schwarz über die Grenze zu gehen, griffen sie ihn auf, sperrten ihn drei Tage lang ein und ließen ihn schließlich laufen, weil er Kriegsbeschädigter war.

Seitdem lebt er in München. Er war zur Universität gegangen, um sich anzumelden, um sein Studium fortzusetzen, denn er hatte vor seiner Einberufung zwei Semester Medizin studiert. Aber die medizinische Fakultät war bereits wegen Überfüllung gesperrt. Da er nicht immatrikuliert war, bekam er auch keine Zuzugsgenehmigung. Daher wohnt er schwarz, für 80 Mark Miete pro Woche. Für die Lebensmittelkarte zahlt er 220 Mark auf dem schwarzen Markt. Jeden Vormittag geht er zur Universität und hört Vorlesungen. Als Schwarzhörer. Die Studenten kennen ihn und halten ihm einen Platz frei. Und am Abend verkauft er Sacharin und Brotmarken auf dem schwarzen Markt, um Geld zu verdienen.

Gelegentlich fahren Jeeps auf der Straße vor. Polizisten springen heraus und sperren die Einfahrt ab. Die Menschen spritzen auseinander. Aktenmappen, Brieftaschen, Zigarettenpakete fliegen in die Ecke. Er bleibt ruhig stehen. Denn er trägt seinen Ausweis in der Tasche, der bescheinigt, daß er schwerkriegsbeschädigt ist. Damit werden sie ihn schon gehen lassen. Auch in der Universität lassen ihn die Kontrollen im allgemeinen durchschlüpfen, obwohl er keine Studienerlaubnis besitzt. Aber er hat ja nur noch ein Bein. Und deshalb studiert er auch hartnäckig weiter. Vielleicht kann er es ja doch noch einmal gebrauchen. Vielleicht kann er ja doch noch einmal zu Ende studieren. Für das kommende Jahr, so hat man ihm auf der Universität gesagt, haben sie ihn jedenfalls vorgemerkt.

Kassel. Die Praxis des Arztes liegt im Hinterhaus. Das Vorderhaus ist ausgebombt. Nur das Schild befindet sich noch an der Mauer. »Facharzt für Haut und Geschlechtskrankheiten.«

Das Wartezimmer ist voll. Zwei junge Männer, eine alte Frau, Mütter mit kleinen Kindern. Dazwischen die Sechzehnjährige. Ihr Gesicht ist geschminkt. Ihre Finger sind gelb von Nikotin. Die Absätze ihrer einst eleganten Wildlederschuhe sind abgetreten.

Sie spürt die Blicke der anderen, schlägt die Beine übereinander, zündet sich eine Zigarette an, zieht den Rauch in langen Zügen in die Lunge. Als der Arzt sie hereinruft, hält sie die brennende Zigarette noch in der Hand. Er sieht sie einen Augenblick an. Sie errötet flüchtig, drückt die Zigarette in dem Aschbecher aus, der auf dem Tisch steht, setzt sich gehorsam in den glatten Ledersessel, zieht sorgsam den Rock über die Knie herab.

Sie kommt aus Danzig. Ihr Vater ist vermißt. Ihre Mutter wurde unter den Trümmern ihres Hauses begraben. Sie blieb mit ihrem Bruder zusammen, der ein Jahr älter war. Sie »wohnten« im Bunker des zerstörten Hauses und lebten von der Hand in den Mund. Eines Tages kam ihr Bruder nicht mehr »nach Hause«. Sie wartete zwei Wochen. Dann machte sie sich auf in den Westen, über Berlin.

Sie macht eine Pause. Der Arzt sieht aus dem Fenster. Draußen regnet es. Mit leiser Stimme erzählt sie weiter.

Sechs Wochen war sie in einem Durchgangslager an der Zonengrenze. Danach fast einen Monat in einer leeren Baracke. Dort hat sie sich das erste Mal mit einem Mann eingelassen, einem 18jährigen Jungen, der auch aus Danzig kam und ihr gut gefiel. Zwei Tage lang hatte sie geglaubt, daß sie

nicht mehr so allein sein würde. Dann war er verschwunden.

Seitdem sind es viele gewesen. Alte und Junge. Deutsche und Ausländer. Für Geld, für Schokolade, für Zigaretten. Denn sie muß ja leben. Sie bekommt keine Lebensmittelkarten. Sie hat nirgends eine Zuzugsgenehmigung. Denn sie arbeitet ja nicht. Sie hat ja nie etwas gelernt.

Der Arzt untersucht sie, setzt sich an seinen Tisch zurück. Sie hat sich angesteckt. Sie ist krank. Einen Augenblick reißt ihr Gesicht auf in einem jähen Erschrecken, wird hilflos, kindlich. Dann verschließt es sich wieder. Er schreibt ihr einen Einweisungsschein für ein Krankenhaus aus und sieht sie an. »Werden Sie auch hingehen?«

Das spöttische Lächeln auf ihrem Gesicht zerfällt. Sie nickt.

»Bestimmt. Da kann man doch ausschlafen in einem richtigen Bett, und satt zu essen gibt es auch.«

Aus der Fürsorge getürmt

Mannheim. Zehn Minuten vor zwölf. Schnaufend verläßt der D-Zug die Halle. Der Bahnsteig leert sich. Der zwölfjährige Junge nimmt die Mütze vom Kopf, streicht die schweißnassen Haare zurück. Die letzten beiden Koffer waren schwer. Langsam geht er zur Sperre. In den nächsten vier Stunden kommen nur Personenzüge, und bei denen lohnt das Warten nicht.

Während er die Straße entlang geht, zählt er die Einnahmen des Morgens. Ein halbes Päckchen Zigaretten – das war von dem Ami mit den beiden schweren Koffern –, drei einzelne Zigaretten, ein Riegel Schokolade, ein Paket Kaugummi, vier, sechs, sieben Mark.

Ein Schritt nähert sich ihm von hinten. Rasch läßt er die Sachen in die Tasche gleiten. Ein zweiter Junge, etwa gleichaltrig, kommt an seine Seite. Seine Schuhe sind aufgeplatzt. Unter der kurzen

Hose schauen die nackten Knie rot und zerkratzt hervor. Eine Brille mit Stahlbügeln, auf der einen Seite mit Bindfaden zusammengebunden, verleiht dem Gesicht etwas Altkluges und zugleich Unbeholfenes.

Er sucht ein Quartier. Er kommt von der Fürsorge. Er hat zwei Büchsen Käse aus einem Ami-Magazin geklaut. »Ich hatte Hunger – dabei haben sie mich erwischt.«

Aus der Fürsorge ist er getürmt. Jetzt sucht er eine Unterkunft. Und etwas zu tun, womit er Geld verdienen kann. Er hat den anderen beobachtet, beim Koffertragen. Vielleicht kann er das auch tun. Er hat den Eindruck, es gibt zuwenig Träger auf dem Bahnhof.

Seine Mutter ist tot, berichtet er, als der andere mißtrauisch schweigt, der Vater in russischer Gefangenschaft. Ob er je von dort zurückkommt, weiß er nicht. Er war bei der Waffen-SS.

Schweigend gehen die beiden weiter. Vor einem halb verschütteten Hauseingang bleibt der mit der Mütze auf dem Kopf stehen, sieht sich einen Augenblick sichernd nach allen Seiten um, betritt dann einen schmalen Fußpfad, der sich in die Ruinen hineinschlängelt. Als der andere zögert, mahnt er ihn zur Eile.

»Du kannst mitkommen. Ich hab' noch Platz. Aber beeil dich, damit keiner sieht, daß wir hier reingehen.«

Sie überqueren einen ehemaligen Hof, steigen ein paar bröcklige Stufen hinab, ein Schloß wird aufgeschlossen, eine Tür dreht sich quietschend in verrosteten Angeln. Dahinter ein niedriger, viereckiger Raum. Ein kleines, vergittertes Fenster, das etwas blasses Licht hereinläßt. In der Ecke drei Holzpritschen mit Strohsäcken darauf. Davor ein rostiger Herd. Ein Ofenrohr führt durch ein Loch über der Tür ins Freie. Ein Schrank, dem ein Bein fehlt, lehnt an der Wand. Daneben ein Koffer.

Der hier »zu Hause« ist, schließt die Tür, setzt ein Brett vor das Fenster und schaltet eine Birne ein, die von der Decke hängt und kalkiges Licht gegen die schwärzlichen Wände wirft. Seit acht Monaten »wohnt« er hier. Sein Vater ist gefallen. Seine Mutter haben die Russen geschnappt, als sie mit ihm schwarz über die Grenze wollte. Sie sitzt drüben im Gefängnis, weil sie angeblich das Familiensilber bei sich hatte. Ihn haben die Russen damals nicht gefunden. Deshalb ist er weitergelaufen, als sie fort waren, und unversehrt herübergekommen.

Das Haus gehörte seinem Onkel. Er liegt irgendwo verschüttet unter den Trümmern. Seine Tante vermutlich auch.

»Du kannst eine von den beiden vorderen Pritschen haben. Die hintere ist meine. Ich schlage vor, wir arbeiten zusammen auf dem Bahnhof. Der Verdienst wird geteilt, und du zahlst mir pro Woche fünf Zigaretten Schlafgeld. Einverstanden?«

Der mit der Brille legt den zerschlissenen Beutel, den er in der Hand trägt, behutsam auf den vorderen Strohsack.

»O. K.«

Die Fremden im Dorf

Vor einer halben Stunde haben die Kirchenglocken den Gottesdienst ausgeläutet. Die Dorfstraße liegt wieder verlassen. In dem goldenen Stern, der als Wahrzeichen über der Tür des Gasthofes hängt, fängt sich blitzend ein Sonnenstrahl. Ihm gegenüber liegt die Gemeindekanzlei. Davor warten die Fremden. Ein grauer Haufe. Etwa 30 Gestalten. Vor allem Frauen und alte Leute. Und Kinder. Nur zwei Männer sind dabei.

Ihre Gesichter sind farblos. Sie starren vor sich hin. Die Augen der meisten sind rot und entzündet. Von vielen Nächten ohne Schlaf, von der langen Fahrt in zugigen, schlecht schließenden Waggons. Vielleicht auch vom Weinen. Vor einer Stunde hat ein Lastwagen aus der Kreisstadt sie hier abgesetzt. Seitdem stehen sie hier. Zwischen ihren Bündeln und Säcken und Koffern aus Pappe, die mit Bindfaden zusammengebunden sind. Vertriebene, die von »drüben« kommen.

Vor der Tür des Wirtshauses steht der Bürgermeister mit dem Gemeindesekretär und zwei anderen Männern. Sie verhandeln mit der Wirtin. Aber die schüttelt den Kopf.

»Das Haus ist voll. Mein Bruder ist ausgebombt. Außerdem habe ich kein Obdachlosenasyl hier. In der Baracke neben dem Spritzenhaus ist genug Platz. Und da kann nichts gestohlen werden.«

Die Worte klingen schrill über den Platz. Der Bürgermeister geht zu den Wartenden, spricht mit ihnen. Von der Überfüllung des Ortes. Von der großen Zahl der Flüchtlinge, die schon gekommen sind. Und von der schweren Arbeit der Bauern.

Schweigend hören sie ihn an. Aber er fühlt, wie seine Worte gegen eine Wand prallen. Die Männer haben die Köpfe zur Seite gewandt. Die Frauen stehen im Halbkreis. Schließlich fängt eine von ihnen an zu reden. Daß sie seit Wochen unterwegs sind. Daß sie Kinder haben, die hungrig sind und schlafen wollen. Daß sie auch einmal Höfe hatten, die ihnen gehörten. Und daß im Gasthaus doch Platz ist.

Der Pfarrer kommt auf dem Fahrrad, begrüßt sie.

Sie legen ihre Hände in die seinen, ohne ihn anzusehen. Er spricht ein paar Worte mit dem Bürgermeister, geht dann in das Wirtshaus. Nach einer Viertelstunde kommt er wieder heraus. Sein Gesicht sieht müde aus.

Gemeinsam mit dem Bürgermeister bittet er zwei von den fremden Frauen mitzukommen, um sich die Unterkunft anzusehen. Zu fünft gehen sie langsam zwischen den Häusern hindurch zu der Baracke neben dem Spritzenhaus, in der früher die Kriegsgefangenen untergebracht waren. Schweigend gehen sie durch die Räume. Die Fenster sind mit Pappe verschlagen. An der Wand stehen ein paar Betten, einige Schränke mit aufgebrochenen Türen, Schemel aus Holz. In der Küche hat der Wind Asche über den Herd geweht. Es riecht nach Staub, nach altem Papier. Schweigend kehren sie zu den Wartenden zurück. Die sehen ihnen entgegen. Ohne Neugierde. Und ohne Erwartung. Eine halbe Stunde später schiebt sich die graue Schlange der Fremden zur Baracke hinüber. Einzeln gehen sie durch das schmale Tor in dem rostigen Stacheldrahtzaun. Der Bürgermeister steht mit dem Pfarrer noch immer vor der Gastwirtschaft in leisem Gespräch. Die Straße ist noch immer leer. Aber hinter den weißen Gardinen, hinter den niederen Fensterscheiben folgen viele verstohlene Blicke dem stillen Zug. Die Fremden sind eingezogen im Dorf.

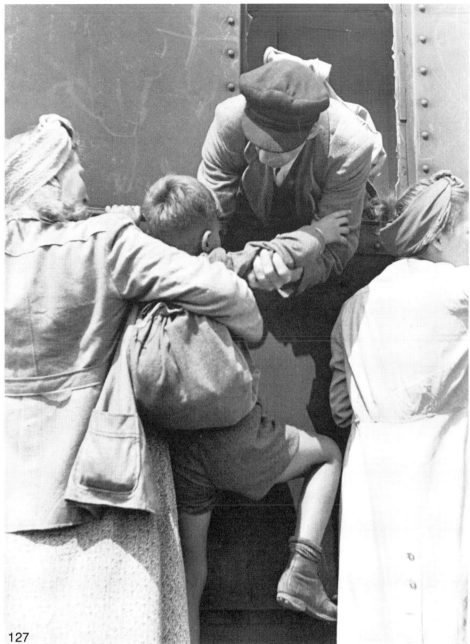

127

So wurden die Vertriebenen im Westen empfangen. Vor ihrer Eingliederung waren viele bürokratische Schranken zu überwinden. Eine Kette von Menschen zog an den Tischen der Beamten vorüber, die »anhören«, »prüfen« und »entscheiden« mußten. Schicksale, die verwaltet werden (125).

Über 17 000 Vertriebene und Flüchtlinge kamen im September 1945 pro Tag über die Zonengrenze. Die wenigen noch fahrenden Züge waren vollgepfropft mit Menschen. Sie saßen auf den Dächern und hingen in Trauben an Trittbrettern und auf Puffern.
Berlin war eine der großen Durchgangsstationen. Nur 24 Stunden durften die Flüchtlinge hier verweilen, denn es gab weder genügend Unterkünfte noch ausreichende Verpflegung. Dieser Zug ist gerade in den Anhalter Bahnhof von Berlin eingelaufen (126, 127).

129

Der erste Zug mit vertriebenen Sudetendeutschen kommt in München an (128). Von den über drei Millionen Sudetendeutschen mußten allein in den Jahren 1945 und 1946 etwa 2,5 Millionen auf Anweisung tschechoslowakischer Behörden das Land verlassen, darüber hinaus wurde rund eine Viertelmillion illegal abgeschoben.

Der milde Frühling des Jahres 1945 rettete vielen das Leben. Oft mußten die Vertriebenen tagelang auf eine Lokomotive warten, um dann in offenen Vieh- und Güterwagen zusammengepfercht über die Grenze gebracht zu werden. Unter den Puffern der Waggons rasten Frauen mit ihren Kindern und hoffen auf die Weiterfahrt (129).

130

Szenen, die im Mai 1945 in Berlin alltäglich waren. Völlig erschöpfte Flüchtlinge lassen sich am Straßenrand nieder (131). Andere bewachen ihr letztes Hab und Gut und schlafen dabei ein (130). Ihr Weg führt sie ins nächste Lager.

Auf die Ankunft von Millionen Vertriebener war man im Westen nicht vorbereitet. Daher wurden sie zunächst in Massenunterkünften untergebracht. Dutzende von Menschen lebten hier – oft über Jahre – auf engstem Raum zusammen (132).

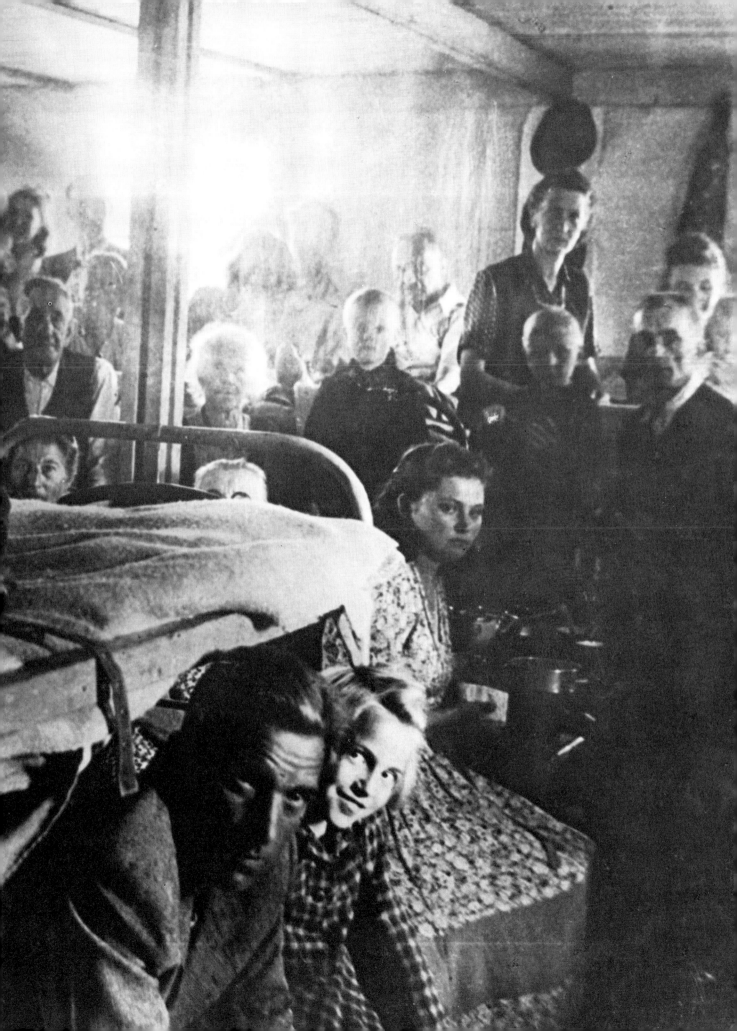

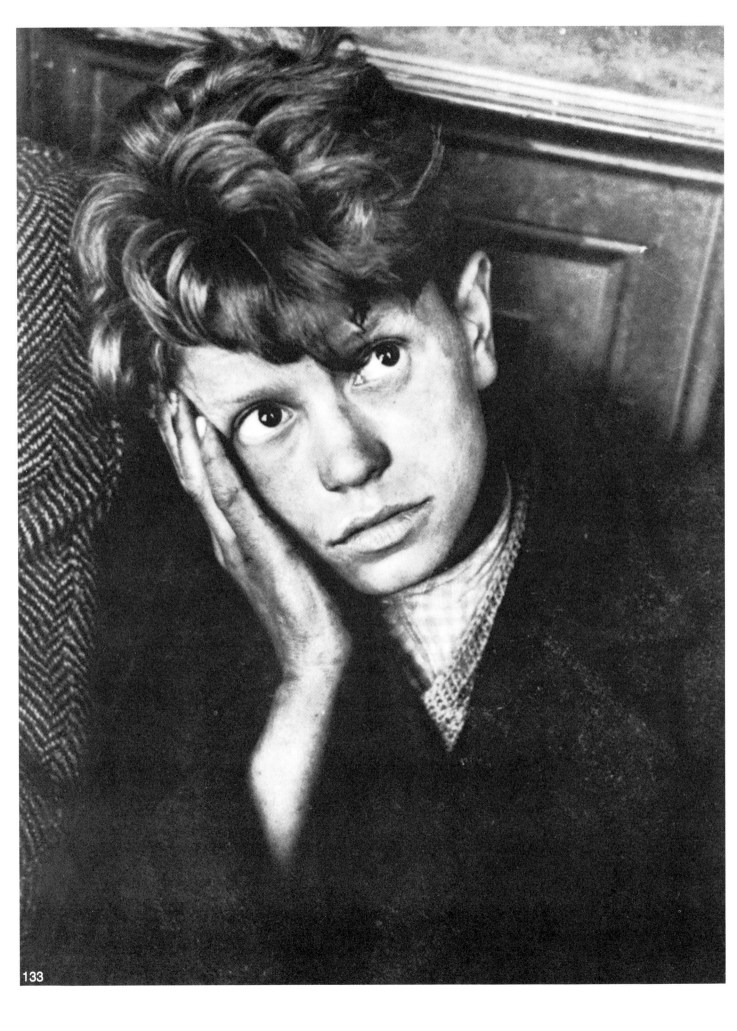

135

Dieser Junge ist von Hunger, Angst und Schmerz gezeichnet. Drei Jahre war er alt, als Hitler die sudetendeutsche Krise entfachte. Nun ist er eines der unschuldigen Opfer dieses verbrecherischen Krieges (133).
Das Leid jener Jahre spiegelt das Gesicht dieser Frau. Erst mußte sie flüchten, dann wurde sie vertrieben, und nun lebt sie im Lager (134).

Besonders für alte Menschen war die Vertreibung aus ihrer Heimat unfaßbar. Nur schwer konnten sie sich auf das Leben im Lager einstellen. Physisch und psychisch völlig erschöpft, kommen diese Flüchtlinge im Mai 1945 in Berlin an (136).
Das neue Leben beginnt in den Baracken der Flüchtlingslager. Ein deutsches Bauernehepaar aus Ungarn nimmt in einem Ulmer Lager seine erste Mahlzeit ein (135).

137

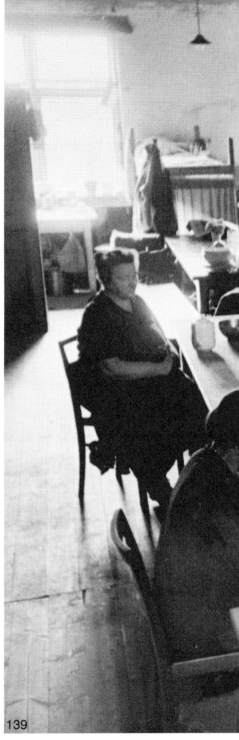

139

138

Das triste Lagerleben war für Millionen von Vertriebenen der prägende Eindruck der Nachkriegszeit (139). Es dauerte oftmals Jahre, bis man aus Wellblechbaracken und Lagerstädten herauskam. Unerträglich heiß konnte es im Sommer werden, während im Winter die eisige Kälte durch alle Ritzen drang. Öfen, Kochstellen und vor allem Heizma-

terial gab es nur selten. Viele starben
noch in diesen Jahren an Entkräftung und Unterernährung. Leidtra-
gende waren vor allem die Kinder
(137, 138).

Das Leben im Westen konnte zum
Teufelskreis werden. Nur wer Arbeit
hatte, bekam auch eine Aufenthalts-
oder Zuzugsgenehmigung, und nur
wer Arbeit hatte, der hatte auch
Brot. Hinter den Türen der Arbeits-
ämter fiel oft die Entscheidung über
Bleiben oder Nichtbleiben (140).

Z.6

6
Anmeldung
für
J. G.
Arbeitsamt

Anhang

Chronik 1938-1947

1938

28. 9. 1938 Münchener Abkommen (Großbritannien, Frankreich, Italien, Deutsches Reich) über Anschluß des Sudetenlandes an das Deutsche Reich

Oktober 1938 Polen entreißt der Tschechoslowakei das Teschen-Olsa-Gebiet und gliedert es sich an

Dezember 1938 Präsident Benesch und (späterer Minister) Ripka erörtern Ausweisung der Sudetendeutschen nach einem erwarteten erfolgreich verlaufenden Krieg

1939

15. 3. 1939 Hitler besetzt die Tschechoslowakei; Errichtung des Protektorates Böhmen und Mähren

23. 8. 1939 Deutsch-sowjetischer Pakt von Molotow und v. Ribbentrop in Moskau abgeschlossen. Festlegung der Interessensphären, Opferung der baltischen Staaten und Polens

25. 8. 1939 Britisch-polnischer Vertrag in London abgeschlossen. Garantie für die Unabhängigkeit Polens

1. 9. 1939 Deutscher Einmarsch in Polen

3. 9. 1939 Großbritannien und Frankreich erklären dem Deutschen Reich den Krieg

17. 9. 1939 Note der Sowjetregierung an Polen und Einmarsch der sowjetischen Armee in Ostpolen

28. 9. 1939 Deutsch-sowjetischer Grenz- und Freundschaftsvertrag in Moskau abgeschlossen. Neuordnung der Interessensphären, Besetzung und Übernahme Ostpolens bis zum Bug und San durch die sowjetischen Truppen

15. 10. 1939 Vertrag zwischen dem Deutschen Reich und der Estnischen Regierung über die Umsiedlung der Deutschen aus Estland in das Deutsche Reich

21. 10. 1939 Durchführungsverordnung zum deutsch-italienischen Umsiedlungsvertrag vom 23. 6. 1939 über die Rückführung der Deutschen aus Südtirol in das Deutsche Reich

30. 10. 1939 Vertrag zwischen dem Deutschen Reich und der Regierung von Lettland über die Umsiedlung der Deutschen aus Lettland in das Deutsche Reich

16. 11. 1939 Deutsch-sowjetischer Vertrag über die Umsiedlung der Deutschen aus Ost-Galizien und Wolhynien in das Deutsche Reich

19. 11. 1939 General W. Sikorski (exilpolnischer Ministerpräsident) verkündet bei Presse-Konferenz in London: »Großbritannien und Frankreich stimmen zu, daß Polen in erster Linie eine längere Meeresküste, als sie ihm im Versailler Vertrag zugestanden worden sei, benötige«

20. 12. 1939 Exilpolnische Regierung in Paris verkündet: »Sie anerkenne als höchste polnische Aufgabe, Polen – außer einem unmittelbaren und breiten Zugang zum Meer – solche Grenzen zu verschaffen, die seine Sicherheit gewährleisten würden«

1940

30. 8. 1940 Deutsch-Ungarischer »Vertrag zum Schutze der Volksdeutschen in Ungarn«

5. 9. 1940 Deutsch-sowjetischer Vertrag über die Umsiedlung der Deutschen aus Bessarabien und aus der Nord-Bukowina in das Deutsche Reich

Sept./Okt. 1940 Umsiedlung der Deutschen aus dem Cholmer Land in das Deutsche Reich

22. 10. 1940 Deutsch-Rumänischer Vertrag über die Umsiedlung der Deutschen aus der Süd-Bukowina und der Nord-Dobrudscha in das Deutsche Reich

3. 12. 1940 Exilpolnische Zeitung »Zwiazkowy« in Chicago, USA, fordert: »Die Westgrenze Polens muß eine Linie bilden, die zumindest etliche 10 km westlich der unteren Oder und dann zum Erzgebirge hin verläuft«

1940/1941 Deportation von Deutschen aus Ost-Wolhynien nach Sibirien und Zentral-Asien

1941

10. 1. 1941 — Deutsch-Sowjetische Verträge über die Nach-Umsiedlung von Deutschen aus Estland und Lettland sowie die Umsiedlung der Deutschen aus Litauen in das Deutsche Reich

22. 6. 1941 — Das Deutsche Reich erklärt der Sowjetunion den Krieg. Deutsche Truppen marschieren in Rußland ein

30. 7. 1941 — Exilpolnisch-sowjetrussisches Abkommen in London: Sowjet-Union erklärt deutsch-sowjetische Verträge von 1939 für hinfällig, lehnt jedoch Anerkennung der russisch-polnischen Grenze von 1921 ab

30. 7. 1941 — Außenminister Eden bekräftigt im Unterhaus Zustimmung Großbritanniens zum polnisch-russischen Abkommen

30. 7. 1941 — USA-Unterstaatssekretär Sumner Welles begrüßt polnisch-russisches Abkommen

14. 8. 1941 — Atlantik-Charta (Roosevelt und Churchill) unterzeichnet. Punkt 2 bestätigt: »Die unterzeichneten Länder wünschen keine Gebietsveränderungen, die nicht mit den frei geäußerten Wünschen der betroffenen Völker übereinstimmen«

15. 8. 1941 — Beginn der Deportationen der Wolga-Deutschen nach Sibirien und Zentral-Asien, Auflösung der Republik der Wolga-Deutschen in der Sowjetunion

24. 9. 1941 — Die Sowjetunion und Polen unterzeichnen nachträglich die Atlantik-Charta. Der exilpolnische Außenminister Raczynski, London, erklärt: »Die künftigen Grenzen Polens sollten Polens Lebensinteresse nach einem breiten Zugang zur See, genügend geschützt vor fremder Einwirkung und ferner eine wirtschaftliche Entfaltung in einem der Zahl seiner Bevölkerung entsprechenden Verhältnis sichern«

September 1941 — Exil-Präsident Benesch fordert Ausweisung der Sudetendeutschen

1. 12. 1941 — Russischer Botschafter überreicht exilpolnischer Regierung in London Note, die feststellt, daß »die Frage der Grenzen zwischen der Sowjetunion und der Republik Polen noch nicht gelöst ist und in der Zukunft einer Regelung bedarf«

4. 12. 1941 — Stalin bedrängt Sikorski in Moskau und wünscht »einige Änderungen an den Grenzen von 1921«

4. 12. 1941 — Sowjetrussisch-polnische Erklärung (Stalin-Sikorski) über Freundschaft und gegenseitigen Beistand in Moskau unterzeichnet – allerdings ohne Erwähnung territorialer Fragen

8. 12. 1941 — Deutschland erklärt den USA den Krieg

16. 12. 1941 — Stalin und Molotow verlangen von Eden in Moskau Abtretung Ostpreußens an Polen und die Curzon-Linie als russisch-polnische Grenze

1942

1. 1. 1942 — Anerkennung der Grundsätze der Atlantik-Charta durch die Vereinten Nationen (26 Staaten)

Januar 1942 — Präsident Roosevelt beruft in Washington »Beratenden Ausschuß für Nachkriegsprobleme« ein, der Aufteilung Deutschlands prüfen soll

4. 2. 1942 — US-Außenminister Cordell Hull wendet sich in Memorandum an Präsident Roosevelt gegen jede Vereinbarung über Grenzregelung vor einer künftigen Friedenskonferenz

5. 6. 1942 — Jan Masaryk, exil-tschechoslowakischer Außenminister, bestätigt, daß Sudetendeutsche aus der Tschechoslowakei ausgewiesen werden sollen

September 1942 — Die britische Regierung teilt der tschechoslowakischen Exilregierung in London mit, daß sie im Prinzip nichts gegen eine Ausweisung der Sudetendeutschen einzuwenden habe

4. 10. 1942 — Vorschlag: »Polen sollte Gebiete im Osten an die Sowjetunion abtreten und dafür aus ostdeutschen Gebieten entschädigt werden«

6. 10. 1942 — Deutsch-kroatische und deutsch-serbische Verträge über die Umsiedlung der Volksdeutschen nach dem Deutschen Reich; Überführung der Deutschen aus der Sprachinsel Gottschee in das Deutsche Reich

13. 10. 1942 — Deutsch-Bulgarischer Vertrag über die Umsiedlung der Deutschen aus Bulgarien in das Deutsche Reich

5. 12. 1942 — Präsident Benesch fordert in Vortrag vor der Universität Manchester, England, »Ausweisung der Sudetendeutschen«

6. 12. 1942 — Polens Exilpräsident Sikorski fordert in Washington bei Verhandlungen mit Präsident Roosevelt und Unterstaatssekretär Sumner Welles die Oder-Neiße-Linie mit Stettin für Polen als natürliche Sicherheitslinie

18. 12. 1942 — Sikorski fordert auf Pressekonferenz in Chikago: »Erweiterten Zugang zur Ostsee, deutsche Grenzgebiete im Westen Polens sowie polnische Besetzung aller deutschen Gebiete östlich der Oder«

1943

14. 3. 1943 — Roosevelt erörtert mit Eden in Washington Überlassung Ostpreußens an Polen, Ausweisung der Deutschen aus Ostpreußen

13. 4. 1943 — Gräber ermordeter polnischer Offiziere im Wald von Katyn entdeckt

25. 4. 1943 — Abbruch der diplomatischen Beziehungen zwischen der polnischen Exilregierung und der Sowjetunion

12. 5. 1943 — Roosevelt gibt Benesch, der behauptet, bereits die russische Zustimmung zu besitzen, seinerseits Zustimmung zu der geplanten Ausweisung der Sudetendeutschen. Er spricht auch für Ausweisung der Deutschen aus Ostpreußen und aus Siebenbürgen aus

6. 6. 1943 — Botschafter Bogomolow (UdSSR) erklärt sich mit der Ausweisung der Sudetendeutschen einverstanden

28. 6. 1943 — Die »Union polnischer Patrioten« in Moskau fordert die Einverleibung von Ostpreußen, Danzig und Oberschlesien in Polen, erkennt aber die Abtretung der polnischen Gebiete östlich der Curzon-Linie an die Sowjetunion als begrüßenswert an

Juli 1943 — General Sikorski tödlich verunglückt; Mikolajczyk wird polnischer Ministerpräsident im Exil in London

5. 10. 1943 — Roosevelt spricht sich entschieden für eine Aufteilung Deutschlands in staatsrechtlich unabhängige Staaten aus. Ostpreußen sollte von Deutschland abgetrennt und alle »gefährlichen Elemente der Bevölkerung« zwangsweise ausgesiedelt werden

19.–30. 10.1943 — Außenministerkonferenz in Moskau zur Regelung der alliierten Nachkriegspolitik gegenüber Deutschland und Österreich

25. 10. 1943 — Die Außenminister erzielen in Moskau Übereinstimmung darüber, daß »Deutschland alle seine Eroberungen aufgeben und zu seinen Grenzen von 1938 zurückkehren solle; Ostpreußen sollte von Deutschland abgetrennt werden«

28. 11.–1. 12.1943 — Konferenz von Teheran (Roosevelt, Churchill, Stalin) behandelt u. a. neue polnische Grenzen

1. 12. 1943 — Churchill schlägt die Oder-Linie als polnische Westgrenze und Abtretung ganz Oberschlesiens an Polen vor. Von der Neiße (westliche oder östliche) ist nicht die Rede. Roosevelt und Churchill stimmten Stalins Forderung nach dem Gebiet von Königsberg zu, der dann bereit war, Churchills Vorschlag zugunsten Polens anzunehmen. Roosevelt regt Bevölkerungsaustausch für die betroffenen Gebiete an, Stalin hält Durchführung für möglich

Dezember 1943 — Die European Advisory Commission (Botschafter Winant, Sir William Strang, Mayski) in London beschließt, Deutschland in drei Besatzungszonen aufzuteilen

1943 — Umsiedlung der Schwarzmeer-Deutschen in das Deutsche Reich

1944

4. 1. 1944 — Sowjetische Truppen überschreiten die Ostgrenze Polens

11. 1. 1944 — Sowjetrußland verbreitet über TASS (sowj. Presseagentur) Meldung, daß Polen durch Aneignung deutscher Gebiete im Westen erweitert werden soll

22. 1. 1944 — Churchill informiert Mikolajczyk über Ergebnisse der

	Konferenz von Teheran: »Im Westen werden 7 Millionen Deutsche, die zwischen der deutsch-polnischen Grenze und der Oder leben, in das ›eigentliche‹ Deutschland ausgewiesen«
22. 2. 1944	Churchill informiert britisches Unterhaus, daß Polen im Norden und Westen zu Lasten Deutschlands Kompensationen erhalten werde, daß die Atlantik-Charta auf Deutschland keine Anwendung findet und daher Gebietsübertragungen und Grenzberichtigungen zu Lasten des Feindeslandes zulässig sind
23. 2. 1944	In der Debatte im Unterhaus wenden sich mehrere Abgeordnete scharf gegen Vertreibung
8. 3. 1944	Debatte über Massenausweisungen im britischen Oberhaus: schwerwiegende Bedenken werden vorgetragen
18. 3. 1944	Mikolajczyk schreibt an Roosevelt, weigert sich, Ostpolen abzutreten, fürchtet Folgen der Ausweisung der Deutschen und deren Rückkehr
24. 5. 1944	Churchill wiederholt vor dem britischen Unterhaus das Kompensationsangebot an Polen
12. 6. 1944	Mikolajczyk besucht Roosevelt in Washington. Roosevelt verspricht den Polen Schlesien und Ostpreußen, Mikolajczyk ist gegen übermäßige Ausdehnung Polens nach dem Westen und wendet sich gegen Curzon-Linie
13. 6. 1944	Gespräch zwischen Mikolajczyk und Prof. Oscar Lange, der soeben Stalin in Moskau besucht hatte. Lange teilt mit, daß Stalin Polen bis einschließlich Stettin ausgedehnt wünsche und es nicht beherrschen wolle. Stalin sei der Auffassung, daß Polen sich für ein kommunistisches Regime nicht eigne
12. 7. 1944	Eden bezeichnet im britischen Unterhaus die Vereinbarung von Teheran als nicht endgültig
22. 7. 1944	Polnisches Komitee für die nationale Befreiung (PKWN) erläßt in Cholm Manifest: Aufruf zum Kampf für die Rückkehr Pommerns, Oberschlesiens, Ostpreußens und der Gebiete bis zur Oder zu Polen
26. 7. 1944	PKWN schließt Abkommen mit Sowjetunion über Verwaltung befreiter polnischer Gebiete ab (Molotow-Osobka-Morawski), Curzon-Linie wird polnische Ostgrenze
28. 7. 1944	Amerikanischer Regierungsausschuß für Nachkriegsplanung legt Grundsätze für Behandlung von Territorialstreitigkeiten in Europa fest: »Den frei geäußerten Wünschen der betreffenden Völker sowie den politischen und wirtschaftlichen Gesichtspunkten sollte mehr Gewicht beigemessen werden als historisch oder strategisch begründeten Ansprüchen. Jede Lösung soll Beitrag zum Frieden bilden«
August 1944	Russische Truppen sind in Teilen Ostpreußens eingedrungen
1. 8. 1944	Aufstand der Polen in Warschau. Die sowjetischen Truppen kommen den Polen nicht zur Hilfe, sondern lassen sie – wenige Kilometer entfernt Gewehr bei Fuß stehend – aufreiben
3. 8. 1944	Stalin fordert Mikolajczyk bei dessen Besuch in Moskau auf, die Curzon-Linie anzuerkennen, verspricht ihm im Westen dafür die Oder-Linie als Grenze einschließlich Breslau, Stettin und Ostpreußen. Nur Königsberg und Umgebung fordert er für Rußland. Mikolajczyk protestiert unter Hinweis auf die Atlantik-Charta. Stalin erwähnt die Ausweisung der gesamten deutschen Bevölkerung
26. 8. 1944	Churchill bespricht mit General Anders in Italien die Nachkriegsbehandlung Deutschlands. Er meint, in Deutschland sei genügend Platz für die zu vertreibenden Deutschen
28. 8. 1944	E. B. Osobka-Morawski, Vorsitzender des PKWN, fordert in Moskau die Oder und die Neiße als Grenze Polens
11./12. 9. 1944	Konferenz Roosevelt und Churchill in Quebec. Henri Morgenthau jr. legt seinen Plan zur Behandlung Deutschlands vor, der u. a. Abtretung Ostpreußens an Rußland und Polen sowie Schlesiens bis zur Katzbach an Polen vorsieht. Roosevelt und Churchill paraphieren die Vorlage
2. 10. 1944	Zusammenbruch des Polen-Aufstandes in Warschau
13. 10. 1944	Mikolajczyk widersetzt sich in Moskau bei Verhandlungen mit Stalin, Molotow, Eden und Harriman der Abtretung Ostpolens an die Sowjetunion
13. 10. 1944	Churchill und Stalin einigen sich, Polen Oder-Linie einschließlich Stettin zuzugestehen
Oktober 1944	Volksdeutsche aus Nord-Siebenbürgen und Ungarn werden behördlich evakuiert nach Österreich und Schlesien; Beginn der Flucht aus dem Memelland und aus Ostpreußen nach Pommern
2. 11. 1944	Das britische Foreign Office (Sir Alexander Cadogan) schreibt an den exil-polnischen Außenminister Tadeusz Romer und bestätigt: England unterstützt Veränderung der Westgrenze Polens, auch wenn USA sie ablehnen; England hält polnische Grenze an der Oder einschließlich Stettin für richtig
17. 11. 1944	Roosevelt bestätigt Mikolajczyk schriftlich Kompensationen zu Lasten Deutschlands für Polen, spricht sich für Bevölkerungsaustausch aus und sagt hierfür amerikanische Hilfe zu
21. 11. 1944	Moscha Pijade's Programm zur Ausweisung aller Deutschen aus Jugoslawien in Jajce verkündet. Internierung der Volksdeutschen und Liquidation ihres Besitzes in Jugoslawien beginnt
24. 11. 1944	Kabinett Mikolajczyk tritt in London zurück. Arciszewski bildet neues polnisches Exil-Kabinett
10. 12. 1944	De Gaulle und Außenminister Bidault schließen in Moskau den sowjetisch-französischen Freundschaftsvertrag und kommen überein, das linke Rheinufer an Frankreich, Ostpreußen, Pommern und Schlesien an Polen fallen zu lassen
15. 12. 1944	Churchill billigt vor dem britischen Unterhaus eine Ausweitung Polens nach dem Westen mit 200 Meilen Ostseeküste sowie die totale Austreibung der Deutschen aus den an Polen fallenden Gebieten. Starke Bedenken gegen Massenvertreibungen werden von einigen Abgeordneten erhoben
17. 12. 1944	Arciszewski antwortet Churchill, verlangt Ostpreußen, Oberschlesien und Teile von Pommern für Polen, wünscht jedoch weder Breslau noch Stettin und keine Westgrenze, die 8 bis 10 Millionen Deutsche in Polen lassen würde
18. 12. 1944	Amerikanischer Außenminister Stettinius gibt Erklärung zur Politik gegenüber Polen ab: USA werden bei Umsiedlung von Volksgruppen helfen, aber keine Grenzgarantien geben
22. 12. 1944	Jugoslawische Regierung beschließt deutsches und volksdeutsches Vermögen in Staatseigentum zu überführen, praktische Legalisierung der vollzogenen Enteignung
Dezember 1944 bis Januar 1945	Volksdeutsche aus Rumänien, Ungarn und Jugoslawien werden in die Sowjetunion verschleppt

1945

12. 1. 1945	Amerikanisches Außenministerium legt Roosevelt umfangreiches Gutachten über Deutschlands Ostgrenzen und Bevölkerungs-Umsiedlungen vor. Vorschlag: Nord-Ostpreußen an Rußland, Rest-Ostpreußen, Danzig und Nordostspitze Pommerns sowie Reg.-Bezirk Oberschlesien an Polen (54 390 qkm)
Januar 1945 bis Mai 1945	Deutsche Flüchtlinge aus Ostpreußen strömen nach Dänemark (Schiffstransporte). Vor allem in Nyborg, Aarhus und Kopenhagen werden die deutschen Flüchtlinge aufgenommen. Allein 50 000 strömen nach Kopenhagen
1. 2. 1945	Eden berichtet an Churchill von Malta aus, Amerika und England stimmen überein, daß das südliche Ostpreußen, Danzig, der östliche Teil Pommerns und ganz Oberschlesien an Polen fallen sollen. Dies würde die Ausweisung von 2,25 Millionen Deutschen erfordern. Die Vorverlegung von Polens Westgrenze bis zur Oder, ohne Stettin und Breslau, würde weitere 2,25 Millionen Deutsche betreffen. Die von der Sowjetunion und dem kommunistischen polnischen Nationalkomitee geforderten Gebiete bis zur westlichen Neiße einschließlich Breslaus und Stettins würden nochmals 3,25 Millionen Deutsche, zusammen also 8 Millionen Deutsche, betreffen

3.–12. 2. 1945	Krimkonferenz in Jalta (Churchill, Roosevelt, Stalin): Polen soll durch beträchtlichen Gebietszuwachs im Westen und Norden für Abtretungen im Osten entschädigt werden. Die endgültige Festlegung der Westgrenze Polens ist bis zur Friedenskonferenz zurückgestellt worden. Ein Geheimprotokoll sieht als Reparationen u. a. die Verwendung von Deutschen als Arbeitskräfte vor
5. 2. 1945	Presseerklärung Bieruts, Vorsitzender des Landesnationalrates der Polen in Warschau, daß Polen die Zivilverwaltung in den Reichsgebieten ostwärts der Oder-Neiße-Linie übernommen hat
6. 2. 1945	Stalin verlangt aus strategischen Gründen Ostpolen und für Polen die Gebiete bis zur Oder und westlichen Neiße sowie Stettin
7. 2. 1945	Stalin erklärt, daß die meisten Deutschen aus den in Rede stehenden Gebieten östlich der Oder-Neiße-Linie vor der Roten Armee davongelaufen seien
8. 2. 1945	Roosevelt widersetzt sich der Ausdehnung polnischer Forderungen bis zur westlichen Neiße, hält Oderlinie für tragbar. Churchill schließt sich der Auffassung von Roosevelt an und spricht sich für Umsiedlung aller Deutschen aus diesen Gebieten aus
9. 2. 1945	Das britische Kriegskabinett erhebt telegraphisch Einwendungen gegen Festlegung der Westgrenze an westlicher Neiße
27. 2. 1945	Erklärung Churchills im britischen Unterhaus: »Wir haben nicht zu befürchten, daß die Aufgabe, diese neue Grenze zu halten, für Polen zu schwer sein wird. Ich habe selten eine Angelegenheit gesehen, die ich mit größerer Zuversicht dem gesunden Urteil der Abgeordneten anempfehlen könnte«
28. 2. 1945	Maßnahmen gegen die in Polen zurückgebliebenen Deutschen und Volksdeutschen, wie Unterbringung in Arbeitslagern, Vermögensentzug u. ä. laufen an
28. 2. 1945	Polnischen Staatsangehörigen deutscher Abstammung in dem Gebiet Polens von 1919/39 wird die polnische Staatsangehörigkeit aberkannt. Sie werden interniert, enteignet und zur Zwangsarbeit herangezogen
Februar 1945– April 1945	Massenverschleppungen von Deutschen aus den von der Roten Armee besetzten Gebieten nach der Sowjetunion
1. 3. 1945	Präsident Roosevelt berichtet dem amerikanischen Kongreß über Konferenz von Jalta: Er bezeichnet Lösung als gerechten Kompromiß; Westgrenze Polens soll der Friedenskonferenz zur Regelung vorbehalten bleiben
3. 3. 1945	Vorläufiger polnischer Ministerpräsident Osobka-Morawski teilt polnischem Nationalrat in Warschau mit, Gebiete bis zur Oder und westlichen Neiße würden mit Polen aus Weißruthenien und Ukraine, aber auch aus Zentralpolen und Westgalizien besiedelt
5. 3. 1945	Beschlagnahme des in Polen zurückgelassenen beweglichen und unbeweglichen Vermögens der von der Heimat abwesenden Deutschen
14. 3. 1945	Die polnische Regierung errichtet auf dem Gebiet der deutschen Ostprovinzen die Wojewodschaften: Masuren, Oberschlesien, Niederschlesien und Pommern
17. 3. 1945	Benesch erklärt in Moskau die Tschechoslowakei zu einem Nationalstaat ohne Minderheitenrechte
20. 3. 1945	Errichtung der Wojewodschaft Danzig
5. 4. 1945	Die vorläufige tschechoslowakische Regierung erklärt in Kaschau die bevorstehende Vertreibung tschechoslowakischer Staatsangehöriger deutscher Abstammung und deren Vermögensenteignung
6. 4. 1945	Amerikanische Regierung verlangt von Sowjetregierung Aufklärung über den Status russisch besetzter Gebiete Ostpreußens, Danzigs, Schlesiens und Pommerns
9. 4. 1945	Kapitulation von Königsberg
12. 4. 1945	Roosevelts Tod, Truman wird Präsident
17. 4. 1945	Sowjetische Antwortnote an USA: Es sind keine Grenzregulierungen getroffen, nur örtliche polnische Verwaltungsstellen eingerichtet
30. 4. 1945	Adolf Hitler nimmt sich das Leben
4. 5. 1945	Churchill fürchtet, polnische Fragen nur regeln zu können, solange Amerikas Armeen nicht geschwächt sind
5. 5. 1945	Aufstand in der Tschechoslowakei und Beginn des Terrors gegen die Deutschen
7. 5. 1945	Kapitulation von Breslau
Mai 1945– Juni 1945	Behördlich angeordnete, wilde Ausweisung der Deutschen aus polnisch verwalteten Gebieten östlich der Oder-Neiße-Linie durch polnische Miliz erzwungen
8. 5. 1945	Bedingungslose Kapitulation der deutschen Wehrmacht und Abschluß der Kämpfe in Europa
9. 5. 1945	Stalin in der Proklamation zur Einstellung der Kämpfe: »Die Sowjetunion hat nicht die Absicht, Deutschland zu zerstückeln oder zu zerstören«
12. 5. 1945	Telegramm Churchills an Truman: Zutiefst beunruhigt, beklagt falsche Auslegung der Jalta-Vereinbarungen durch die Sowjets, sieht einen »Eisernen Vorhang« in Europa herabkommen und die ungelöste polnische Frage als Bedrohung für den Frieden an
15. 5. 1945	Bischof Adamski aus Kattowitz fordert die Deutschen auf, Schlesien zu verlassen. Universität von Lemberg wird nach Breslau verlegt
19. 5. 1945	Dekret des Präsidenten Benesch über die Beschlagnahme des gesamten deutschen Eigentums in der Tschechoslowakei
Mai 1945– Juni 1945	Aus den Gebieten östlich der Oder-Neiße-Linie vor den Kämpfen ausgewichene Deutsche versuchen in die Heimat zurückzukehren, vor allem aus der Tschechoslowakei und aus der russischen Besatzungszone in Deutschland
Juni 1945	Überführung polnischer Bevölkerung aus den an die Sowjetunion fallenden polnischen Ostgebieten in die deutschen Provinzen östlich der Oder-Neiße-Linie beginnt
5. 6. 1945	Grundlagen der gemeinsamen Besatzungspolitik werden in Berlin von Sowjetunion, Vereinigten Staaten, Großbritannien und Frankreich beschlossen und verkündet: Übernahme aller Regierungsgewalten, Festlegung der Grenzen Deutschlands erfolgt später, Deutschland nach dem Gebietsstand vom 31. 12. 1937 wird in 4 Besatzungszonen aufgeteilt
Juni 1945	Die deutschen Schulen in der Tschechoslowakei werden geschlossen
14. 6. 1945	Beginn der Ausweisung der Sudetendeutschen auf Anweisung örtlicher tschechischer Militärkommandanten
21. 6. 1945	Verordnung des Präsidenten Benesch über die Enteignung und Aufteilung des Grundbesitzes der Sudetendeutschen
26. 6. 1945	Charta der Vereinigten Nationen in San Francisco beschlossen. Sie schließt die deutschen Vertriebenen aus der internationalen Flüchtlingsfürsorge aus
26. 6. 1945	Minister Ochab gewährt in Warschau der Presseagentur Exchange Interview: Zwischen deutscher Grenze von 1939 und der Oder-Neiße-Linie leben noch 2,5 Millionen Deutsche, die von Polen ausgesiedelt werden. Die Gebiete werden polonisiert
Ende Juni 1945	Alle Deutschen, die in einem Abstand von 100 bis 200 km östlich der Oder und der westlichen Neiße leben, werden plötzlich ausgewiesen
1. 7. 1945	Sachsen und Thüringen werden von amerikanischen Truppen geräumt und an sowjetische Besatzungsmacht übergeben
17. 7. 1945– 2. 8. 1945	Konferenz in Potsdam (Stalin, Churchill/Attlee, Truman)
21. 7. 1945	Churchill, Truman und Stalin erörtern Regelung der Grenzen Polens und Austreibung der Deutschen aus ihrer Heimat
22. 7. 1945	Churchill widerspricht endgültiger deutsch-polnischer Grenzregelung in Potsdam

22. 7. 1945	Die tschechoslowakische Regierung legt den drei Großmächten Pläne für die »geordnete Aussiedlung« der Deutschen und Magyaren aus der Tschechoslowakei vor
24. 7. 1945	Eine polnische Regierungsdelegation legt den drei Großmächten polnischen Anspruch auf Oder-Neiße-Linie dar. Churchill warnt vor zu weitem polnischen Drang nach Westen
25. 7. 1945	Churchill verläßt wegen des Ausgangs der englischen Parlamentswahlen die Potsdamer Konferenz. Attlee tritt an seine Stelle
29. 7. 1945	Molotow fordert mit allem Nachdruck die Oder und westliche Neiße als Polens Westgrenze
31. 7. 1945	Amerikanischer Außenminister Byrnes fordert, daß Festlegung der Oder-Neiße-Linie als Westgrenze Polens nicht endgültig erfolge. Bis zum Abschluß des Friedensvertrages soll die Oder-Neiße-Linie als Grenze der polnischen Auftragsverwaltung in deutschen Gebieten gelten. Stalin nimmt dies an
2. 8. 1945	Potsdamer Erklärung – Art. IX: »Die drei Regierungschefs bekräftigen ihre Auffassung, daß die endgültige Festlegung der Westgrenze Polens bis zu der Friedenskonferenz zurückgestellt werden soll.« – Art. XIII: »Die drei Regierungen erkennen an, daß die Überführung der deutschen Bevölkerung oder Bestandteile derselben, die in Polen, der Tschechoslowakei und Ungarn zurückgeblieben sind, nach Deutschland durchgeführt werden muß«
2. 8. 1945	Dekret des Präsidenten Benesch über die Regelung der tschechoslowakischen Staatsangehörigkeit für die Sudetendeutschen. Sie wird ihnen mit sofortiger Wirkung aberkannt
7. 8. 1945	Schreiben von Probst Grüber, Berlin, an den Lordbischof von Chichester, England: »Gott schenke den Christen in aller Welt offene Ohren, die Notschreie der deutschen Menschen zu hören, die auf den Landstraßen sterben und verkommen. – Tausende von Leichen spülen die Oder und Elbe ins Meer ... Tausende von Leichen hängen in den Wäldern um Berlin ... Tausende und Zehntausende sterben auf den Landstraßen vor Hunger und Entkräftung ... Kinder irren umher, die Eltern erschossen, gestorben, abhandengekommen«
9. 8. 1945	Rundfunkansprache von Präsident Truman: »In Übereinstimmung mit den Vereinbarungen auf der Krim (Jalta) erklärten wir uns alle – einschließlich der polnischen provisorischen Regierung der Nationalen Einheit – damit einverstanden, daß die endgültige Festlegung der Grenzen nicht in Berlin (Potsdam) erfolgen könne, sondern erst bei der Friedenskonferenz«
16. 8. 1945	Churchill beklagt im britischen Unterhaus die Ausweisungstragödie von 8 bis 9 Millionen Deutschen und fordert Auskunft von der britischen Regierung
16. 8. 1945	Vertragsabschluß zwischen Sowjetunion und Polen über polnisch-sowjetische Staatsgrenze in Moskau
August 1945	Bildung von Hilfsstellen der Sudetendeutschen, Schlesier und der Volksdeutschen aus Südosteuropa in Bayern und Württemberg
6. 9. 1945	Landesverwaltung Sachsen (SBZ) drängt auf Neuverteilung der heimatlosen Flüchtlinge auf alle Gebiete der sowjetischen Besatzungszone
8. 9. 1945	Schreiben des Lordbischofs von Chichester an Probst Grüber, Berlin: »Der Ernst der Lage wird einer immer wachsenden Zahl von Menschen hier in Großbritannien deutlich; es sind sehr viele da, die öffentlich und privat vorstellig werden, soweit sie nur können, um eine sofortige politische Aktion zu beschleunigen. Ich darf Ihnen sagen, daß die Erzbischöfe von Canterbury und York ihrerseits tiefstens berührt sind und zusammen mit den Führern der evangelischen Freikirche und dem katholischen Erzbischof von Westminster eine gemeinsame Demarche unternehmen wollen ... Ich fühle die Unmenschlichkeit der Vertreibungen aufs Tiefste mit Ihnen und habe bereits über diesen Punkt im Oberhaus gesprochen, indem ich ausführte, daß die Entwurzelung von Millionen aus rassischen Gründen unvereinbar sei mit den Idealen, für welche die Vereinten Nationen gekämpft haben«

13. 9. 1945	Die Einheitsfront aller Parteien in der SBZ ruft dazu auf, schlimmste Not des dringenden Ausgewiesenen- und Heimkehrerproblems zu beheben.
Sept. 1945/ Dez. 1945	Behördlich angeordnete, ungeregelte, gewaltsame Vertreibung der Deutschen aus den polnisch verwalteten Gebieten östlich der Oder-Neiße-Linie
5. 10. 1945	Bestellung eines »Sonderbeauftragten für das Flüchtlingswesen« im Oberpräsidium Hannover. Ersuchen an die Bezirksregierungen, Sachbearbeiter für das Flüchtlingswesen einzusetzen. Anordnung, daß in allen Gemeinden von den Flüchtlingen Vertrauensmänner gewählt werden
5. 10. 1945	Festsetzung des Ausweisungsbeginns aus Polen, der Tschechoslowakei und Ungarn in die Sowjet-Zone Deutschlands durch Marschall Schukow (sowjetischer Oberbefehlshaber)
8. 10. 1945	Sowjetische Militär-Administration verbietet Kennzeichnung der Ausgewiesenen als »Flüchtling«, verlangt Kennzeichnung »Umsiedler«
15. 10. 1945	Präsident Benesch fordert in Melnik seine Landsleute auf, der ausländischen Kritik gegen die Anwendung von Nazi-Terrormethoden bei der Behandlung und Ausweisung der Sudetendeutschen keine Nahrung zu geben
2. 11. 1945	Abkommen zwischen den Alliierten über die Durchführung der Ausweisungen aus Polen, den deutschen Ostgebieten, der Tschechoslowakei und Ungarn nach Rumpf-Deutschland
9. 11. 1945	General de Gaulle spricht sich gegen die Ausdehnung Polens bis zur Oder-Neiße-Linie aus und wünscht eine Regelung für das Rheinland und das Ruhrgebiet
11. 11. 1945	Länderausschuß Flüchtlingsfürsorge beim Länderrat, Stuttgart, errichtet. Aufnahmesoll für die amerikanische Zone etwa 3 Millionen aus der Tschechoslowakei, Ungarn und Österreich. Ankunftsplan: 200 000 im Dezember 1945, Januar 1946 100 000 Personen, Februar 100 000, März 200 000, April 400 000, Mai 400 000, Juni 400 000, Juli 200 000 usw. Verteilungsschlüssel für die Länder: Bayern 50 %, Großhessen 27 %, Württemberg-Baden 23 %
13. 11. 1945	Polen errichtet Sonderministerium für die »wiedergewonnenen Gebiete« (Gomulka)
13. 11. 1945	Bericht über die Ausweisung: »Wenn die alliierten Staatsmänner sich hätten vorstellen können, wie schwer diese wandernde Masse hilfloser Menschen auf sie selbst zurückschlüge, dann würden sie nicht so leichtherzig die moralische und historische Verantwortung für die unmenschlichste Entscheidung übernommen haben, die jemals von Regierungen, die für die Verteidigung der Menschenrechte eintreten, getroffen wurde«
19. 11. 1945	Polen besetzt auf Grund von Sonderverhandlungen mit der Sowjetunion ein Gebiet von etwa 850 km² westlich der Oder mit Stettin, Pölitz und Swinemünde
20. 11. 1945	Vereinbarung des Alliierten Kontrollrates für Deutschland in Berlin über den Plan zur Ausweisung der deutschen Bevölkerung aus der Tschechoslowakei, Ungarn und Polen in die vier Besatzungszonen:

aus: nach:	Polen	Ungarn	Österreich	CSR
	in Mio. Vertriebenen			
russ. Zone	2,00	–	–	0,75
amerik. Zone	–	0,50	–	1,75
brit. Zone	1,50	–	–	–
franz. Zone	–	–	0,150	–
	3,50	0,50	0,150	2,50

Insgesamt betroffen: 6,65 Mio. Deutsche

1. 12. 1945	Kritische Erörterung der Ausweisung der Deutschen, die mit 9,3 Millionen für die Provinzen östl. der Oder-Neiße-Linie, mit 1,06 Millionen für Polen, 3,2 Millionen für das Sudetenland, 520 000 für Ungarn, 740 000 für Rumänien, 513 000 für Jugoslawien und 200 000 für die 3 baltischen Staaten angegeben werden
11. 12. 1945	Das amerikanische State Department veröffentlicht Memorandum über wirtschaftlichen Aufbau und Re-

paratonen Deutschlands: »Für die Festlegung der Leistungskraft der deutschen Friedenswirtschaft sollen als geographische Grenze die in der Potsdamer Erklärung vorgesehenen zugrunde gelegt werden«

| 11. 12. 1945 | Der Flüchtlingsausschuß des Länderrates bittet amerikanische Militärregierung, während der Kälteperiode Transporte von Vertriebenen einzustellen, Medikamente bereitzustellen und ausgesonderte Lebensmittel aus Heeresbeständen abzugeben. 14 Ausladebahnhöfe werden als für den Transport verantwortlichen amerikanischen Dienststellen in Bayern, Groß-Hessen und Württemberg-Baden benannt |

| 22. 12. 1945 | Verordnung des ungarischen Ministerpräsidenten Nr. 12 330 über die Umsiedlung der ungarländischen deutschen Bevölkerung nach Deutschland |

| Oktober 1945–1948 | Austreibung der Deutschen aus Polen und aus den polnisch verwalteten deutschen Provinzen jenseits der Oder-Neiße-Linie (Einzeltransporte bis zum Jahre 1950) |

| 1945–1946 | Flucht von Volksdeutschen aus Ungarn und Jugoslawien nach der Bundesrepublik Österreich |

1946

| 5. 1. 1946 | Britische und polnische Regierungsvertreter beschließen in Berlin über die Durchführung der Ausweisung der Deutschen und ihre Aufnahme in der britischen Besatzungszone |

| 8. 1. 1946 | Verhandlungen zwischen Major Davis, Oblt. Rainer vom OMG (amerik. Mil. Reg.) Bayern und Oberst Dastich, tschechoslowak. Ministerium für die nationale Verteidigung in Prag über Organisation, Durchführung und Ausstattung der Ausweisungstransporte in die amerikanische Besatzungszone. Fragen der Mitnahme von Kleidern, von RM 1 000,– max. Bargeld pro Familie und der medizinischen Betreuung werden geregelt |

| 19. 1. 1946 | Anlaufen der bis 1947 rollenden Abtransporte der Deutschen aus der Tschechoslowakei, Ungarn und Jugoslawien nach Bayern, Hessen und Württemberg-Baden sowie in die russische Besatzungszone Deutschlands. Täglich laufen bis Ende April 4 Züge mit je 1 200 Personen, dann täglich 6 Züge zu je 1 200 Personen bis Mitte Juli, alsdann täglich 4 Züge mit je 1 200 Personen bis Anfang November 1946, und schließlich bis Ende November 1946 täglich 3 Züge mit je 1 200 Personen. Nach einer Pause bis zum Februar 1947 wird der Abtransport mit täglich 3 Zügen zu je 1 200 Personen bis zum Herbst 1947 wieder aufgenommen |

| Februar 1946 | Bericht der Deutschland-Mission amerikanischer Wohlfahrtsverbände für Auslandshilfe in Washington beschreibt die Notlage in Deutschland, insbesondere der Vertriebenen, und fordert von Präsident Truman Abhilfe |

| 14. 2. 1946 | Abkommen zwischen der britischen Rhein-Armee und den polnischen Behörden über die Aussiedlung der Deutschen aus Polen und den polnisch verwalteten Gebieten. Der Abtransport beginnt am 20. 2. 1946 ab Lager Kohlfurt und dauert bis Mitte 1947 an. Insgesamt werden 1 360 000 Vertriebene in die britische Zone verfrachtet in Güterzügen mit je 55 Wagen und 1 500–2 000 Insassen (Operation Schwalbe) |

| 6. 3. 1946 | Churchill spricht in Fulton, Missouri: »Die von Sowjetrußland dirigierte polnische Regierung hat man ermutigt, ungerechtfertigterweise einen erheblichen Teil deutschen Gebietes an sich zu bringen. Massenausweisungen von Millionen von Deutschen von furchtbarem, bisher nie geahntem Ausmaß finden gegenwärtig statt« |

| 14. 3. 1946 | Stalin erklärt, daß die Frage der Westgrenzen Polens auf der Konferenz von Potsdam auf der Grundlage der polnischen Forderungen geregelt worden sei |

| 25. 4.–19. 5. 1946 | Außenministerkonferenz in Paris; Byrnes legt Deutschlandvertragsentwurf vor, der u. a. vorsah, Grenzregelung alsbald zu treffen. Molotow lehnte ab, Bevin stimmte zu |

| 2. 6. 1946 | Ansprache des Papstes zur Not der Kriegsgefangenen und Vertriebenen. Er fordert Schluß mit dem System der Gefängnisse und Konzentrationslager |

| 10. 7. 1946 | Außenminister Bidault auf der Pariser Konferenz: »Nichts Ernstliches kann geschehen, bevor man nicht die Grenzen Nachkriegsdeutschlands festgelegt haben wird. Die Konferenz von Potsdam hat in Bezug auf Ostdeutschland prinzipiell zwar provisorisch, sachlich jedoch grundlegende Abmachungen getroffen, welche die französische Regierung nicht strittig gemacht hat« |

| 1. 9. 1946 | Württemberg-Hohenzollern sperrt jeden Zustrom von Vertriebenen. Die Zonengrenzen sind streng überwacht und nur mit Passierscheinen zu überschreiten |

| 10. 10. 1946 | Der britische Abgeordnete und frühere Minister R. R. Stokes protestiert gegen die Einweisung der Deutschen in Konzentrationslager in der Tschechoslowakei |

| 24. 10. 1946 | Der tschechoslowakische Innenminister Nosek teilt den Abschluß der Austreibung der Sudetendeutschen mit |

| 29. 10. 1946 | Volkszählung in allen 4 Besatzungszonen Deutschlands; erstmals werden alle Vertriebenen und Zugewanderten gleichmäßig erfaßt. Es leben in |

	Vertriebene	Zugewanderte
amerikanischer Zone	2 785 000	398 000
britischer Zone	3 082 000	579 000
französischer Zone	95 000	45 000
russischer Zone	3 602 000	
Berlin	120 000	
	9 683 000	1 022 000

1947

| 1. 1. 1947 | Die amerikanische und die britische Besatzungszone werden zu einer wirtschaftlichen Einheit zusammengeschlossen |

| Januar 1947 | Pieck und Grotewohl berichten in Berlin Lord Beveridge, daß 3 700 000 Vertriebene in der sowjetischen Besatzungszone Aufnahme gefunden haben |

| 9. 3. 1947 | In einer KPD-Versammlung in Frankfurt/Main erklärt Grotewohl: »Die SED billige die Grenzziehung im Osten ebenso wenig, wie sie sich mit einer geplanten Neuregelung der Grenzen im Westen abfinden würde« |

| 13. 3. 1947 | In einer Pressekonferenz in München erklärt Pieck: »Die SED ist eine deutsche Partei, die deutsche Interessen vertritt«. Zur Frage der Ostgrenzen befragt, dementiert Pieck »angebliche« Äußerungen des SED-Vorstandsmitgliedes Ackermann über die Anerkennung der Oder-Neiße-Linie und betont, daß die SED nach wie vor jede Grenzveränderung ablehne. Wenn sie aber Deutschland auferlegt werde, so liege das nicht an der SED, sondern an den Machtverhältnissen und den Machtansprüchen der Alliierten |

| 12. u. 13. 4. 1947 | 600 Delegierte der sudetendeutschen Sozialdemokraten, die heute in der amerikanischen Besatzungszone leben, weisen Deutschland und das Ausland auf ihre verzweifelte Lage hin. Sie erklären: »Das Flüchtlingsproblem ist ein Mühlstein um den Hals der schwer ringenden deutschen Demokratie.« Sie fordern zielbewußte Eingliederung der Vertriebenen, die nur durch Sondergesetze und Sonderverwaltung erzielt werden kann |

| 22. 9. 1947 | An der Außenminister-Konferenz in Paris nehmen 19 Staaten teil; Außenminister Molotow (Sowjetunion) reist jedoch am ersten Tag bereits wieder ab und zwingt Polen und die Tschechoslowakei, sich ebenfalls zurückzuziehen. Der »Marshall-Plan« wird damit praktisch auf Westeuropa – einschließlich der drei westlichen Besatzungszonen Deutschlands – beschränkt |

| 18. 7. 1947 | Der stellvertrende ungarische Innenminister Rakosi gibt in Budapest bekannt: Es sollen noch 200 000 Deutsche aus Ungarn ausgewiesen werden, um für die Ungarn Platz zu machen, die aus der Tschechoslowakei nach Ungarn zurückkehren |

| 19. 9. 1947 | Stettin mit dem Gebiet westlich der Oder wird aufgrund eines Protokolls zwischen der Sowjetunion und Polen völlig der polnischen Verwaltung unterstellt |

| 5. 11. 1947 | Außenminister Bevin erklärt im Unterhaus, daß in den ersten 9 Monaten 1947 die britische Zone 89 000 Vertriebene aufgenommen hat, die mit Genehmigung aus der russischen Zone kamen. Die »illegale« Zuwanderung betrage etwa 100 000 Personen |

Potsdamer Protokoll

Auf der Potsdamer Konferenz (17. Juli – 2. August 1945) wurde über das Schicksal Deutschlands entschieden. Auf Seiten der Siegermächte nahmen Churchill (später Attlee), Truman, Stalin und ihre Außenminister und Berater teil. Deutsche wurden zu den Beratungen nicht hinzugezogen.

Im sogenannten Potsdamer Protokoll wurden u. a. die Fragen einer vorläufigen deutschen Ostgrenze bis zu einem künftigen Friedensvertrag geregelt. Darüber hinaus wurde die Ausweisung der Deutschen aus Polen, der ČSR und Ungarn »legalisiert«. Sie habe nur in »ordnungsgemäßer und humaner Weise« zu erfolgen.

Auszug aus dem Potsdamer Protokoll
vom 2. August 1945

VI. Stadt Königsberg und das anliegende Gebiet

Die Konferenz prüfte einen Vorschlag der Sowjetregierung, daß vorbehaltlich der endgültigen Bestimmung der territorialen Fragen bei der Friedensregelung derjenige Abschnitt der Westgrenze der Union der Sozialistischen Sowjetrepubliken, der an die Ostsee grenzt, von einem Punkt an der östlichen Küste der Danziger Bucht in östlicher Richtung nördlich von Braunsberg-Goldap und von da zu dem Schnittpunkt der Grenzen Litauens, der Polnischen Republik und Ostpreußens verlaufen soll.

Die Konferenz hat grundsätzlich dem Vorschlag der Sowjetregierung hinsichtlich der endgültigen Übergabe der Stadt Königsberg und des anliegenden Gebietes an die Sowjetunion gemäß der obigen Beschreibung zugestimmt, wobei der genaue Grenzverlauf einer sachverständigen Prüfung vorbehalten bleibt.

Der Präsident der USA und der britische Premierminister haben erklärt, daß sie den Vorschlag der Konferenz bei der bevorstehenden Friedensregelung unterstützen werden.

IX. Polen

Die Konferenz hat die Fragen, die sich auf die Polnische Provisorische Regierung der Nationalen Einheit und auf die Westgrenze Polens beziehen, der Betrachung unterzogen.

Hinsichtlich der Polnischen Provisorischen Regierung der Nationalen Einheit definieren sie ihre Haltung in der folgenden Feststellung:

a) Wir haben mit Genugtuung von dem Abkommen Kenntnis genommen, das die polnischen Vertreter aus Polen selbst und diejenigen aus dem Auslande erzielt haben, durch das die in Übereinstimmung mit den Beschlüssen der Krim-Konferenz erfolgte Bildung einer polnischen Provisorischen Regierung der Nationalen Einheit möglich geworden ist, die von den drei Mächten anerkannt worden ist. Die Herstellung diplomatischer Beziehungen mit der Polnischen Provisorischen Regierung durch die britische Regierung und die Regierung der Vereinigten Staaten hatte die Zurückziehung ihrer Anerkennung der früheren polnischen Regierung in London zur Folge, die nicht mehr besteht.

Die Regierungen der Vereinigten Staaten und Großbritanniens haben Maßnahmen zum Schutze der Interessen der Polnischen Provisorischen Regierung der Nationalen Einheit als der anerkannten Regierung des polnischen Staates hinsichtlich des Eigentums getroffen, das dem polnischen Staate gehört, in ihren Gebieten liegt und unter ihrer Kontrolle steht, unabhängig davon, welcher Art dieses Eigentum auch sein mag.

Sie haben weiterhin Maßnahmen zur Verhinderung einer Übereignung derartigen Eigentums an Dritte getroffen.

Der Polnischen Provisorischen Regierung der Nationalen Einheit werden alle Möglichkeiten zur Anwendung der üblichen gesetzlichen Maßnahmen geboten werden zur Wiederherstellung eines beliebigen Eigentumsrechtes des Polnischen Staates, das ihm ungesetzlich entzogen worden sein sollte.

Die drei Mächte sind darum besorgt, der Polnischen Provisorischen Regierung der Nationalen Einheit bei der Angelegenheit der Erleichterung der möglichst baldigen Rückkehr aller Polen im Ausland nach Polen behilflich zu sein, und zwar für alle Polen im Ausland, die nach Polen zurückzukehren wünschen, einschließlich der Mitglieder der polnischen bewaffneten Streitkräfte und der polnischen Handelsmarine. Sie erwarten, daß den in die Heimat zurückkehrenden Polen die gleichen persönlichen und eigentumsmäßigen Rechte zugebilligt werden wie allen übrigen polnischen Bürgern.

Die drei Mächte nehmen zur Kenntnis, daß die Polnische Provisorische Regierung der Nationalen Einheit in Übereinstimmung mit den Beschlüssen der Krim-Konferenz der Abhaltung freier und ungehinderter Wahlen, die so bald wie möglich auf der Grundlage des allgemeinen Wahlrechts und der geheimen Abstimmung durchgeführt werden sollen, zugestimmt hat, wobei alle demokratischen und antinazistischen Parteien das Recht zur Teilnahme und zur Aufstellung von Kandidaten haben und die Vertreter der alliierten Presse volle Freiheit genießen sollen, der Welt über die Entwicklung der Ereignisse in Polen vor und während der Wahlen zu berichten.

b) Bezüglich der Westgrenze Polens wurde folgendes Abkommen erzielt:

In Übereinstimmung mit dem bei der Krim-Konferenz erzielten Abkommen haben die Häupter der drei Regierungen die Meinung der Polnischen Provisorischen Regierung der Nationalen Einheit hinsichtlich des Territoriums im Norden und Westen geprüft, das Polen erhalten soll. Der Präsident des Nationalrates Polens und die Mitglieder der Polnischen Provisorischen Regierung der Nationalen Einheit sind auf der Konferenz empfangen worden und haben ihre Auffassungen in vollem Umfange dargelegt. Die Häupter der drei Regierungen bekräftigen ihre Auffassung, daß die endgültige Festlegung der Westgrenze Polens bis zu der Friedenskonferenz zurückgestellt werden soll.

Die Häupter der drei Regierungen stimmen darin überein, daß bis zur endgültigen Festlegung der Westgrenze Polens die früher deutschen Gebiete östlich der Linie, die von der Ostsee unmittelbar westlich von Swinemünde und von dort die Oder entlang bis zur Einmündung der westlichen Neiße und die westliche Neiße entlang bis zur tschechoslowakischen Grenze verläuft, einschließlich des Teiles Ostpreußens, der nicht unter die Verwaltung der Union der Sozialistischen Sowjetrepubliken in Übereinstimmung mit den auf dieser Konferenz erzielten Vereinbarungen gestellt wird, und einschließlich des Gebietes der früheren Freien Stadt Danzig unter die Verwaltung des polnischen Staates kommen und in dieser Hinsicht nicht als Teil der sowjetischen Besatzungszone in Deutschland betrachtet werden sollen.

XIII. Ordnungsgemäße Überführung deutscher Bevölkerungsteile

Die Konferenz erzielte folgendes Abkommen über die Ausweisung Deutscher aus Polen, der Tschechoslowakei und Ungarn:

Die drei Regierungen haben die Frage unter allen Gesichtspunkten beraten und erkennen an, daß die Überführung der deutschen Bevölkerung oder Bestandteile derselben, die in Polen, der Tschechoslowakei und Ungarn zurückgeblieben sind, nach Deutschland durchgeführt werden muß. Sie stimmen darin überein, daß jede derartige Überführung, die stattfinden wird, in ordnungsgemäßer und humaner Weise erfolgen soll.

Da der Zustrom einer großen Zahl Deutscher nach Deutschland die Lasten vergrößern würde, die bereits auf den Besatzungsbehörden ruhen, halten sie es für wünschenswert, daß der alliierte Kontrollrat in Deutschland zunächst das Problem unter besonderer Berücksichtigung der Frage einer gerechten Verteilung dieser Deutschen auf die einzelnen Besatzungszonen prüfen soll. Sie beauftragen demgemäß ihre jeweiligen Vertreter beim Kontrollrat, ihren Regierungen so bald wie möglich über den Umfang zu berichten, in dem derartige Personen schon aus Polen, der Tschechoslowakei und Ungarn nach Deutschland gekommen sind, und eine Schätzung über Zeitpunkt und Ausmaß vorzulegen, zu dem die weiteren Überführungen durchgeführt werden könnten, wobei die gegenwärtige Lage in Deutschland zu berücksichtigen ist.

Die tschechoslowakische Regierung, die Polnische Provisorische Regierung und der Alliierte Kontrollrat in Ungarn werden gleichzeitig von Obigem in Kenntnis gesetzt und ersucht werden, inzwischen weitere Ausweisungen der deutschen Bevölkerung einzustellen, bis die betroffenen Regierungen die Berichte ihrer Vertreter an den Kontrollausschuß geprüft haben.

Tabellen

Die Flucht und Vertreibung der Deutschen aus dem Osten »scheint«, so die Mitarbeiter der »Dokumentation der Vertreibung der Deutschen aus Ost-Mitteleuropa«, »für eine wissenschaftliche Behandlung, die sich nur von unbestechlicher Wahrheitsliebe und nicht von dem Willen zur Anklage oder Rechtfertigung leiten läßt, noch kaum zugänglich«. Einige der in der Dokumentation erarbeiteten Tabellen haben wir übernommen, weil durch sie besser als durch Texte und persönliche Schilderungen die enormen Bevölkerungsbewegungen deutlich werden, die sich zwischen 1939 und 1947 in den deutschen Ostgebieten und den angrenzenden Ländern vollzogen haben.

Darüber hinaus geben die Tabellen noch einen Überblick über die Etappen der Ausweisung und die Bevölkerungsverluste seit 1939. Diese Zahlen machen die Dimension der Vertreibung erst richtig deutlich.

Anzahl und Verteilung der Luftkriegsevakuierten in Ostdeutschland (Februar/März 1944)

Ostpreußen	200 000
Ostpommern	100 000
Ostbrandenburg	75 000
Schlesien	450 000
Oder-Neiße-Gebiet insgesamt	825 000

Anzahl, Verteilung und Zusammensetzung der deutschen Bevölkerung Danzigs, des Memellandes und Polens nach dem Stande von 1944

Gebiete mit deutscher Bevölkerung außerhalb d. dt. Ostgrenzen v. 31. 12. 1937	Alteingesessene dt. Bevölkerung	Umsiedler	Deutsche aus dem Reich	Insgesamt
Danzig	394 000	–	10 000	404 000
Memelland	129 000	–	5 000	134 000
Polnische Gebiete des Reichsgaues Danzig-Westpreußen	210 000	57 000	40 000	307 000
Reichsgau Wartheland	230 000	250 000	194 000	674 000
An die Provinz Ostpreußen angegliederte polnische Gebiete	31 000	8 000	26 000	65 000
Ostoberschlesien	238 000	38 000	100 000	376 000
Generalgouvernement	80 000	–	100 000	180 000
Insgesamt	1 312 000 (62 %)	353 000 (16 %)	475 000 (22 %)	2 140 000 (100 %)

Veränderung des deutschen Bevölkerungsstandes östlich der Oder-Neiße-Linie infolge der Flucht und der Rückkehr im Jahre 1945

Die Gebiete östlich der Oder und Neiße	Stand der deutschen Bevölkerung Ende 1944	Stand der deutschen Bevölkerung nach der Flucht vor der Roten Armee April–Mai 1945	Stand der deutschen Bevölkerung nach der Rückkehr (Sommer 1945) und vor der Austreibung
Ostpreußen	2 653 000	600 000	800 000
Ostpommern	1 861 000	1 000 000	1 000 000
Ostbrandenburg	660 000	300 000	350 000
Schlesien	4 718 000	1 500 000	2 500 000
Polnische Gebiete	1 612 000	800 000	800 000
Danzig	420 000	200 000	200 000
Insgesamt	11 924 000	4 400 000	5 650 000

Die einzelnen Etappen der Ausweisung

	Anzahl der Ausgewiesenen:
Vor dem Potsdamer Abkommen (Juni/Juli 1945) vor allem aus Ostbrandenburg, Ostpommern und Niederschlesien:	250 000
Vom Spätsommer bis Spätherbst 1945 aus allen ostdeutschen Gebieten mit Ausnahme des sowjetisch verwalteten Ostpreußen:	400 000
Während des Jahres 1946 vor allem aus Schlesien, Ostpommern und dem polnisch verwalteten Ostpreußen:	2 000 000
Während des Jahres 1947 aus allen polnisch verwalteten deutschen Ostgebieten und aus dem sowjetisch verwalteten Ostpreußen:	500 000
Während des Jahres 1948 aus dem sowjetisch verwalteten Ostpreußen und aus Polen:	150 000
Während des Jahres 1949 aus dem sowjetisch verwalteten Ostpreußen und aus Polen:	150 000
In den Jahren 1950–1951 im Rahmen der Aktion Link:	50 000
Insgesamt:	3 500 000

Nachdem 1950/51 mit den letzten größeren Ausweisungstransporten aus Polen und den polnisch verwalteten Gebieten die Ausweisung der Deutschen zum Stillstand gekommen war und Hunderttausende von Deutschen schon vorher infolge der katastrophalen Lebensverhältnisse, unter denen sie besonders in den Jahren 1945 und 1946 zu leben hatten, zugrunde gegangen waren, blieben von der Bevölkerung deutscher Staatsangehörigkeit, die bei Kriegsende in den Reichsgebieten östlich der Oder-Neiße gelebt hatte, und von den Deutschen, die ehemals in Danzig und in Polen ansässig gewesen waren, noch insgesamt etwa eine Million zurück.

Verluste der ostdeutschen Bevölkerung durch Kriegseinwirkungen und infolge der Vertreibung (1939–1950)

Reichsgebiete jenseits der Oder und Neiße	Bevölkerungsstand v. 1939 plus Bevölkerungszuwachs während der Kriegszeit	Anzahl der Vertrieb. aus d. Reichsgeb. östlich der Oder-Neiße i. Bundesgeb. u. d. Sowjet-Zone	Noch in ihrer Heimat befindlich	Differenz (Verluste durch Kriegseinwirkung und Vertreibung)
Ostpreußen	2 619 000	1 930 000	75 000	614 000
Ostpommern	1 985 000	1 495 000	50 000	440 000
Ostbrandenburg	659 000	410 000	10 000	239 000
Schlesien	4 824 000	3 250 000	700 000	874 000
Insgesamt	10 087 000	7 085 000	835 000	2 167 000

Dokumente

Die nachstehend abgedruckten Dokumente stammen ausnahmslos aus der Zeit zwischen 1945 und 1947. Aus ihnen geht hervor, mit welchen Schikanen und Schwierigkeiten die zurückgebliebenen Deutschen fertig werden mußten. Besonders interessant ist das letzte Dokument: Unter den 34 Deutschen, die in einen Eisenbahn-Waggon verladen werden, sind nur sechs Männer, die zudem fast alle sehr alt sind.

Die Frauen mußten, wie auch während der Trecks, für ihre Kinder und sich selbst sorgen, denn die Männer waren in Kriegsgefangenschaft, gefallen oder wurden als Facharbeiter in wichtigen Versorgungsbetrieben zurückgehalten.

Dieser Passierschein vom 6. September 1945 erlaubte 19 Personen als Begleitung eines Viehtrecks für die russische Besatzungsarmee von Briesnitz nach Weigelsdorf (Schlesien) und zurück zu gehen.

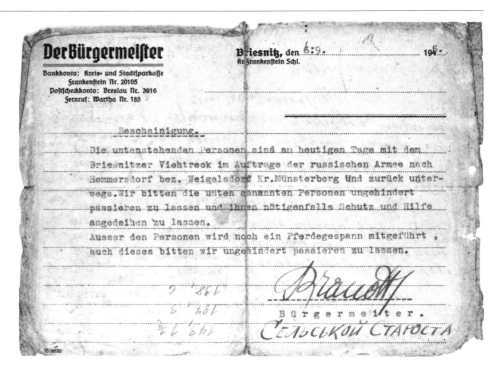

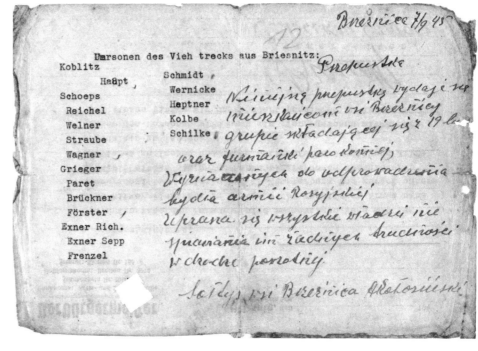

So sah im Mai 1945 eine provisorische Aufenthaltsgenehmigung aus: Mit diesem Dokument durfte sich ein Treck von acht Personen zwei Tage in Petersdorf (Riesengebirge) aufhalten.

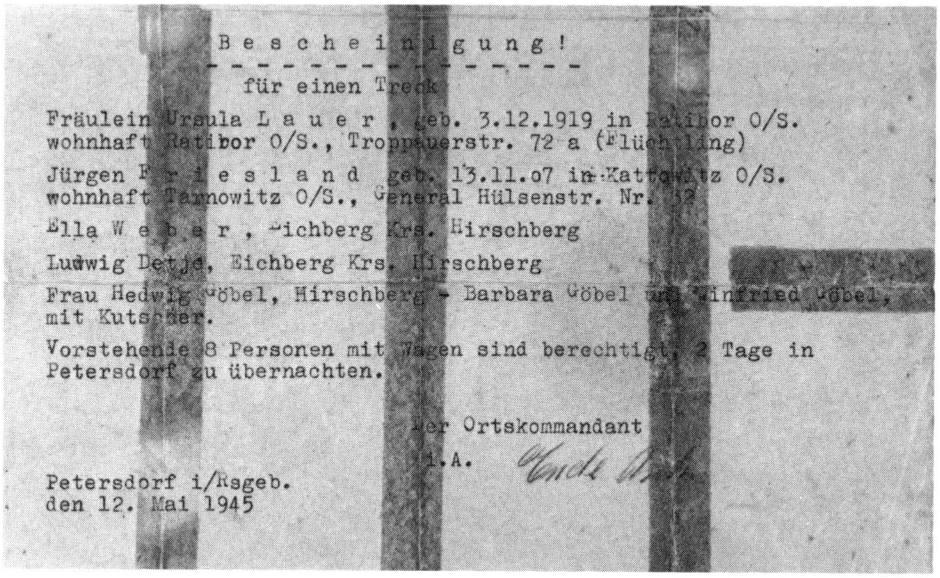

Bescheinigung!

für einen Treck

Fräulein Ursula Lauer, geb. 3.12.1919 in Ratibor O/S. wohnhaft Ratibor O/S., Troppauerstr. 72 a (Flüchtling)

Jürgen Friesland geb. 13.11.07 in Kattowitz O/S. wohnhaft Tarnowitz O/S., General Hülsenstr. Nr. 32

Ella Weber, Eichberg Krs. Hirschberg

Ludwig Detje, Eichberg Krs. Hirschberg

Frau Hedwig Göbel, Hirschberg - Barbara Göbel und Winfried Göbel, mit Kutscher.

Vorstehende 8 Personen mit Wagen sind berechtigt, 2 Tage in Petersdorf zu übernachten.

Der Ortskommandant
i.A.

Petersdorf i/Rsgeb.
den 12. Mai 1945

Von der sowjetischen Militäradministration ausgestellter Passierschein in der niederschlesischen Kreisstadt Glatz. Dieser offensichtlich unbescholtene Bürger war berechtigt, ein Fahrrad zu führen.

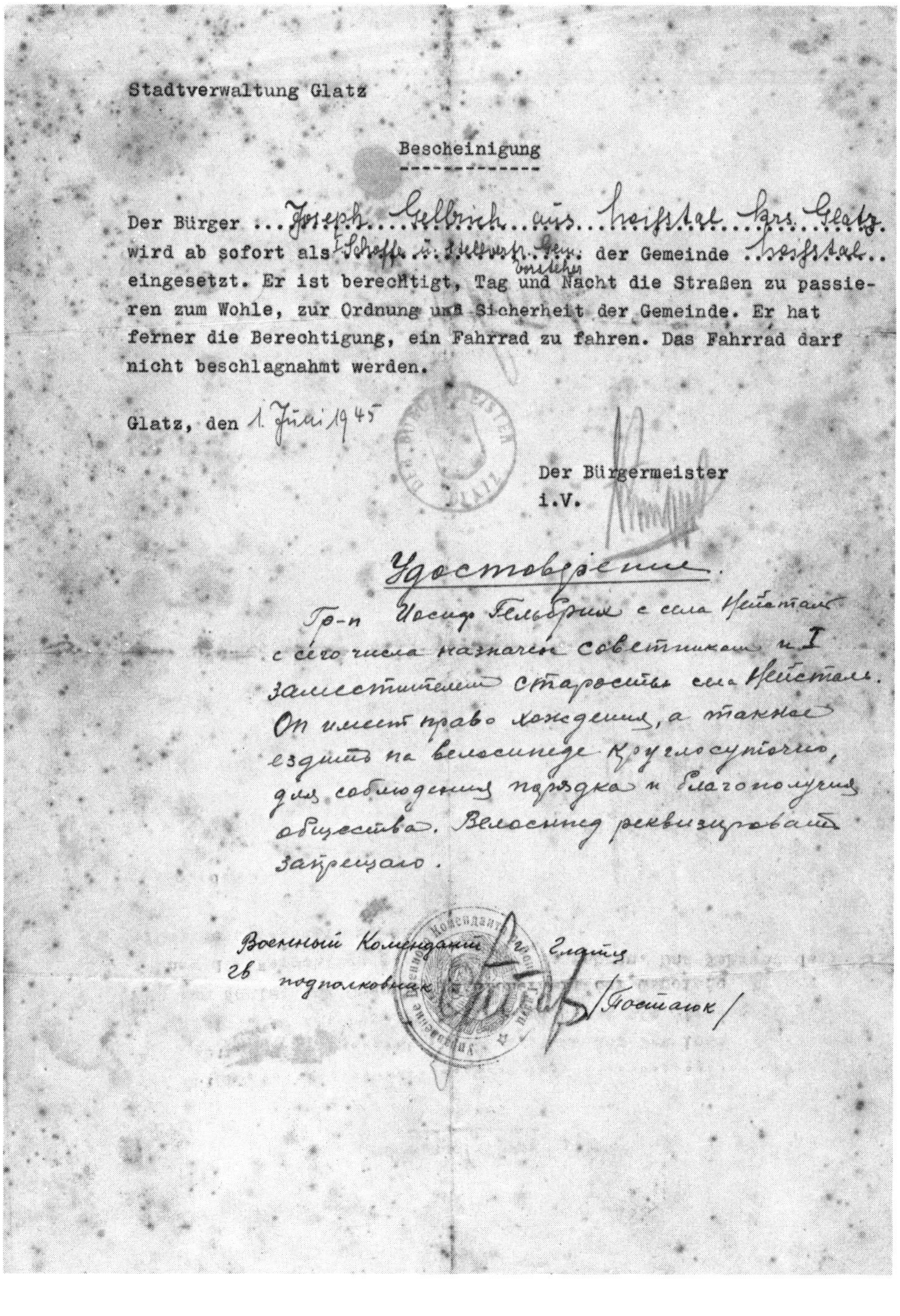

Stadtverwaltung Glatz

Bescheinigung

Der Bürger ...Joseph Gelbrich aus Neißtal Krs. Glatz...
wird ab sofort als I. Schöffe u. Stellvertr. Gem.vorsteher der Gemeinde ...Neißtal...
eingesetzt. Er ist berechtigt, Tag und Nacht die Straßen zu passieren zum Wohle, zur Ordnung und Sicherheit der Gemeinde. Er hat ferner die Berechtigung, ein Fahrrad zu fahren. Das Fahrrad darf nicht beschlagnahmt werden.

Glatz, den 1. Juni 1945

Der Bürgermeister
i.V.

Удостоверение.

Гр-н Иосиф Гельбрих с села Нейсталь с сего числа назначен советником и I заместителем старосты села Нейсталь. Он имеет право хождения, а также ездить на велосипеде круглосуточно, для соблюдения порядка и благополучия общества. Велосипед реквизировать запрещаю.

Военный Комендант г. Глатц
подполковник /Постанюк/

Eine Zwangseinquartierung vom Oktober 1945. Ein Deutscher muß einen Polen in seinem Haus unterbringen und ihm Wohnung und Verpflegung stellen.

An der Haustür angebrachte Bescheinigung der im Hause wohnenden Personen. Unten stehen die deutschen Besitzer – oben die neuen polnischen Herren. Sie wurde im Dezember 1945 in Neuweistritz (Nowa Bystrzyca), Kreis Habelschwert (Niederschlesien), ausgestellt.

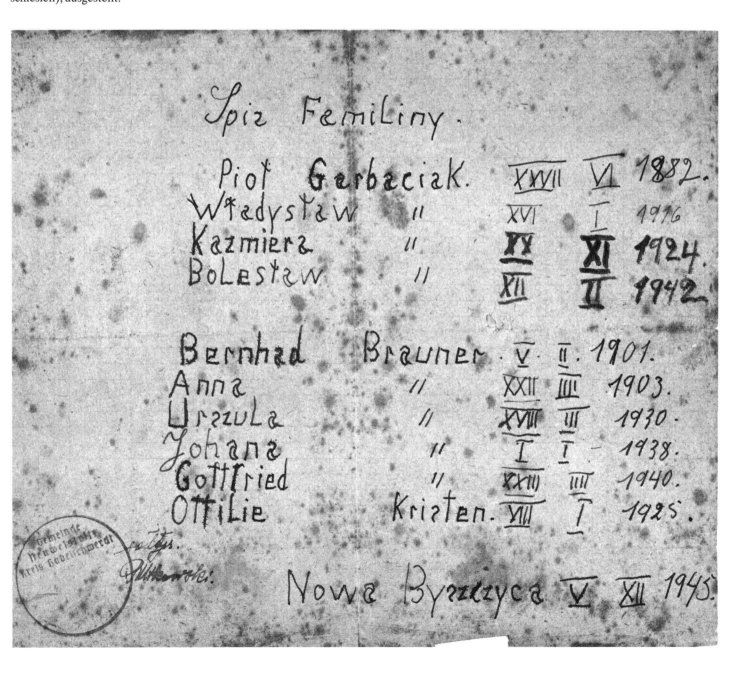

Der Deutsche Josef Bartsch muß seinen
Kutschschlitten dem polnischen Grenzschutz
überlassen – Dezember 1945, Neuweistritz
(Niederschlesien).

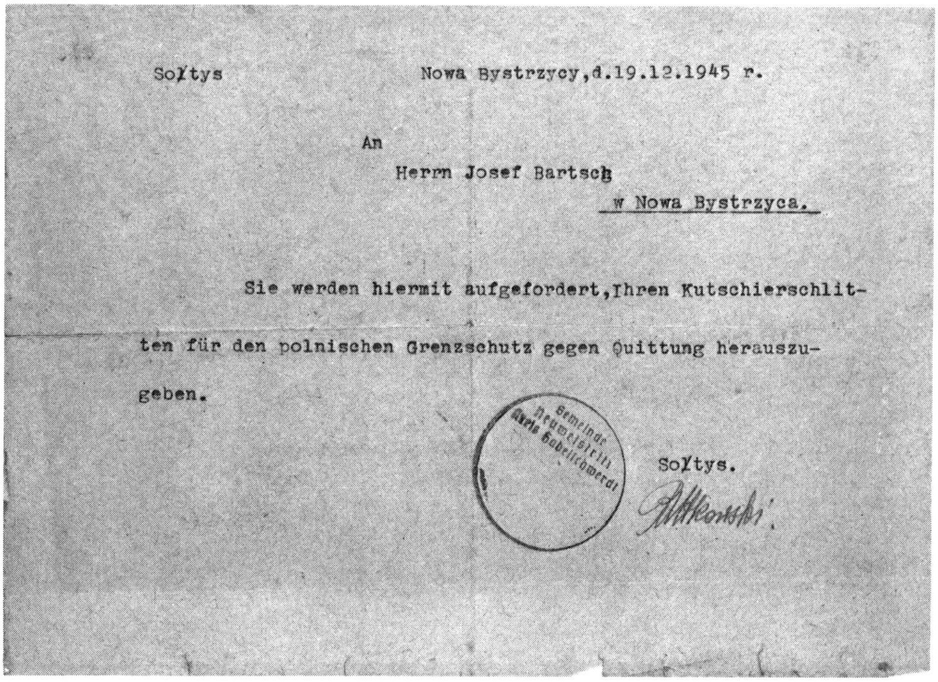

Soltys   Nowa Bystrzycy,d.19.12.1945 r.

                    An

                    Herrn Josef Bartsch

                              w Nowa Bystrzyca.

          Sie werden hiermit aufgefordert,Ihren Kutschierschlit-

          ten für den polnischen Grenzschutz gegen Quittung herauszu-

          geben.

                                        Soltys.

Ablieferungsverpflichtung eines Getreide-
und Kartoffelkontingents an die polnische
Verwaltung – September 1945, Herzogswalde (Niederschlesien).

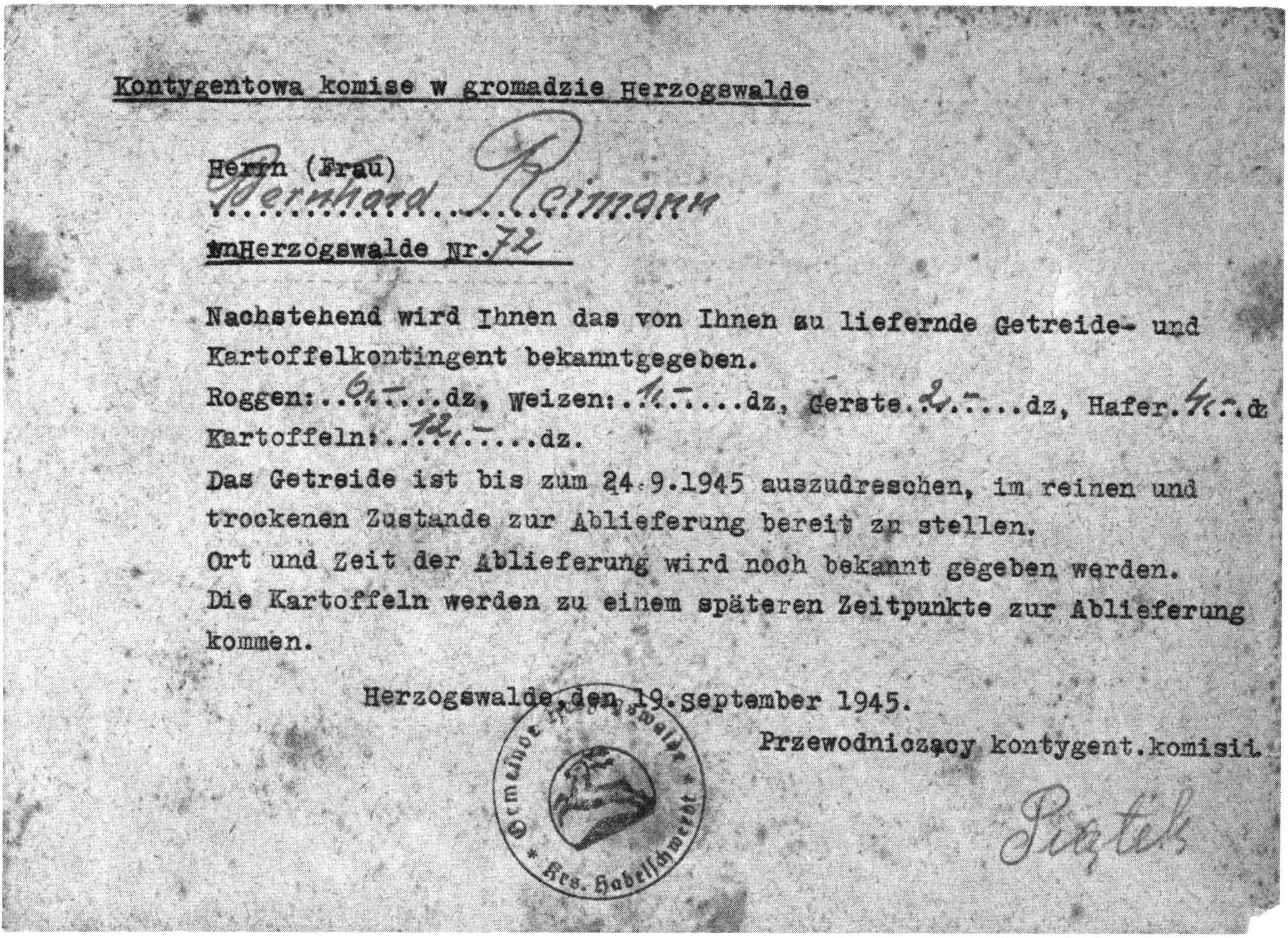

Kontygentowa komise w gromadzie Herzogswalde

Herrn (Frau)
Bernhard Reimann

inHerzogswalde Nr.72

Nachstehend wird Ihnen das von Ihnen zu liefernde Getreide- und
Kartoffelkontingent bekanntgegeben.
Roggen:....dz, Weizen:....dz, Gerste....dz, Hafer....dz
Kartoffeln:....dz.
Das Getreide ist bis zum 24.9.1945 auszudreschen, im reinen und
trockenen Zustande zur Ablieferung bereit zu stellen.
Ort und Zeit der Ablieferung wird noch bekannt gegeben werden.
Die Kartoffeln werden zu einem späteren Zeitpunkte zur Ablieferung
kommen.

          Herzogswalde,den 19.September 1945.
                    Przewodniczacy kontygent.komisii

Ein Dokument der Vertreibung: 34 Deutsche – sechs Männer, sieben Kinder und 21 Frauen, werden in einem Eisenbahn-Waggon von Neubrunn (Niederschlesien) Richtung Westen verladen.

Neubrunn–Grafenort – Stuicinka – Gezanewa

WAGON Nr. 49

Transport Nr. 1

Komendant wagonu   P r a u s e   August
Wagenältester

L.p. Lfd. Nr.	Nazwisko i Imię Name und Vorname		Data urodzenia Geburtsdatum	Zawód Beruf	Mężczyźn. Männer	Kobiet Frauen	Dzieci Kinder	Art. spożywcze Lebensmittel			
								chleb Brot	masło Fett	cukier Zucker	mięso Fleisch
1	Prause	August	5. 9.83	Gastw.	1						
2	"	Lisbeth	18.11.15	–		1					
3	"	Erna	6.10.21	Schneider.		1					
4	"	Gertrud	25.11.18	–		1					
5	"	Christa	4. 4.39	Enkel			1				
6	"	Karin	3.12.45	Tochter			1				
7	"	Bertha	13. 3.77	Rentn.		1					
8	Mai	Hildegard	11. 2.09	Landw.		1					
9	"	Annemarie	7. 8.31	Tochter		1	1				
10	"	Barbara	7. 8.31	"		1					
11	"	Elisabeth	16. 4.37	Tochter			1				
12	Czekalla	Elisabeth	8. 4.08	Schneiderin		1					
13	Langer	Wilhelm	11. 1.68	Rentner	1						
14	"	Marie	26. 8.79	"		1					
15	Nagel	Bernhard	11. 8.93	Müller	1						
16	Brauner	Hedel	26. 8.10	Ehefrau		1					
17	"	Josef	15.11.72	Invalide	1						
18	Rieger	Martha	1. 7.10	Ehefrau		1					
19	Volkmer	Martha	25. 5.05	Ehefrau		1					
20	"	Magda	16. 6.23	Hausgeh.		1					
21	"	Gerhard	9.11.36	Kind			1				
22	"	Hedwig	26. 8.08	Ehefrau		1					
23	"	Horst	26. 7.40	Kind			1				
24	"	Ida	5. 3.75	Witwe		1					
25	Wanke	Hedwig	23.11.81	"		1					
26	Höcker	Robert	22. 6.69	Auszügler	1						
27	"	Anna	30.12.74	Ehefrau		1					
28	"	Maria	22. 1.08	Landw.		1					
29	"	Marianne	31. 1.45	Kind			1				
30	"	Barbara	31.12.38	"			1				
31	Warazwa	Anna	30. 4.88	Wirtsch.		1					
32	Klahr	Hannes	3.10.81	Landw.	1						
33	"	Maria	20. 5.90	–		1					
34	Keber	Irene	14.11.23			1					
					6	21	7	7340,850,450,1700			
						34					